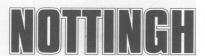

SUPER RED BO...ND

NOTTINGH...

...way

...ad

...ad

Road

	Pedestrianised / Restricted Access
	Track
	Built Up Area
	Footpath
	Stream
	River
Lock	Canal
	Railway / Station
NET	Nottingham Express Transit
●	Post Office
P P+	Car Park / Park & Ride
C	Public Convenience
+	Place of Worship
→	One-way Street
i	Tourist Information Centre
8 8	Adjoining Pages
	Area Depicting Enlarged Centre
	Emergency Services
	Industrial Buildings
	Leisure Buildings
	Education Buildings
	Hotels etc.
	Retail Buildings
	General Buildings
	Woodland
	Recreation Ground
	Cemetery

CONTENTS

Page Layout & Road Map   **2-3**
2½ Miles to 1 Inch

Nottingham Enlarged Centre   **4-5**
8 Inches to 1 Mile

Street Maps   **6-59**
4 Inches to 1 Mile

Index to Streets   **59**

Redbooks showing the way

Every effort has been made to verify the accuracy of information in this book but the publishers cannot accept responsibility for expense or loss caused by an error or omission.

Information that will be of assistance to the user of the maps will be welcomed.

The representation on these maps of a road, track or path is no evidence of the existence of a right of way.

Street plans prepared and published by ESTATE PUBLICATIONS, Bridewell House, TENTERDEN, KENT. The Publishers acknowledge the co-operation of the local authorities of towns represented in this atlas.

Ordnance Survey® This product includes mapping data licensed from Ordnance Survey® with the permission of the Controller of Her Majesty's Stationery Office.

© Crown Copyright   All rights reserved
© Estate Publications 178-10   ISBN 1 84192 280 3   Licence number 100019031

www.ESTATE-PUBLICATIONS.co.uk

Printed by Ajanta Offset, New Delhi, India.

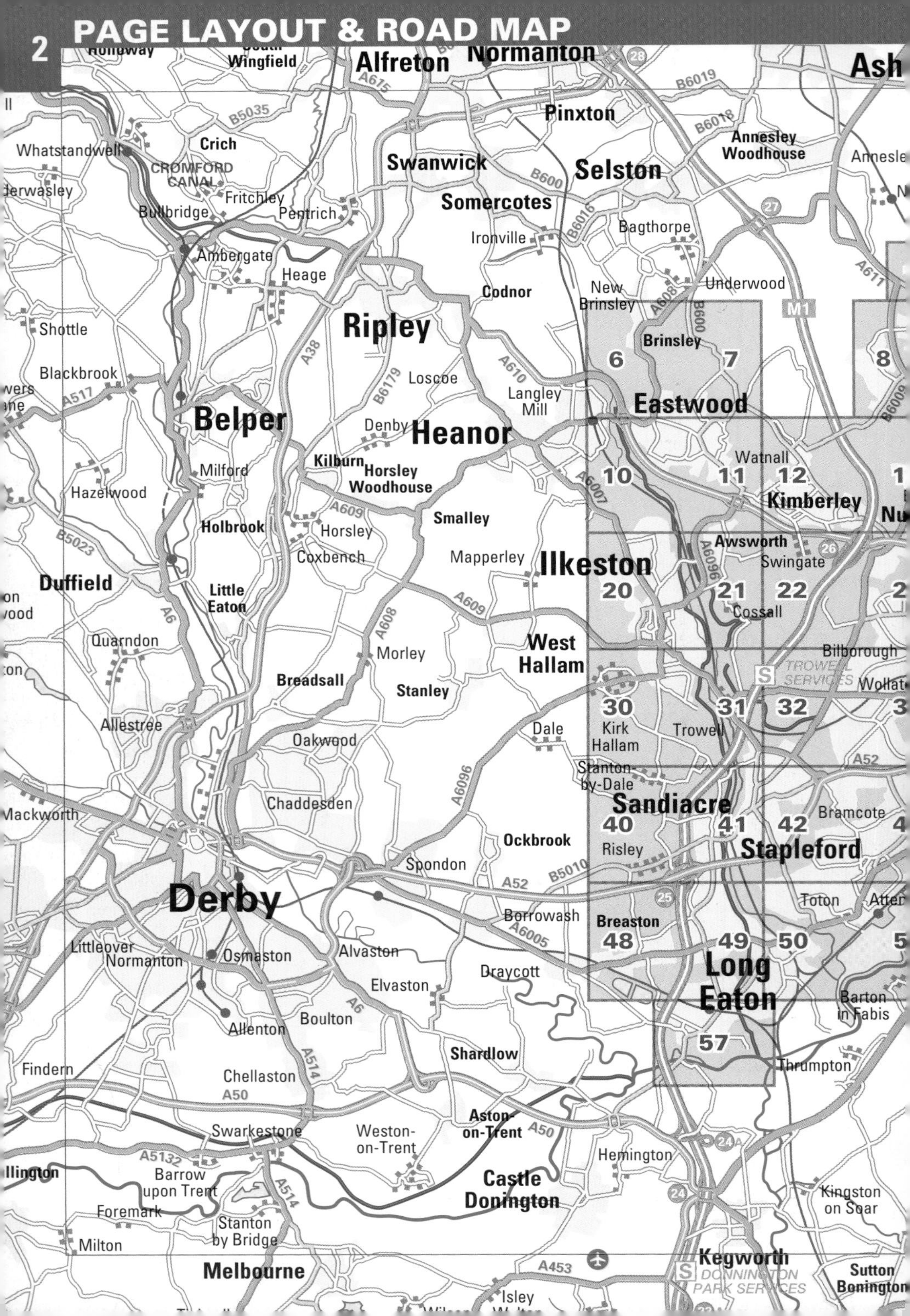

Alfreton
Normanton
Ash
Pinxton
Crich
Whatstandwell
CROMFORD CANAL
Fritchley
Bullbridge
Pentrich
Swanwick
Selston
Somercotes
Annesley Woodhouse
Bagthorpe
Ironville
Ambergate
Heage
Codnor
New Brinsley
Underwood
Shottle
Ripley
Brinsley
Blackbrook
Loscoe
Langley Mill
Eastwood
Belper
Denby
Heanor
Milford
Kilburn
Horsley Woodhouse
Watnall
Hazelwood
Kimberley
Holbrook
Smalley
Horsley
Awsworth
Coxbench
Mapperley
Ilkeston
Swingate
Duffield
Little Eaton
Cossall
Quarndon
Morley
West Hallam
Bilborough
Breadsall
Stanley
TROWELL SERVICES
Allestree
Oakwood
Dale
Kirk Hallam
Trowell
Stanton-by-Dale
Chaddesden
Sandiacre
Mackworth
Bramcote
Ockbrook
Risley
Stapleford
Spondon
Derby
Borrowash
Toton
Breaston
Littleover
Normanton
Osmaston
Alvaston
Long Eaton
Draycott
Elvaston
Barton in Fabis
Allenton
Boulton
Shardlow
Findern
Chellaston
Thrumpton
Swarkestone
Weston-on-Trent
Aston-on-Trent
Hemington
Barrow upon Trent
Castle Donington
Kingston on Soar
Foremark
Stanton by Bridge
Milton
Melbourne
Kegworth
DONINGTON PARK SERVICES
Sutton Bonington
Isley
M1
A38
A6
A52
A50
A514
A609
A608
A610
A6096
A6007
A6005
A453
A5132
A517
A615
B5035
B6019
B6018
B600
B6016
B6179
B5023
B5010
6
7
8
10
11
12
20
21
22
30
31
32
40
41
42
48
49
50
57

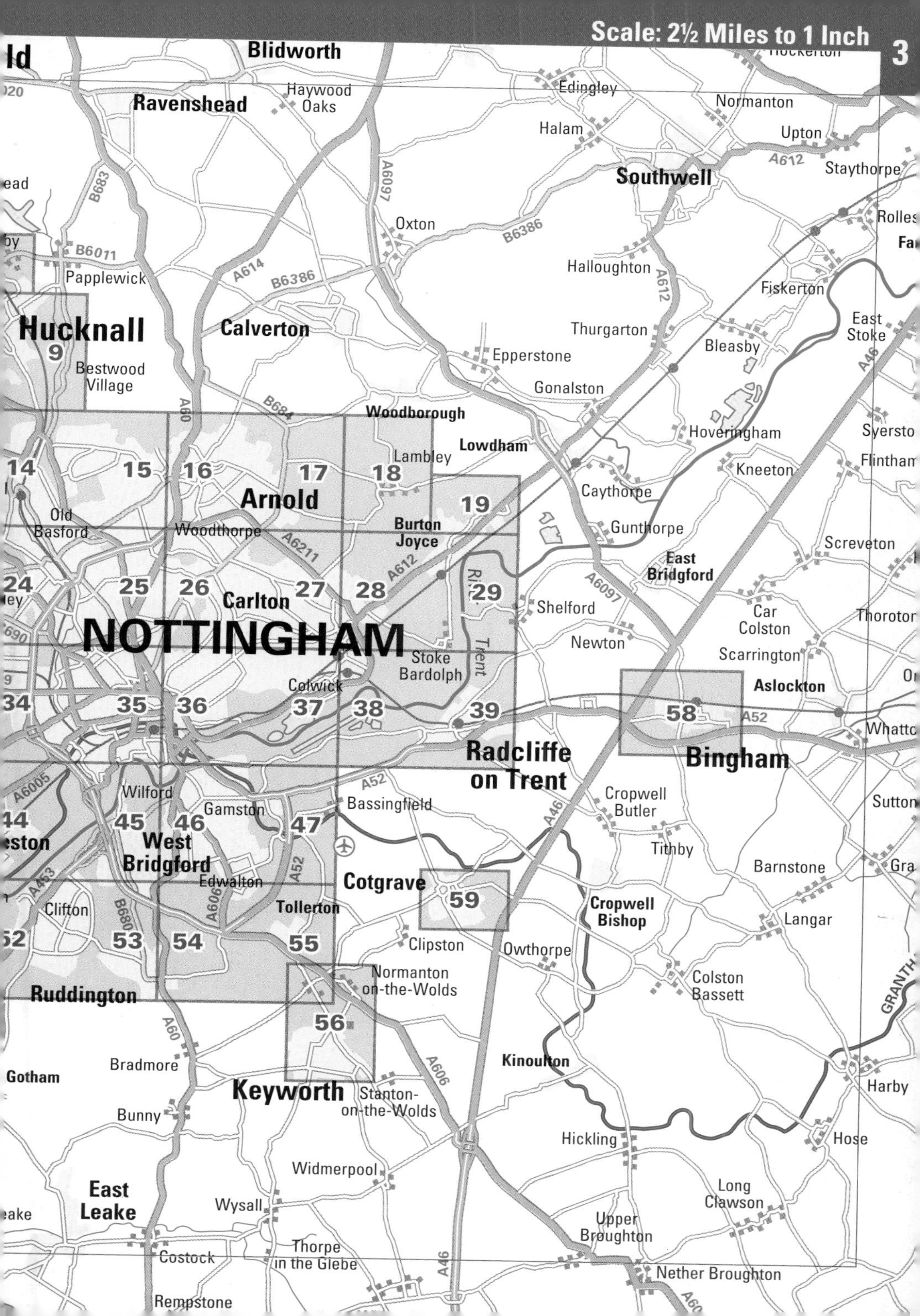
Blidworth
Ravenshead
Haywood Oaks
Edingley
Normanton
Halam
Upton
Southwell
Staythorpe
Oxton
Rolleston
Papplewick
Halloughton
Fiskerton
Hucknall
9
Bestwood Village
Calverton
Thurgarton
Bleasby
East Stoke
Epperstone
Gonalston
Woodborough
Lowdham
Lambley
Hoveringham
Syerston
Kneeton
Flintham
14
15
16
17
18
19
Arnold
Old Basford
Woodthorpe
Burton Joyce
Caythorpe
Gunthorpe
Screveton
East Bridgford
24
25
26
Carlton
27
28
29
Shelford
Car Colston
Thoroton
NOTTINGHAM
Newton
Scarrington
Stoke Bardolph
Colwick
Aslockton
34
35
36
37
38
39
58
Radcliffe on Trent
Bingham
Whatton
Wilford
Gamston
Bassingfield
Cropwell Butler
Sutton
44
45
46
47
West Bridgford
Tithby
Barnstone
Edwalton
Cotgrave
59
Cropwell Bishop
Langar
Clifton
Tollerton
52
53
54
55
Clipston
Owthorpe
Colston Bassett
Ruddington
Normanton on-the-Wolds
56
Kinoulton
Bradmore
Gotham
Keyworth
Stanton-on-the-Wolds
Harby
Bunny
Hickling
Hose
Widmerpool
East Leake
Wysall
Long Clawson
Upper Broughton
Thorpe in the Glebe
Costock
Nether Broughton
Rempstone
A614
A6097
A612
B6386
B683
B6011
B684
A60
A6211
A52
A46
A6005
A453
A606
B680
Trent

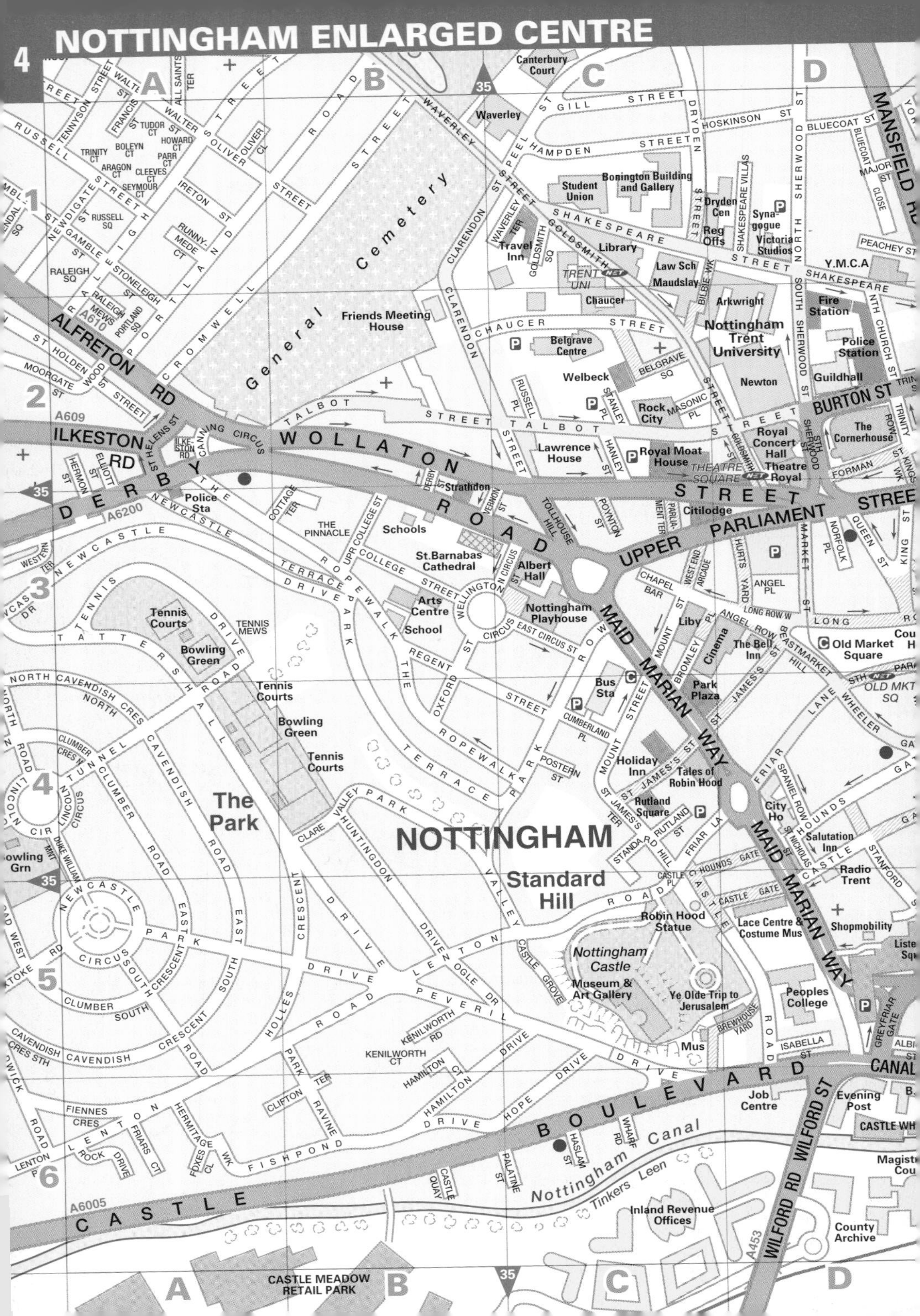

NOTTINGHAM
The Park
Standard Hill
General Cemetery
Nottingham Castle
Museum & Art Gallery
Nottingham Trent University
Nottingham Playhouse
St.Barnabas Cathedral
Albert Hall
Royal Concert Hall
Theatre Royal
Old Market Square
Castle Meadow Retail Park
Inland Revenue Offices
County Archive
Peoples College
Lace Centre & Costume Mus
Robin Hood Statue
Ye Olde Trip to Jerusalem
Tales of Robin Hood
Holiday Inn
Bus Sta
Police Station
Fire Station
Guildhall
The Cornerhouse
Library
Bonington Building and Gallery
Student Union
Friends Meeting House
Belgrave Centre
Rock City
Royal Moat House
Lawrence House
WOLLATON ROAD
DERBY ROAD
ALFRETON RD
ILKESTON RD
UPPER PARLIAMENT STREET
MAID MARIAN WAY
CASTLE BOULEVARD
WILFORD RD
WILFORD ST
MANSFIELD RD
Nottingham Canal
Tinkers Leen
A6005
A6200
A609
A610
A453

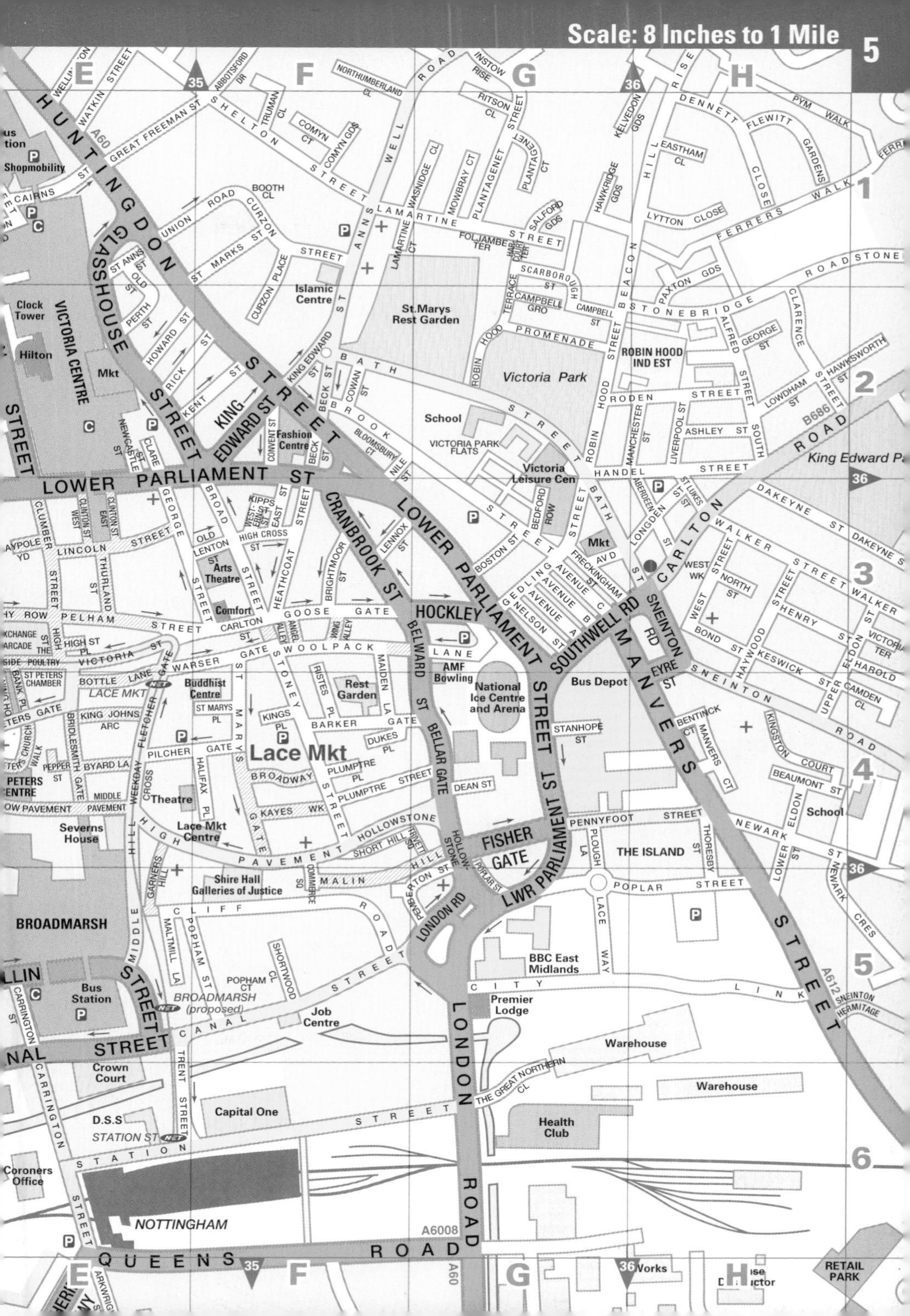
HUNTINGDON STREET
GLASSHOUSE STREET
KING EDWARD ST
LOWER PARLIAMENT ST
LOWER PARLIAMENT STREET
CRANBROOK ST
HOCKLEY
SOUTHWELL RD
MANVERS STREET
SNEINTON RD
CARLTON
LONDON ROAD
LONDON RD
QUEENS ROAD
CANAL STREET
STATION STREET
CITY LINK
FISHER GATE
LWR PARLIAMENT ST
Victoria Park
St.Marys Rest Garden
Islamic Centre
VICTORIA CENTRE
Clock Tower
Hilton
Mkt
Fashion Centre
Arts Theatre
Comfort
Buddhist Centre
Lace Mkt
Rest Garden
AMF Bowling
National Ice Centre and Arena
Bus Depot
THE ISLAND
School
Victoria Leisure Cen
VICTORIA PARK FLATS
ROBIN HOOD IND EST
Theatre
Severns House
Lace Mkt Centre
Shire Hall Galleries of Justice
BROADMARSH
Bus Station
BROADMARSH (proposed)
Job Centre
Crown Court
D.S.S
Capital One
Coroners Office
NOTTINGHAM
BBC East Midlands
Premier Lodge
Warehouse
Warehouse
Health Club
Works
RETAIL PARK
King Edward Pa
Shopmobility
A60
A6008
A612
B686
STONEBRIDGE ROAD
SNEINTON ROAD
NEWARK ST
POPLAR STREET
HANDEL STREET
BATH STREET
DAKEYNE ST
WALKER STREET
FERRERS WALK
PYM WALK
ST ANNS WELL ROAD
LAMARTINE STREET
SHELTON STREET
GREAT FREEMAN ST
GOOSE GATE
WOOLPACK LANE
HIGH PAVEMENT
CLIFF ROAD
MIDDLE HILL
HOLLOWSTONE
STANHOPE ST
PENNYFOOT STREET
ST MARYS GATE
STONEY STREET
BROAD STREET
HEATHCOAT STREET
CARLTON STREET
PELHAM STREET
VICTORIA ST
BELWARD ST
BELLAR GATE
TRENT STREET
CARRINGTON STREET
THE GREAT NORTHERN CL
E F G H
1 2 3 4 5 6
35 36

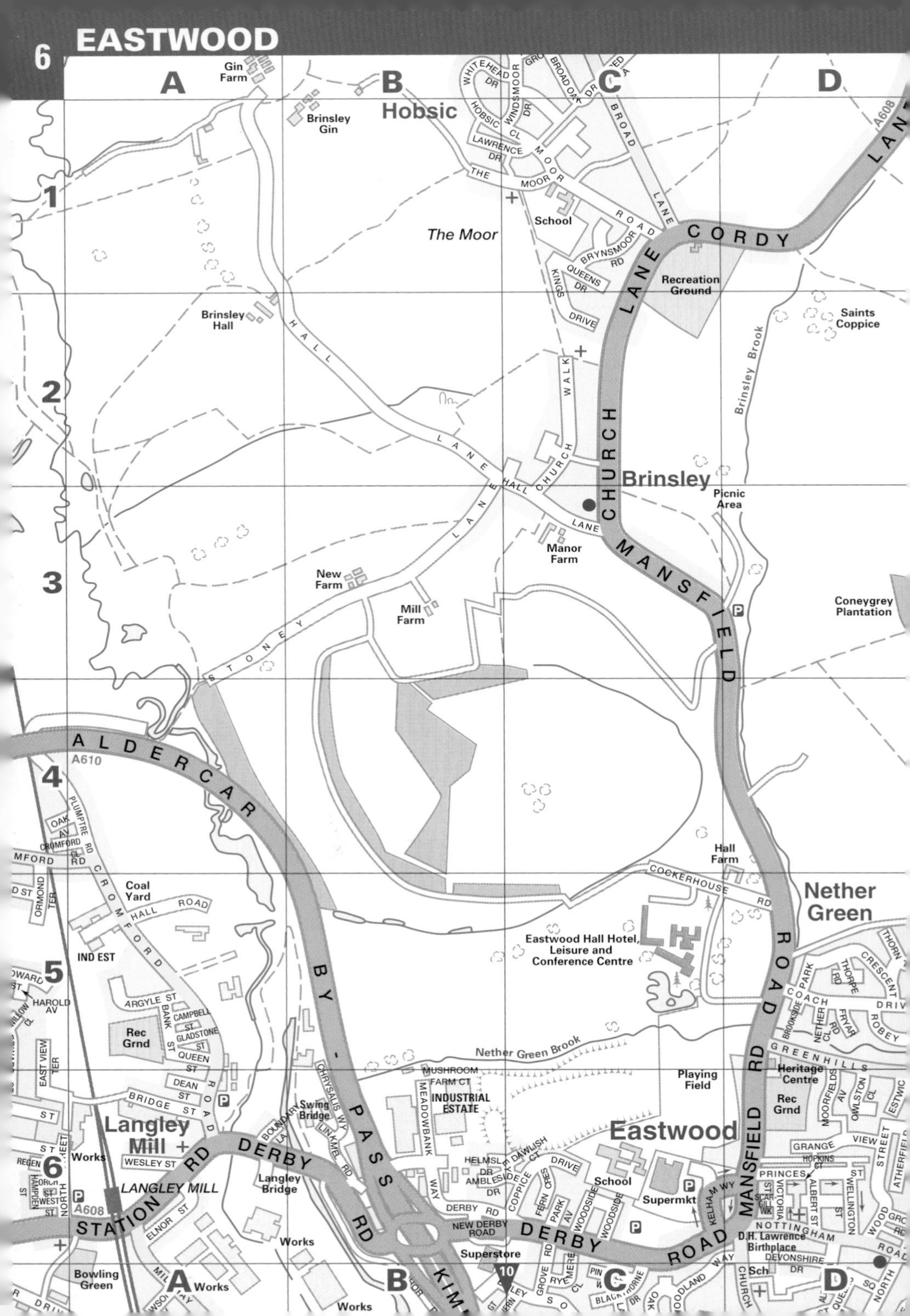

A   **B**   **C**   **D**

Gin Farm

Brinsley Gin

Hobsic

WHITEHEAD DR

WINDSMOOR

HOBSIC CL

LAWRENCE DR

THE MOOR

BROADOAK DR

GRO

BROAD

QUEENS

LANE

CORDY LANE

A608 LANE

The Moor

School

BRYNSMOOR RD

QUEENS

KINGS DRIVE

Recreation Ground

Saints Coppice

Brinsley Hall

CHURCH WALK

HALL LANE

LANE HALL

CHURCH LANE

Brinsley Brook

Brinsley

Picnic Area

STONEY LANE

New Farm

Mill Farm

Manor Farm

MANSFIELD

Coneygrey Plantation

ALDERCAR
A610

OAK AV
CROMFORD RD
PLUMPTRE RD
MFORD
ORMOND
D ST
TER

Coal Yard

HALL ROAD

CROMFORD

IND EST

BY-PASS

Hall Farm

COCKERHOUSE RD

Nether Green

THORN

CRESCENT

THORPE

PARK

BRIDGSIDE

NETHER

FRYAR

ROBEY

DRIV

HOWARD AV
HAROLD AV
EAST VIEW TER

ARGYLE ST
BANK
CAMPBELL ST
DEAN ST
QUEEN ST
GLADSTONE ST

Rec Grnd

Eastwood Hall Hotel, Leisure and Conference Centre

COACH

Nether Green Brook

MUSHROOM FARM CT

MEADOWBANK

INDUSTRIAL ESTATE

Playing Field

GREENHILLS

MANSFIELD

Heritage Centre

Rec Grnd

MOORFIELDS AV

THORPE

VIEW ST

ATHERFIELD

ESTWC

BRIDGE ST
ST
ST
REGEN ST
A608
STATION RD

Langley Mill

WESLEY ST

Works

DERBY RD

Swing Bridge

Langley Bridge

BOUNDARY RD
CHRYSALIS WY
LINDRICK RD

HELMSLEY DR
AMBLESIDE DR

CAVISH DR

DERBY RD

NEW DERBY ROAD

COPPICE

FERN CRES
PARK AV
WOODSIDE

DRIVE

WOODSIDE

Eastwood

School

KELHAM WY

Supermkt

DERBY

ROAD

MANSFIELD ROAD

KIMBERLEY WAY

GRANGE

HOPKINS

PRINCES

ALBERT ST

WELLINGTON ST

VICTORIA ST

NOTTINGHAM

GROVE RD

RYE
CROFT
HIGH

BLA
AT

THORNE

WOODLAND WAY

D.H. Lawrence Birthplace

DEVONSHIRE DR

Sch

WOOD

ROA

NORT

MILL
DR

Bowling Green

Works

Works

ELNOR ST

Works

Superstore

10

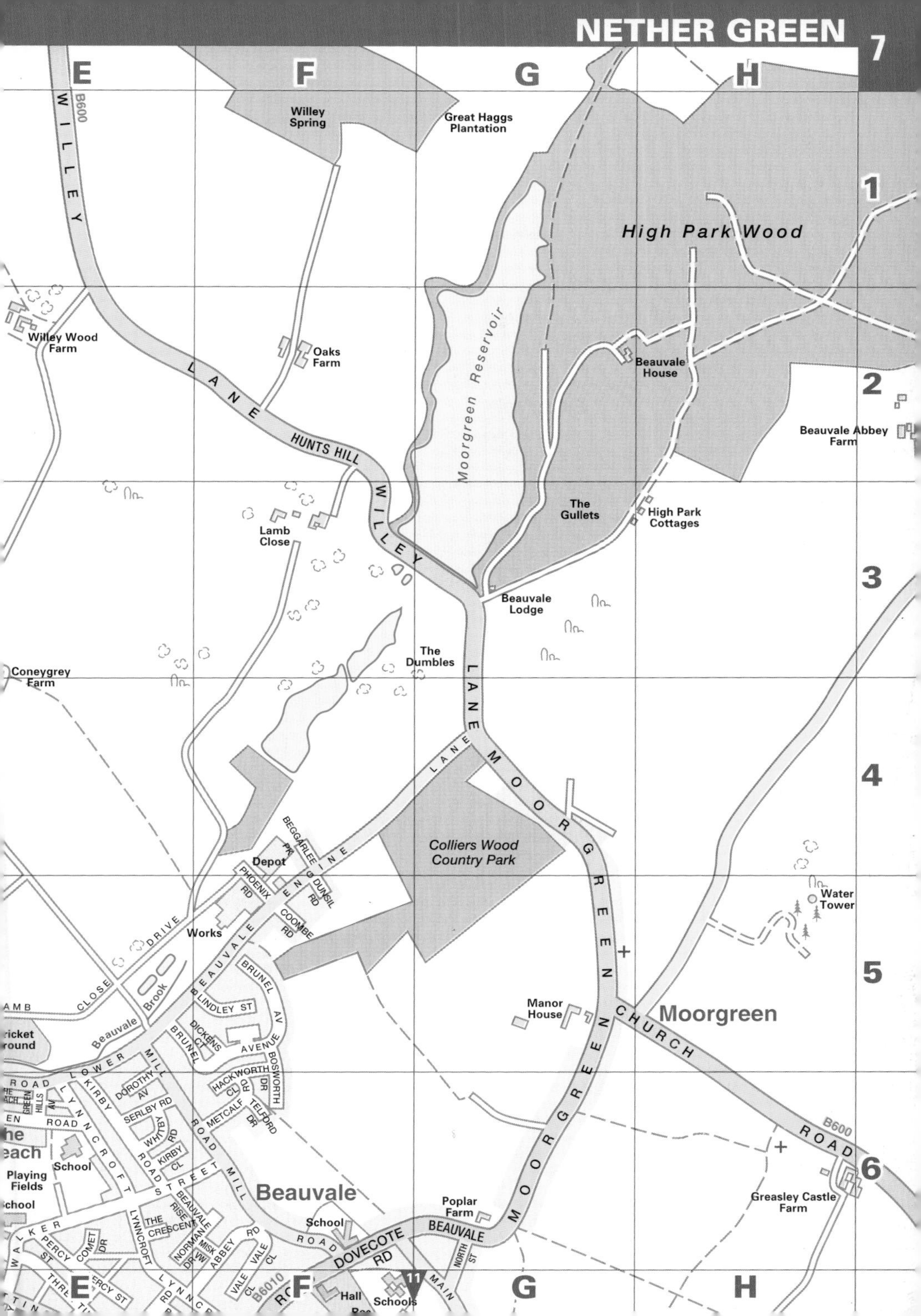

E F G H

1

Willey Spring

Great Haggs Plantation

High Park Wood

2

Willey Wood Farm

Oaks Farm

Beauvale House

Beauvale Abbey Farm

3

B600

WILLEY

LANE HUNTS HILL

WILLEY

Moorgreen Reservoir

Lamb Close

The Gullets

High Park Cottages

Beauvale Lodge

Coneygrey Farm

The Dumbles

LANE

LANE

4

LANE

MOORGREEN

BEGGARLEE PK of DUNSIL

Depot

Colliers Wood Country Park

Water Tower

5

DRIVE

CLOSE

Works

PHOENIX

COOMBE RD

BEAUVALE

Brook

BRUNEL AV

LINDLEY ST

DICKENS

AVENUE

BOSWORTH

Manor House

CHURCH

Moorgreen

LAMB

Cricket Ground

Beauvale

LOWER

KIRBY

MILL

DOROTHY AV

BRUNEL

HACKWORTH DR

METCALFE

TELFORD

B600

ROAD

6

School

Playing Fields

chool

he each

LYNNCROFT

ROAD

SERLBY RD

WHITBY

KIRBY CL

STREET

MOORGREEN

Greasley Castle Farm

WALKER

THE CRESCENT

PERCY

COMET

LYNNCROFT

NORMANTON

BEAUVALE

MISK

ABBEY

VALE VALE CL

School

DOVECOTE RD

BEAUVALE

NORTH ST

MAIN ST

ROAD

PERCY ST

THREE TI

B6010

RD

11

Hall

Schools

E F G H

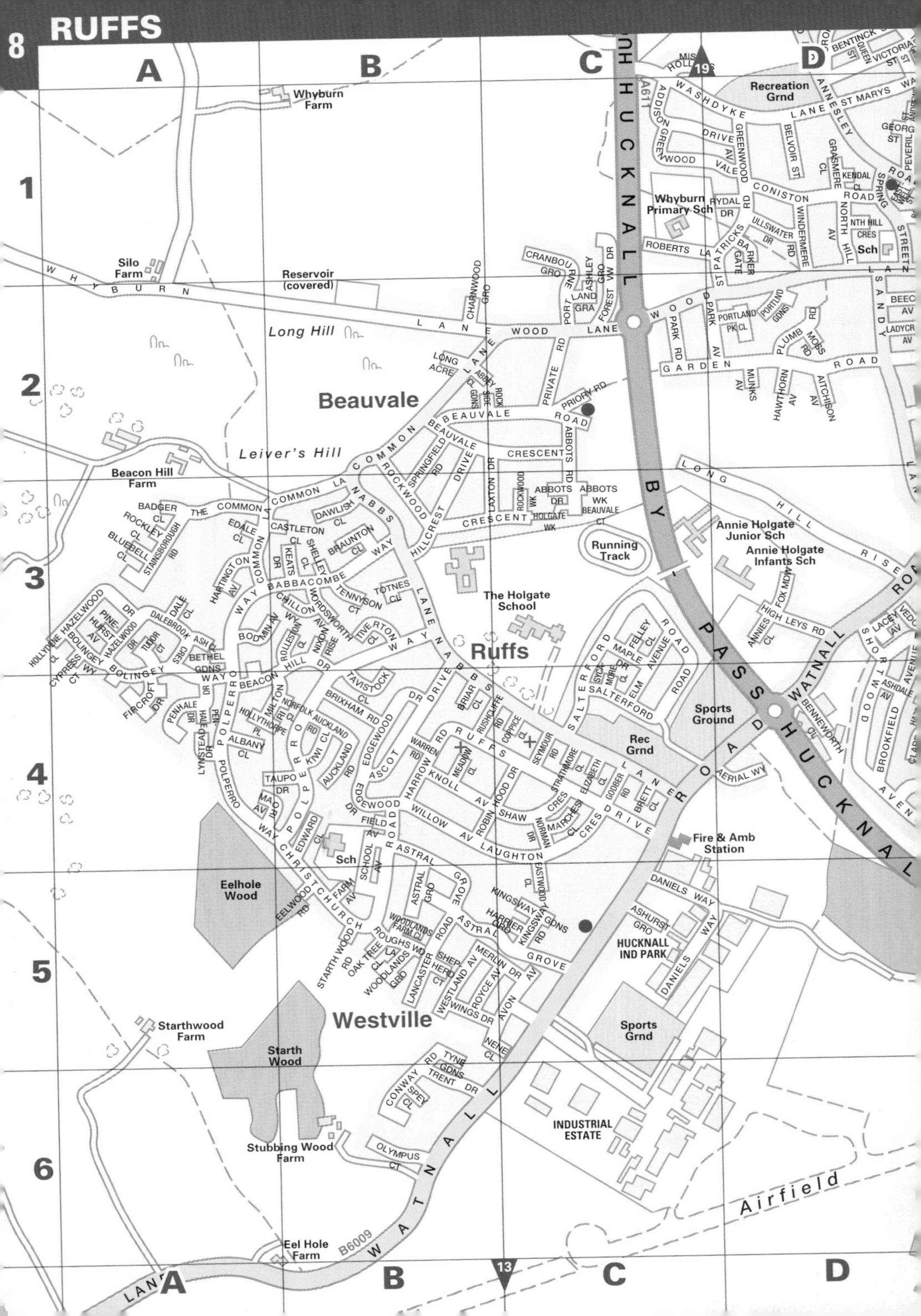

Whyburn Farm
Silo Farm
Reservoir (covered)
Long Hill
Beauvale
Leiver's Hill
Beacon Hill Farm
The Holgate School
Ruffs
Running Track
Annie Holgate Junior Sch
Annie Holgate Infants Sch
Whyburn Primary Sch
Recreation Grnd
Sports Ground
Rec Grnd
Fire & Amb Station
Eelhole Wood
Sch
HUCKNALL IND PARK
Sports Grnd
Westville
Starthwood Farm
Starth Wood
Stubbing Wood Farm
INDUSTRIAL ESTATE
Airfield
Eel Hole Farm
HUCKNALL BY PASS
WATNALL ROAD
WHYBURN LANE
COMMON LANE
NABBS LANE
RUFFS DRIVE
WATNALL
B6009
A611

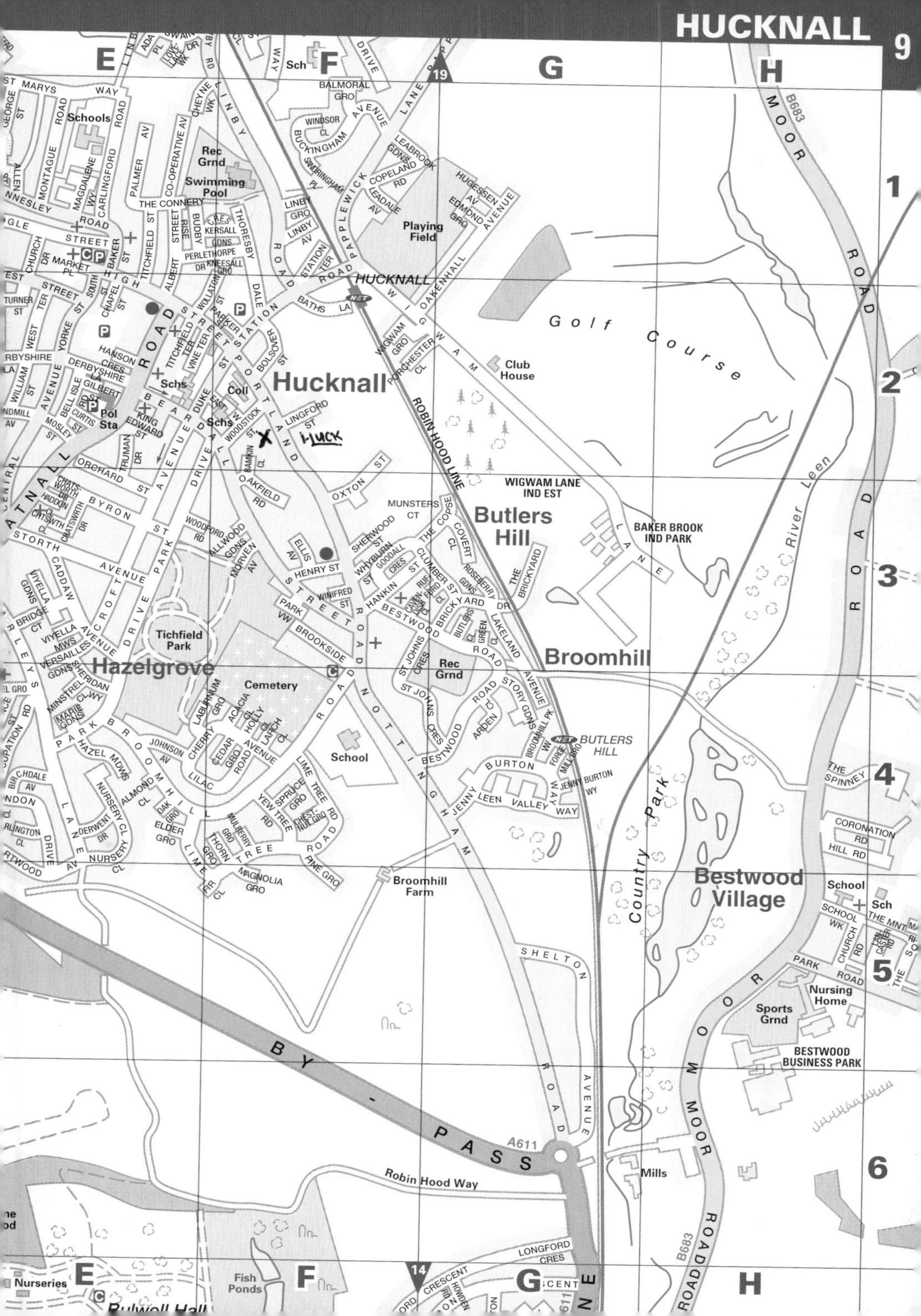
E
F
G
H
19
1
2
3
4
5
6
14
Hucknall
Butlers Hill
Broomhill
Hazelgrove
Bestwood Village
Golf Course
Club House
Playing Field
Rec Grnd
Swimming Pool
Schools
Schs
Coll
Pol Sta
Tichfield Park
Cemetery
School
Broomhill Farm
WIGWAM LANE IND EST
BAKER BROOK IND PARK
Country Park
River Leen
ROBIN HOOD LINE
HUCKNALL
BUTLERS HILL
BY - PASS
A611
Robin Hood Way
MOOR ROAD
B683
Mills
Sports Grnd
Nursing Home
BESTWOOD BUSINESS PARK
Fish Ponds
Nurseries
Sch
ST MARYS WAY
ANNESLEY ROAD
HIGH STREET
DERBYSHIRE LA
BEARDALL ST
PORTLAND ROAD
WATNALL ROAD
NOTTINGHAM ROAD
WIGWAM LANE
PAPPLEWICK LANE
LINBY ROAD
BESTWOOD ROAD
BROOMHILL ROAD
STATION ROAD
YORKE ST
BYRON ST
ORCHARD ST
STORTH AVENUE
CROFTON AVENUE
PARK DRIVE
BAKER ST
TITCHFIELD ST
BOLSOVER ST
DUKE ST
LINGFORD ST
OXTON ST
HENRY ST
ELLIS AV
SHERWOOD ST
WHYBURN ST
HANKIN ST
CLUMBER ST
THE COPSE
LAKELAND AVENUE
ST JOHNS CRES
STORY GDNS
ARDEN CL
BURTON
LEEN VALLEY WAY
JENNY BURTON WY
SHELTON AVENUE
LONGFORD CRES
CORONATION RD
HILL RD
THE SPINNEY
SCHOOL WK
PARK ROAD
HAZEL MDWS
NURSERY CL
ALMOND CL
LILAC
JOHNSON AV
THORN TREE
MAGNOLIA GRO
LIME TREE RD
Pulwell Hall

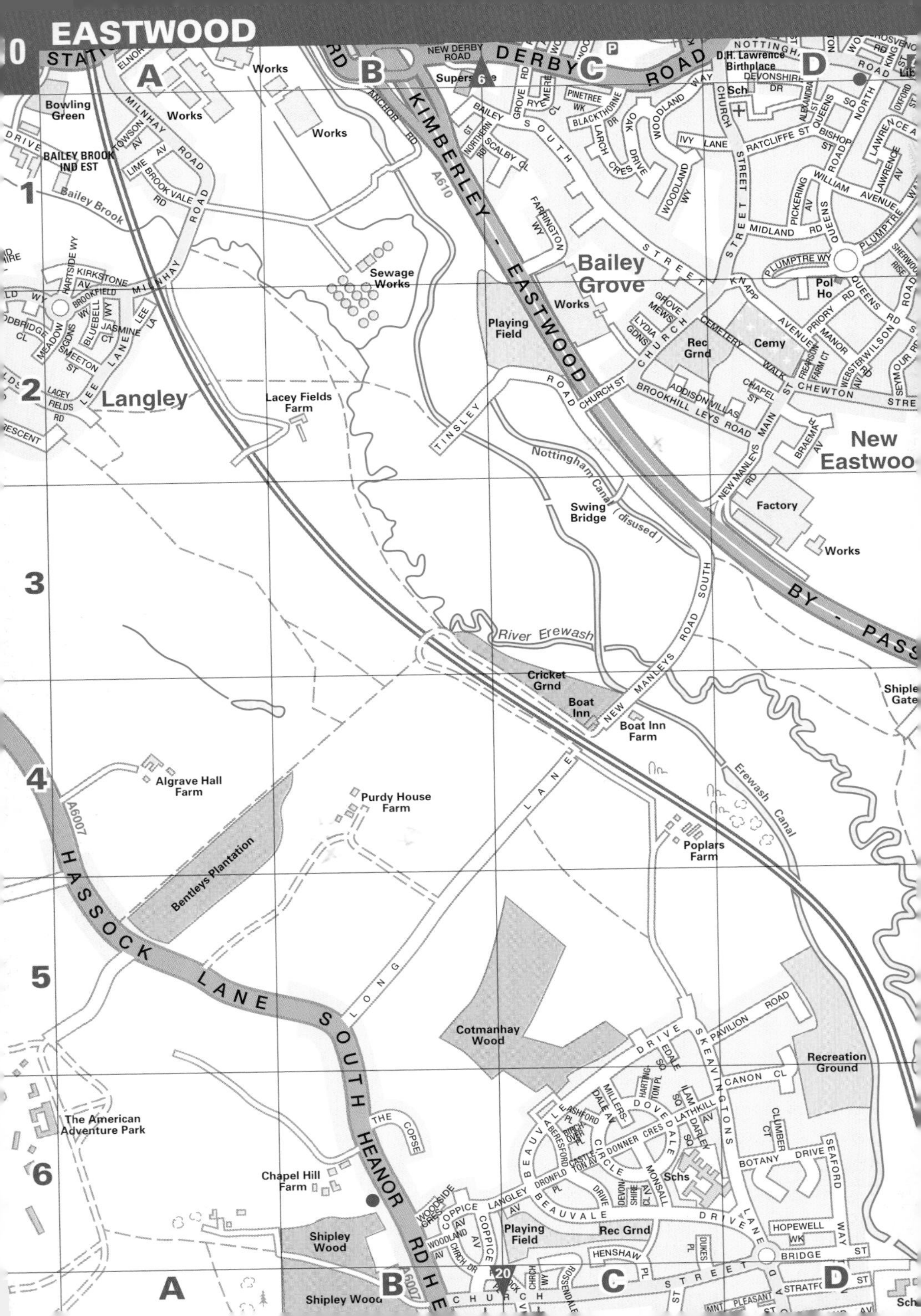
Bowling Green
BAILEY BROOK IND EST
Works
Bailey Brook
Langley
Lacey Fields Farm
Sewage Works
Bailey Grove
Playing Field
Rec Grnd
Cemy
Pol Ho
D.H. Lawrence Birthplace
New Eastwood
Factory
Works
Nottingham Canal (disused)
Swing Bridge
River Erewash
Cricket Grnd
Boat Inn
Boat Inn Farm
Erewash Canal
Poplars Farm
Algrave Hall Farm
Purdy House Farm
Bentleys Plantation
HASSOCK LANE
SOUTH HEANOR RD
LONG LANE
Cotmanhay Wood
Recreation Ground
The American Adventure Park
Chapel Hill Farm
Shipley Wood
Playing Field
Rec Grnd
Schs
KIMBERLEY - EASTWOOD BY - PASS
A610
A6007
DERBY ROAD
NOTTINGHAM ROAD
NEW MANLEYS ROAD SOUTH
BEAUVALE DRIVE
CHURCH STREET
BRIDGE ST
PAVILION ROAD
Shipley Gate

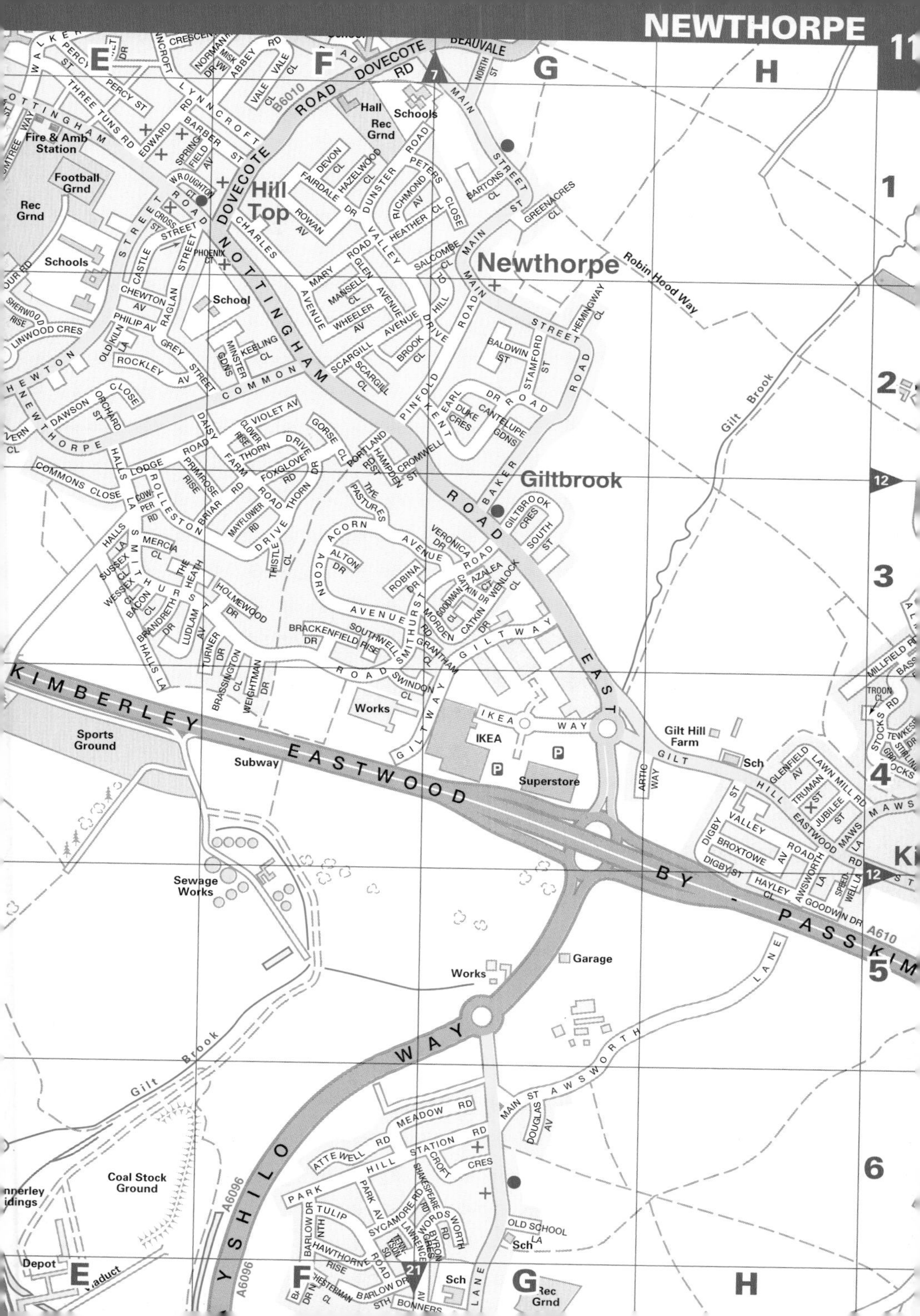

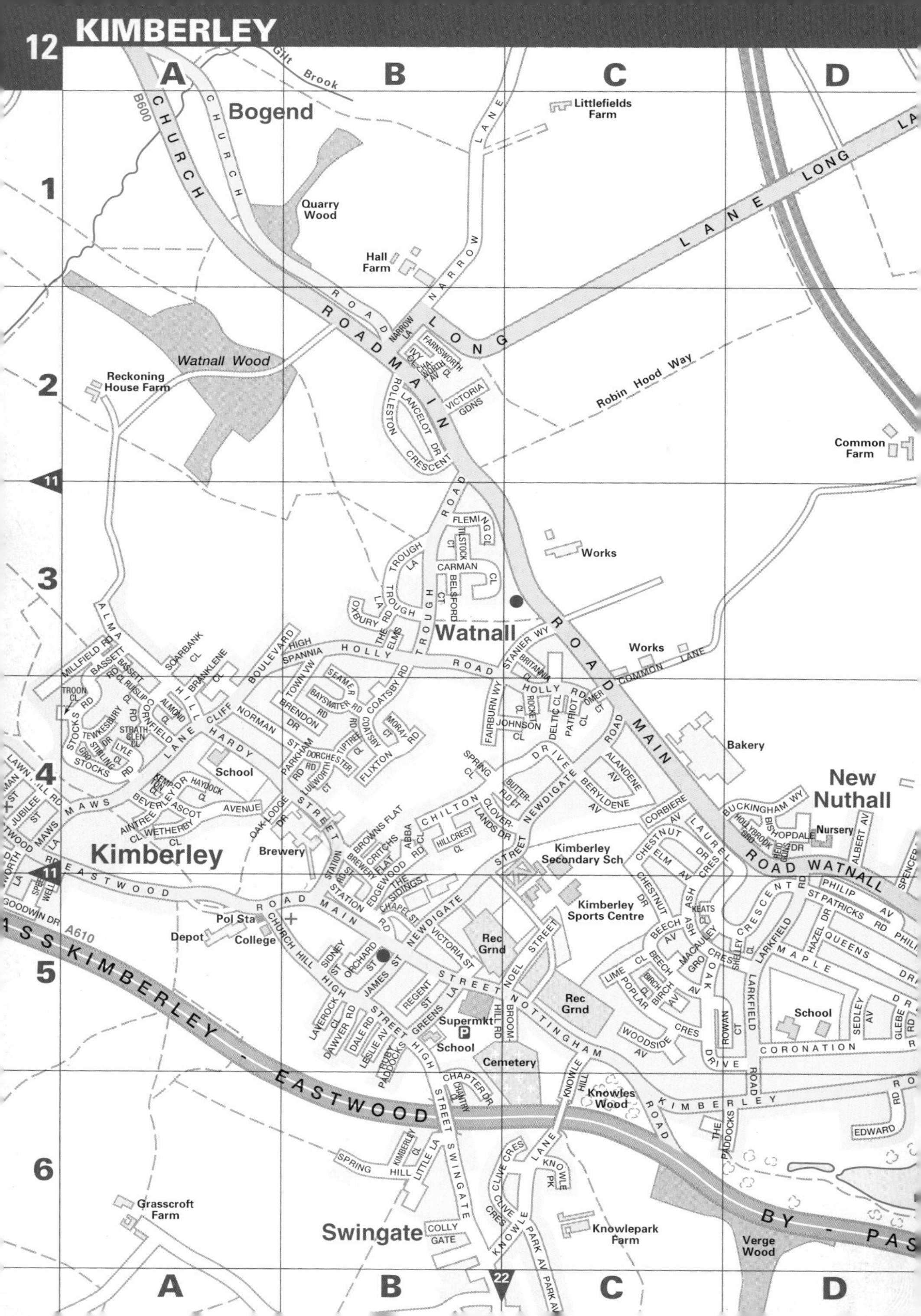

A **B** **C** **D**

Bogend

Littlefields Farm

Quarry Wood

Hall Farm

Reckoning House Farm

Watnall Wood

Robin Hood Way

Common Farm

Works

Watnall

Works

Bakery

New Nuthall

Nursery

School

Kimberley

Brewery

Kimberley Secondary Sch

Kimberley Sports Centre

Rec Grnd

Kimberley Sports Centre

Rec Grnd

Pol Sta

Depot

College

Supermkt

School

Cemetery

Knowles Wood

School

CORONATION

Grasscroft Farm

Swingate

COLLY GATE

Knowlepark Farm

Knowles Wood

Verge Wood

A **B** **C** **D**

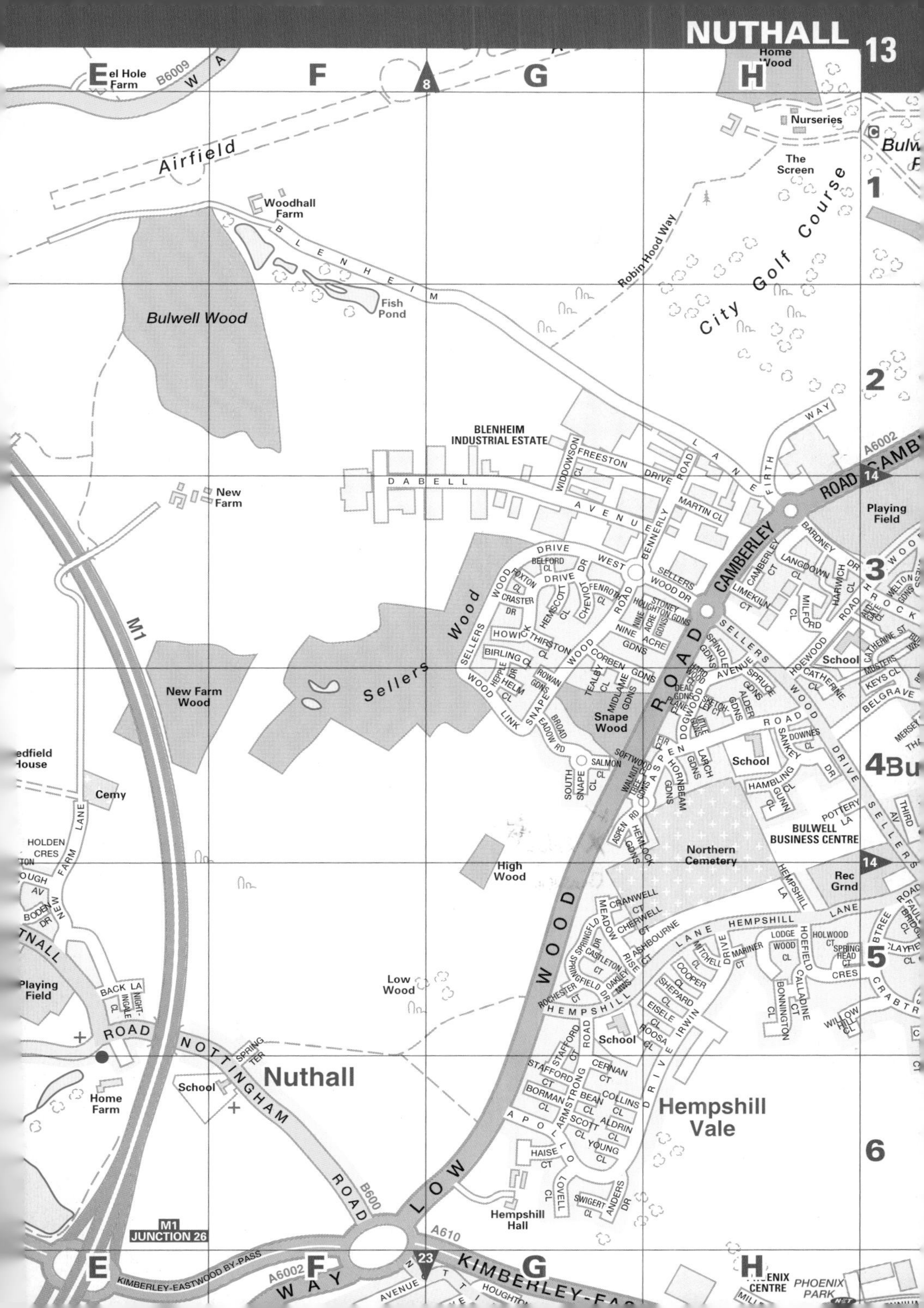
Airfield
Woodhall Farm
Bulwell Wood
Fish Pond
BLENHEIM
Robin Hood Way
City Golf Course
Nurseries
The Screen
Home Wood
BLENHEIM INDUSTRIAL ESTATE
DABELL AVENUE
New Farm
M1
New Farm Wood
Sellers Wood
Snape Wood
High Wood
Low Wood
Northern Cemetery
BULWELL BUSINESS CENTRE
School
Rec Grnd
Playing Field
Cemy
Nuthall
NOTTINGHAM ROAD
Hempshill Vale
Hempshill Hall
Home Farm
M1 JUNCTION 26
KIMBERLEY-EASTWOOD BY-PASS
A610
A6002
B600
B6009
LOW WOOD ROAD
CAMBERLEY ROAD
HEMPSHILL LANE
PHOENIX CENTRE
PHOENIX PARK

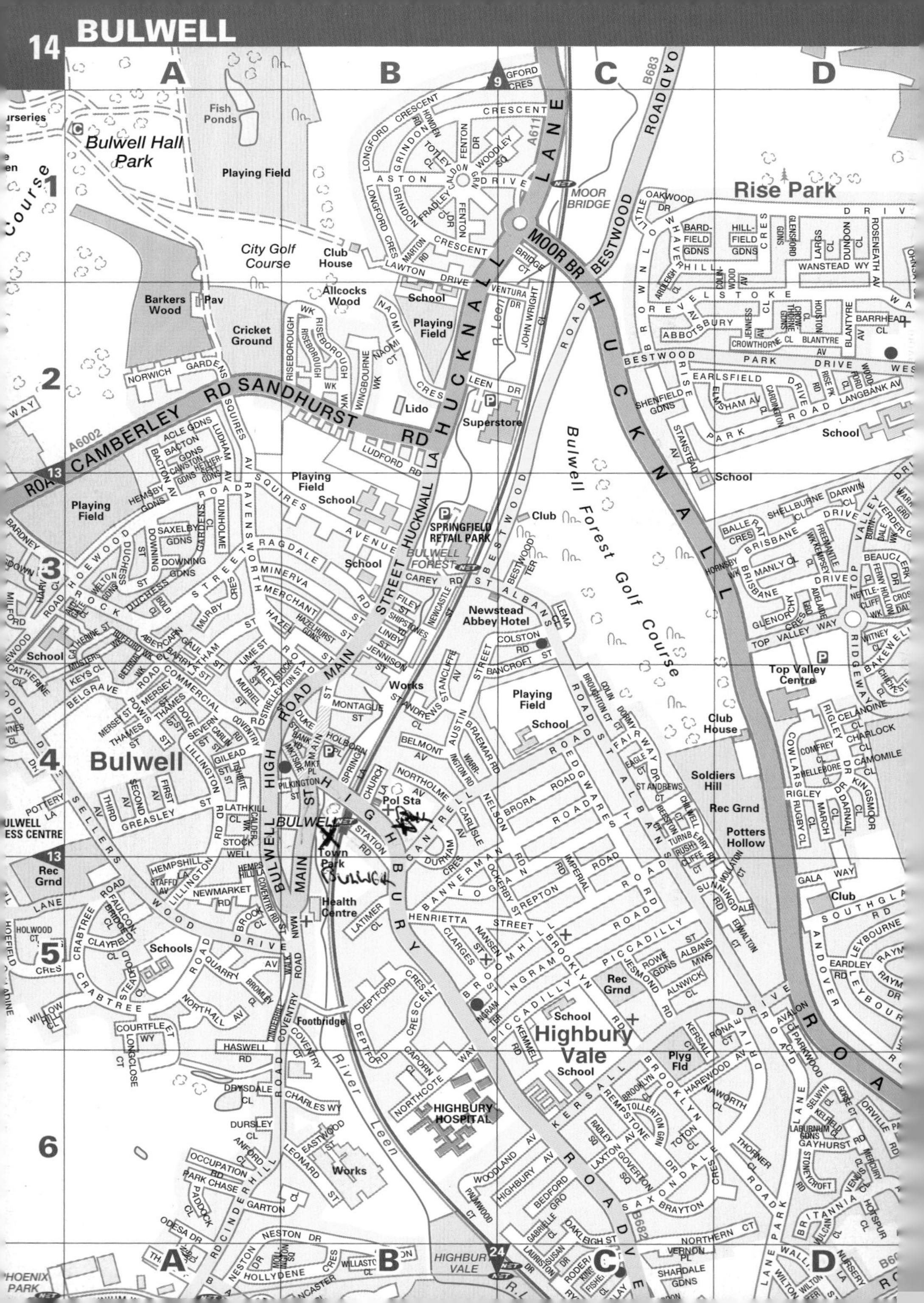

A
B
C
D
1
2
3
4
5
6
Bulwell Hall Park
Fish Ponds
Playing Field
City Golf Course
Club House
Barkers Wood
Pav
Cricket Ground
Allcocks Wood
School
Playing Field
Lido
Superstore
Rise Park
MOOR BRIDGE
HUCKNALL LANE
BESTWOOD ROAD
MOOR BR
SANDHURST RD
CAMBERLEY ROAD
A6002
A611
B683
Bulwell Forest Golf Course
SPRINGFIELD RETAIL PARK
BULWELL FOREST
Newstead Abbey Hotel
Club
Top Valley Centre
Club House
Soldiers Hill
Rec Grnd
Potters Hollow
Bulwell
Pol Sta
BULWELL
Town Park
Health Centre
Footbridge
Highbury Vale
HIGHBURY HOSPITAL
Works
Schools
School
Plyg Fld
HIGHBURY ROAD
HIGH ST
MAIN ST
COMMERCIAL RD
STATION RD
ST ALBANS RD
PICCADILLY
TOP VALLEY WAY
BESTWOOD PARK DRIVE
HIGHBURY VALE
ROAD DRIVE
River Leen
PHOENIX PARK
9
13
24

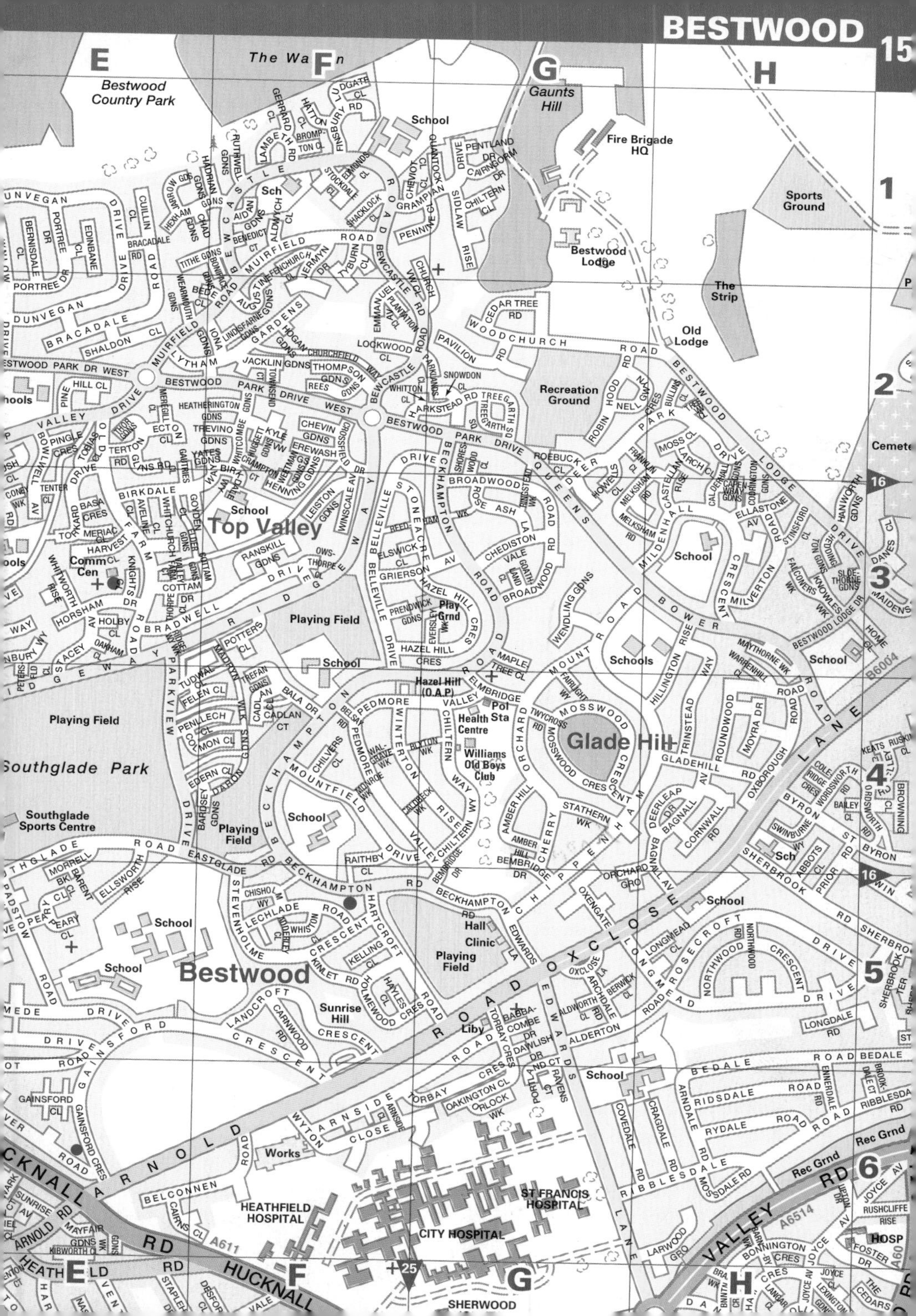
BESTWOOD
15
E
F
G
H
1
2
3
4
5
6
Bestwood Country Park
Gaunts Hill
Fire Brigade HQ
Sports Ground
Bestwood Lodge
The Strip
Old Lodge
Recreation Ground
Top Valley
Comm Cen
Playing Field
School
Schools
Hazel Hill (O.A.P.)
Health Centre
Pol Sta
Williams Old Boys Club
Glade Hill
Southglade Park
Southglade Sports Centre
Bestwood
Sunrise Hill
Hall
Clinic
Liby
Works
HEATHFIELD HOSPITAL
CITY HOSPITAL
ST FRANCIS HOSPITAL
HOSP
SHERWOOD
Cemete
Rec Grnd
Play Grnd
Sch
BESTWOOD PARK DRIVE WEST
BESTWOOD PARK DRIVE
QUEENS BOWER ROAD
BESTWOOD LODGE DRIVE
BESTWOOD ROAD
WOODCHURCH ROAD
MUIRFIELD ROAD
BEWCASTLE ROAD
BECKHAMPTON ROAD
BRADWELL DRIVE
MOUNT ROAD
MILDENHALL CRESCENT
OXCLOSE LANE
ARNOLD ROAD
HUCKNALL ROAD
VALLEY RD
A611
A6514
B6004
RIBBLESDALE ROAD
ROSECROFT DRIVE
EASTGLADE ROAD
GAINSFORD CRESCENT
DUNVEGAN DRIVE
BRACADALE ROAD
HAZEL HILL CRES
MOSSWOOD CRESCENT
EDWARDS LANE
NORTHWOOD CRESCENT

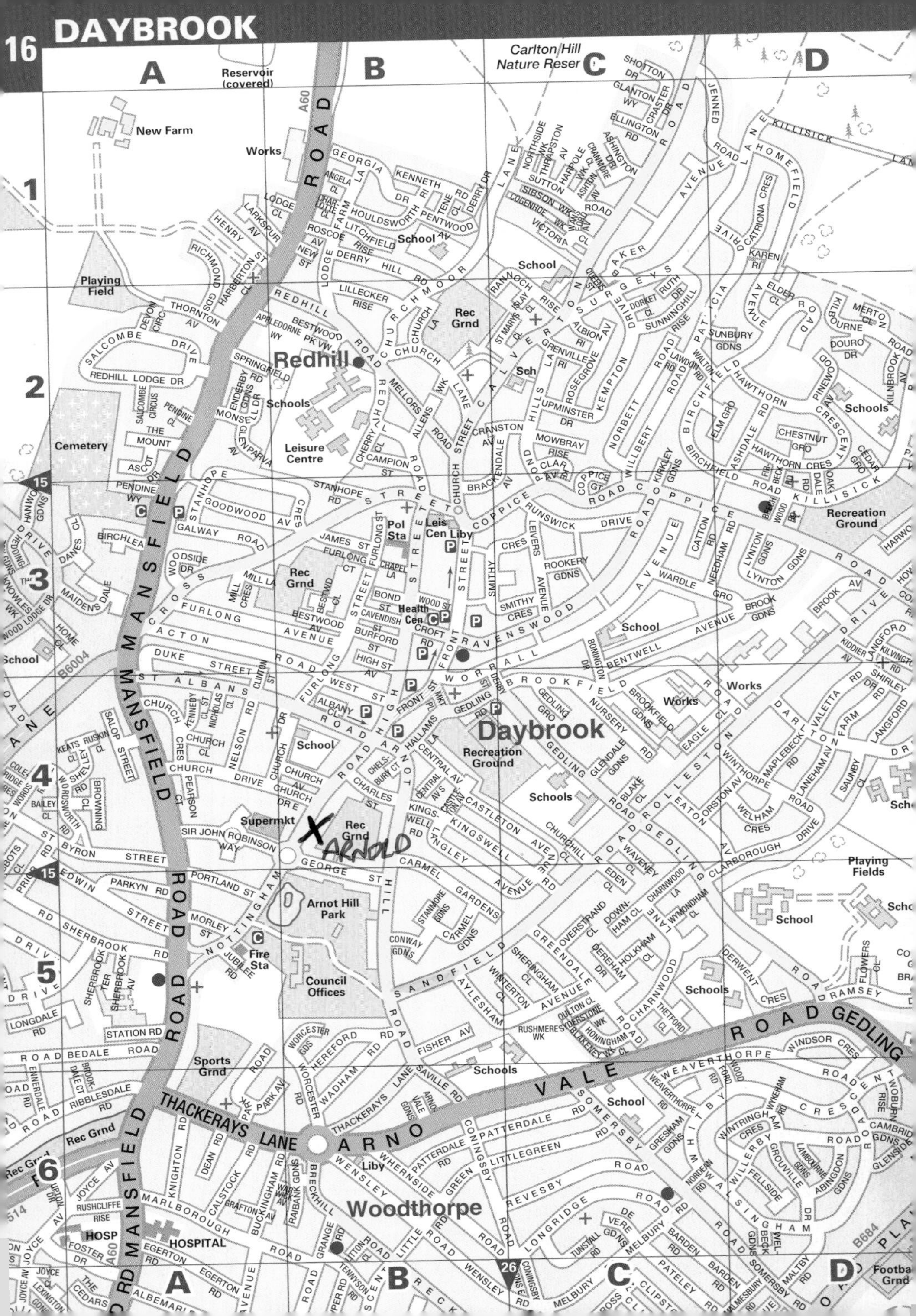
A
B
C
D
1
2
3
4
5
6
15
26
Carlton Hill Nature Reser
Reservoir (covered)
New Farm
Works
Playing Field
Redhill
Schools
Leisure Centre
Cemetery
Rec Grnd
Pol Sta
Leis Cen Liby
Health Cen
School
Sch
Daybrook
Recreation Ground
Supermkt
Arnot Hill Park
Fire Sta
Council Offices
Sports Grnd
Woodthorpe
Liby
HOSP
HOSPITAL
Playing Fields
Football Grnd
MANSFIELD ROAD
A60
B6004
B684
GEDLING ROAD
ARNO VALE ROAD
THACKERAYS LANE
RAVENSWOOD ROAD
PORTLAND RD
SANDFIELD RD
KILLISICK ROAD
WOODTHORPE DRIVE
FURLONG STREET
CHURCH STREET
FRONT STREET
HIGH STREET
STANHOPE RD
DUKE STREET
ST ALBANS RD
BYRON STREET
SHERBROOK RD
BEDALE ROAD
MARLBOROUGH RD
COPPICE ROAD
ARNOT HILL RD
X ARNOLD

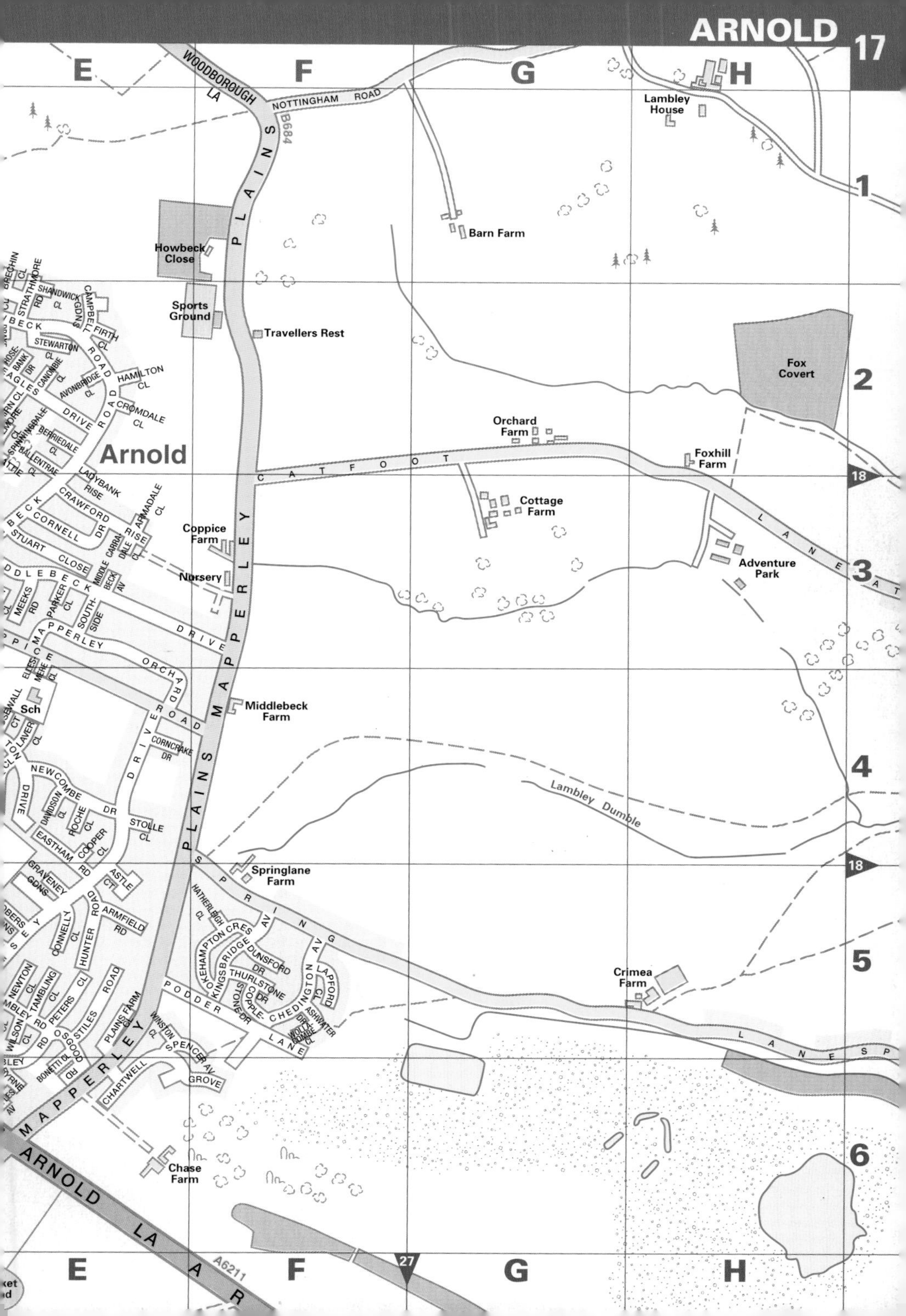

E   **F**   **G**   **H**

WOODBOROUGH LA

NOTTINGHAM ROAD B684

Lambley House

PLAINS

Barn Farm

Howbeck Close

Sports Ground

Fox Covert

Travellers Rest

CATFOOT

Orchard Farm

Foxhill Farm

Arnold

Cottage Farm

Coppice Farm

Adventure Park

Nursery

Sch

Middlebeck Farm

Corncrake Dr

Lambley Dumble

Springlane Farm

Crimea Farm

Chase Farm

ARNOLD LA A6211

E   **F**   **G**   **H**

1
2
3
4
5
6

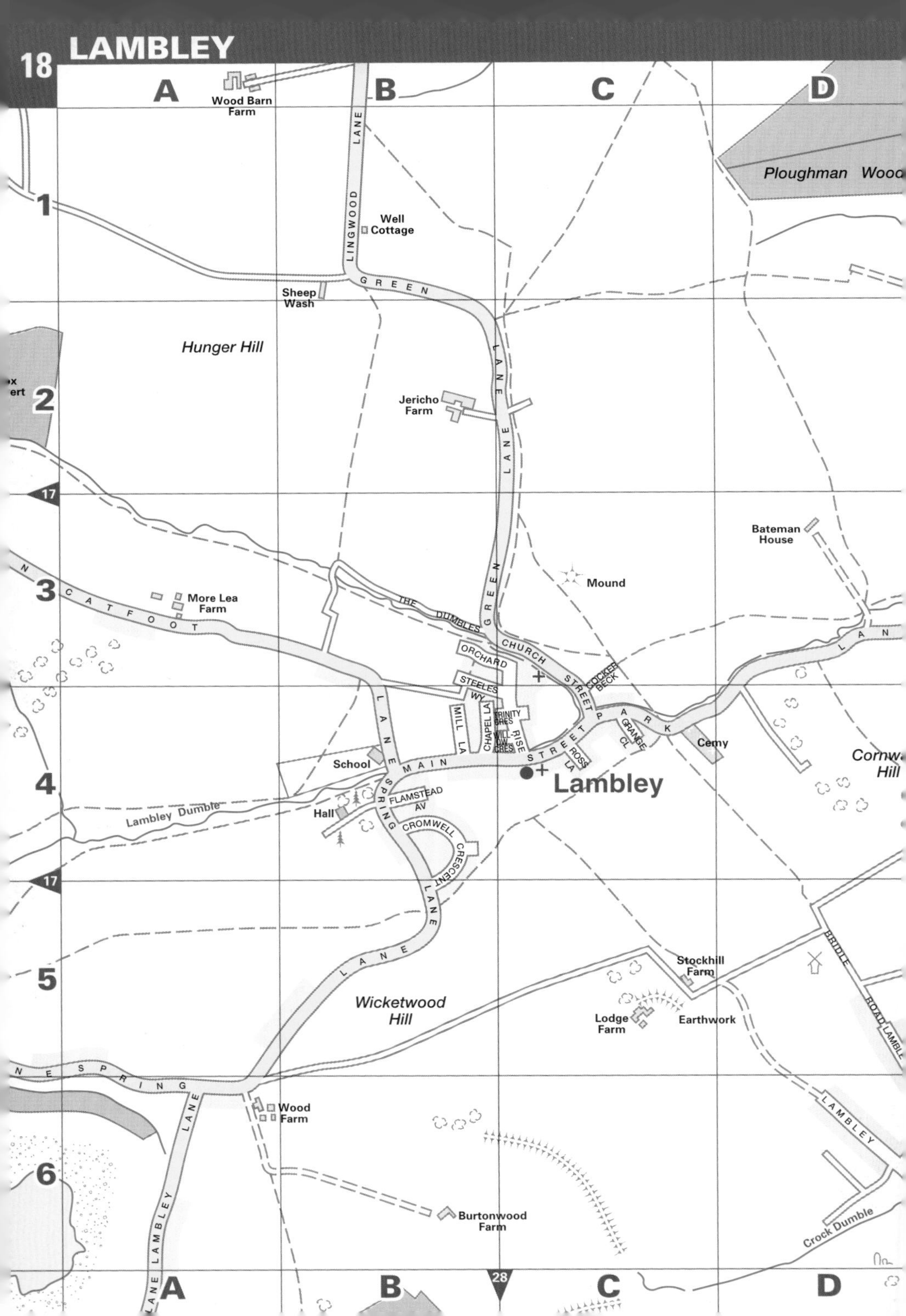

A B C D

Wood Barn Farm

Ploughman Wood

1

Well Cottage

LINGWOOD LANE

GREEN LANE

Sheep Wash

Hunger Hill

2

Jericho Farm

Bateman House

17

More Lea Farm

Mound

3

N CATFOOT

THE DUMBLES

CHURCH

ORCHARD

STEELES WAY

MILL LA

CHAPEL LA

TRINITY CRES

RISE

WILL CRES

DOCKER BECK

STREET

ROSS LA

GRANGE CL

PARK

Cemy

Cornw Hill

School

MAIN

SPRING LANE

FLAMSTEAD AV

CROMWELL CRESCENT

● + **Lambley**

4

Lambley Dumble

Hall

17

SPRING LANE

Stockhill Farm

BRIDLE ROAD

5

Wicketwood Hill

Lodge Farm

Earthwork

LAMBLEY

N SPRING LANE

Wood Farm

6

LAMBLEY LANE

Burtonwood Farm

Crock Dumble

A B C D

28

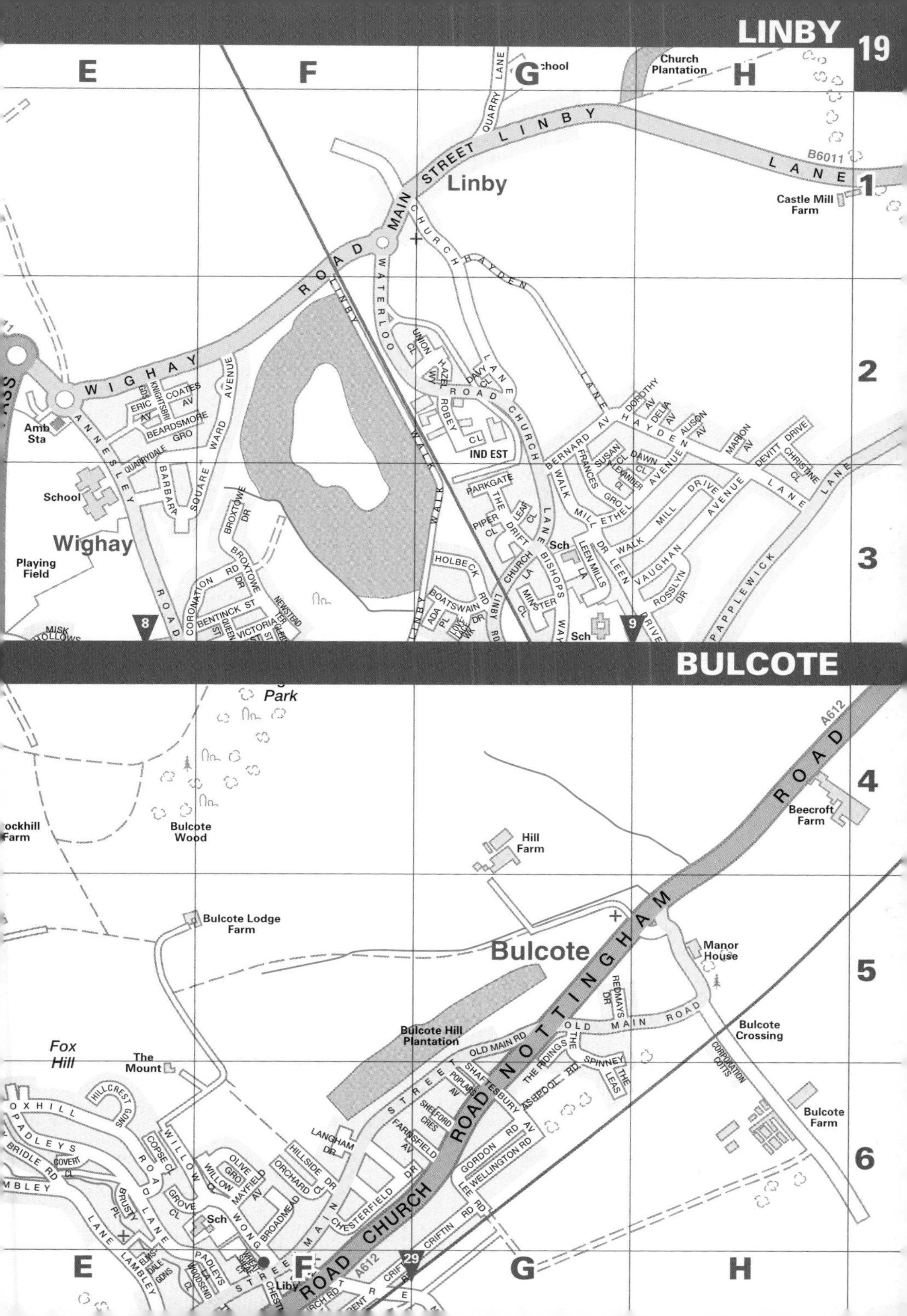
LINBY
19
E
F
G
H
1
2
3
4
5
6
School
Church Plantation
Quarry Lane
Linby Lane
B6011
Main Street
Linby
Castle Mill Farm
Road
Church
Hayden
Waterloo
Linby Walk
Wighay Road
Union Cl
Hazel Wy
Davy Lane
Robey Cl
Church Lane
IND EST
Hayden Lane
Dorothy Av
Delia Av
Alison Av
Marion Av
Devitt Drive
Christine Cl
Bernard Av
Frances Walk
Susan Cl
Dawn Cl
Alexander Cl
Avenue
Ethel Gro
Mill Drive
Avenue
Lane
Coates Av
Eric Av
Knightsbridge Gds
Beardsmore Gro
Ward Avenue
Amb Sta
Annesley Road
Quarrydale
Barbara
Square
School
Wighay
Playing Field
Broxtowe Dr
Broxtowe Dr
Coronation Rd
Bentinck St
Queen St
Victoria St
Newstead Ter
Glebe
Misk Hollows
8
Parkgate
The Drift
Piper Cl
Lear Cl
Sch
Holbeck
Boatswain Dr
Ada Pl
Church La
Minster Cl
Bishops Way
Leen Mills La
Leen Dr
Mill Walk
Vaughan
Rosslyn Dr
Papplewick
Linby Rd
Sch
9
Drive
BULCOTE
Park
A612
Road
Beecroft Farm
Hill Farm
Bulcote Wood
Rockhill Farm
Bulcote Lodge Farm
Bulcote
Nottingham Road
Manor House
Redmays Dr
Old Main Road
Bulcote Hill Plantation
Bulcote Crossing
Fox Hill
The Mount
Old Main Rd
The Ridings
The Spinney
The Leas
Corporation Cotts
Hillcrest Gdns
Foxhill
Padleys
Bridle Rd
Covert Cl
Lambley
Copse Cl
Willow Cl
Willow Lane
Olive Gro
Mayfield Av
Orchard Cl
Hillside Dr
Langham Dr
Street
Poplars Av
Shelford Cres
Farnsfield Av
Shaftesbury Av
Ashpool Rd
Gordon Rd
Wellington Rd
Church Road
Chesterfield Dr
Broadmead
Grove Cl
Wong Lane
Brusty Pl
Lane
Sch
Main
Lee Rd
Criftin Rd
Criftin
Lambley
Elmsdale Gdns
Woodsend
Padleys La
29
E
F
G
H
A612

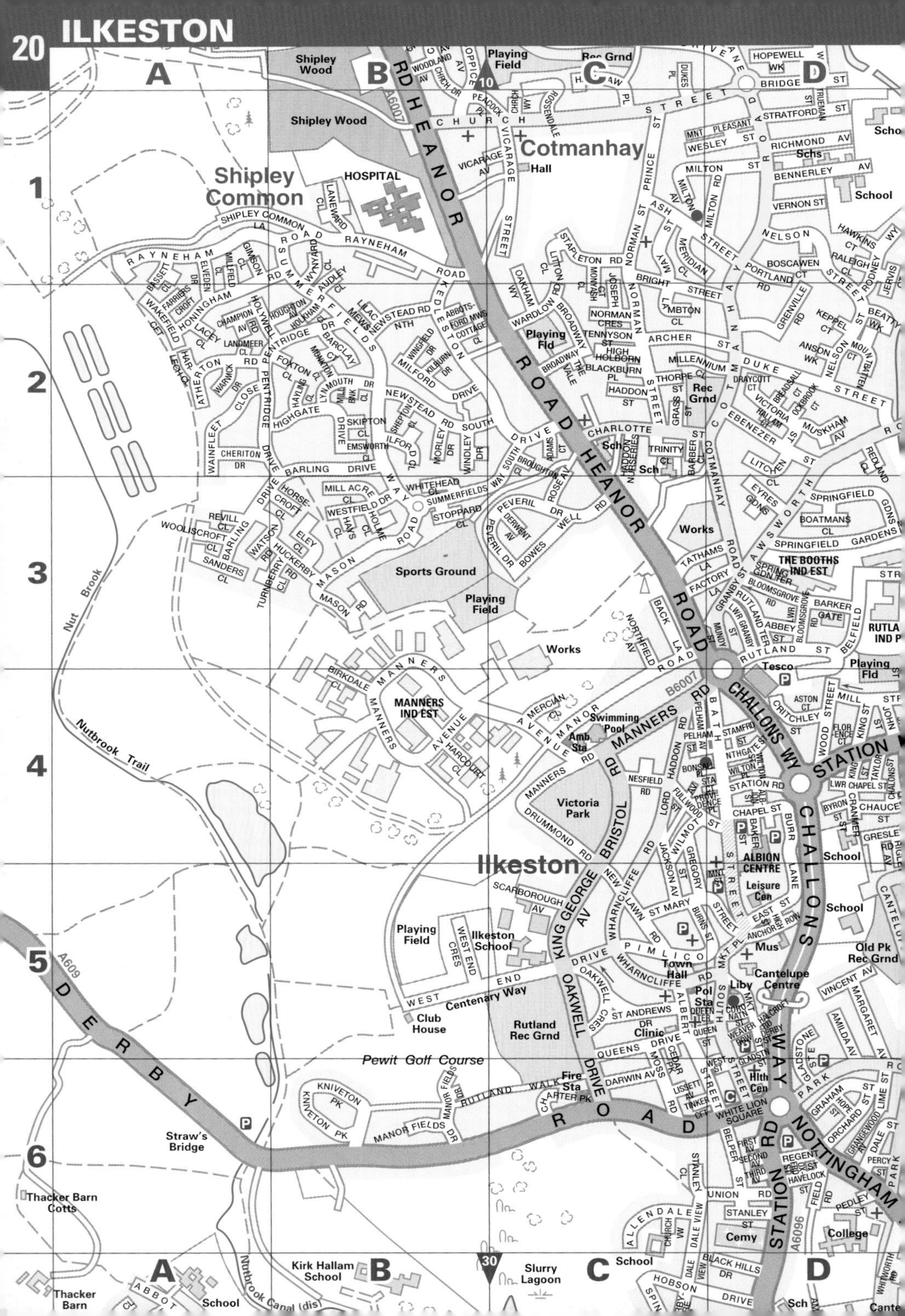
A
B
C
D
1
2
3
4
5
6
10
30
Shipley Wood
Shipley Wood
Playing Field
Rec Grnd
HOPEWELL WK
BRIDGE ST
STRATFORD ST
TRUEMAN
HEANOR RD
A6007
WOODLAND AV
CHURCH DR
COPPICE DR
PEACOCK PL
CHURCH ST
VICARAGE AV
VICARAGE STREET
ROSSENDALE
Cotmanhay
Hall
HOSPITAL
LANEWARD CL
Shipley Common
SHIPLEY COMMON LA
RAYNEHAM ROAD
RAYNEHAM RD
SUMMERFIELDS
WYNYARD CL
AUDLEY CL
BASSETT CL
FARRIERS CROFT
ELVEDEN DR
MILLFIELD CL
GIMSON CL
HONINGHAM
WAKEFIELD CL
CHAMPION AV
HOLYWELL RD
HOUGHTON AV
HOLKHAM CL
LILAC MEWS
NEWSTEAD RD NTH
KEDLESTON
ABBOTSFORD MWS
COTTAGE CL
LACEY CL
LANDMEER CL
PENTRIDGE DR
BARCLAY CT
MONKTON CL
WINGFIELD DR
KILBURN DR
MILFORD DRIVE
ATHERTON RD
WARWICK CL
FOXTON CL
HAYLING CL
LYNMOUTH DR
NEWSTEAD RD SOUTH
HIGHGATE
SKIPTON CL
SHEPTON CL
EMSWORTH CL
ILFORD CL
MORLEY DR
WINDLEY DR
WAINFLEET CLOSE
CHERITON DR
BARLING DRIVE
HORSECROFT CL
MILL ACRE CL
WESTFIELD DR
HOLME CL
HAYS CL
WHITEHEAD CL
SUMMERFIELDS WAY
SUMMERFIELDS WAY SOUTH
STOPPARD CL
REVILL CL
WOOLISCROFT CL
BARLING DRIVE
WATSON RD
ELEY CL
SANDERS CL
TURNBERRY CL
HUCKERBY RD
MASON RD
Sports Ground
Playing Field
Nut Brook
Works
BIRKDALE CL
MANNERS AVENUE
MANNERS IND EST
HARCOURT CL
Nutbrook Trail
MERCIAN CL
MANOR AVENUE
Swimming Pool
Amb Sta
MANNERS RD
B6007
NORTHFIELD AV
BACK LA
ROAD
NESFIELD RD
Victoria Park
DRUMMOND RD
BRISTOL RD
Ilkeston
KING GEORGE AV
SCARBOROUGH AV
WHARNCLIFFE RD
NEW LAWN RD
Playing Field
WEST END CRES
Ilkeston School
WEST END DRIVE
Centenary Way
Club House
OAKWELL DRIVE
OAKWELL CRES
Rutland Rec Grnd
Pewit Golf Course
QUEENS DRIVE
ST ANDREWS DR
Clinic
DARWIN AV
MOSS ST
CEDAR ST
Fire Sta
RUTLAND WALK
CHARTER PK
KNIVETON PK
MANOR FIELDS DR
DERBY ROAD
A609
Straw's Bridge
Thacker Barn Cotts
Thacker Barn
ABBOT CL
School
Nutbrook Canal (dis)
Kirk Hallam School
Slurry Lagoon
School
PRINCE ST
NORMAN ST
MILTON ST
MILTON RD
ASH ST
MAY ST
MERIDIAN CL
STAPLETON RD
LITTON CL
OAKHAM WY
JOSEPH ST
BRIGHT ST
LAMBTON CL
WARDLOW RD
BROADWAY
NORMAN CRES
TENNYSON ST
HIGH HOLBORN
BLACKBURN PL
HADDON ST
Playing Fld
THE VALE
ARCHER ST
MILLENNIUM CL
THORPE ST
GRASS ST
Rec Grnd
CHARLOTTE ST
ADAMS CT
Sch
TRINITY CL
BARBER CL
Sch
PEVERIL DR
DERWENT AV
ROSE AV
BROUGHTON ST
WELL RD
BOWES WELL RD
COTMANHAY RD
Works
TATHAMS LA
FACTORY LA
GRANBY ST
MUNDY ST
LWR GRANBY ST
RUTLAND TER
RUTLAND ST
Tesco
Playing Fld
CHALLONS WY
BATH ST
PELHAM ST
PELHAM AV
STAMFORD ST
HADDON RD
LORD HADDON RD
BONSALL PL
PROVIDENCE PL
FULLWOOD ST
WILMOT ST
GREGORY ST
JACKSON AV
ST MARY ST
BURNS ST
PIMLICO
Town Hall
MKT PL
ALBERT ST
Pol Sta
Liby
SOUTH ST
QUEEN ST
WHITE LION SQUARE
BELPER ST
STANLEY ST
CHURCH ST
DALE VIEW
ALLENDALE
UNION RD
STANLEY ST
Cemy
BLACK HILLS DR
HOBSON DRIVE
STATION RD
A6096
STATION RD
CHAPEL ST
BAKER ST
ALBION CENTRE
Leisure Cen
BURR LANE
EAST ST
Mus
Cantelupe Centre
Hlth Cen
NOTTINGHAM RD
REGENT ST
HAVELOCK ST
College
Sch
DUKE STREET
DRAYCOTT CT
VICTORIA ST
MUSKHAM AV
EBENEZER ST
LITCHEN CL
EYRES GDNS
AWSWORTH RD
SPRINGFIELD GDNS
BOATMANS CL
SPRINGFIELD GARDENS
THE BOOTHS IND EST
SPRING GDN TER
BLOOMSGROVE RD
BARKER GATE
ABBEY ST
BELFIELD ST
RUTLAND IND PK
WESLEY ST
RICHMOND AV
Schs
BENNERLEY AV
VERNON ST
School
NELSON ST
HAWKINS CT
RALEIGH ST
BOSCAWEN CT
PORTLAND RD
RODNEY WY
JERVIS CT
GRENVILLE DR
KEPPEL CT
BEATTY WK
ANSON WK
MOUNTBATTEN CT
NELSON ST
REDLAND CL
School
CRITCHLEY ST
WOOD ST
KING ST
STATION RD
School
School
Old Pk Rec Grnd
VINCENT AV
MARGARET AV
AMILDA AV
GLADSTONE ST
GRAHAM ST
ORCHARD ST
LIME ST
DALE ST
PERCY ST
PARK

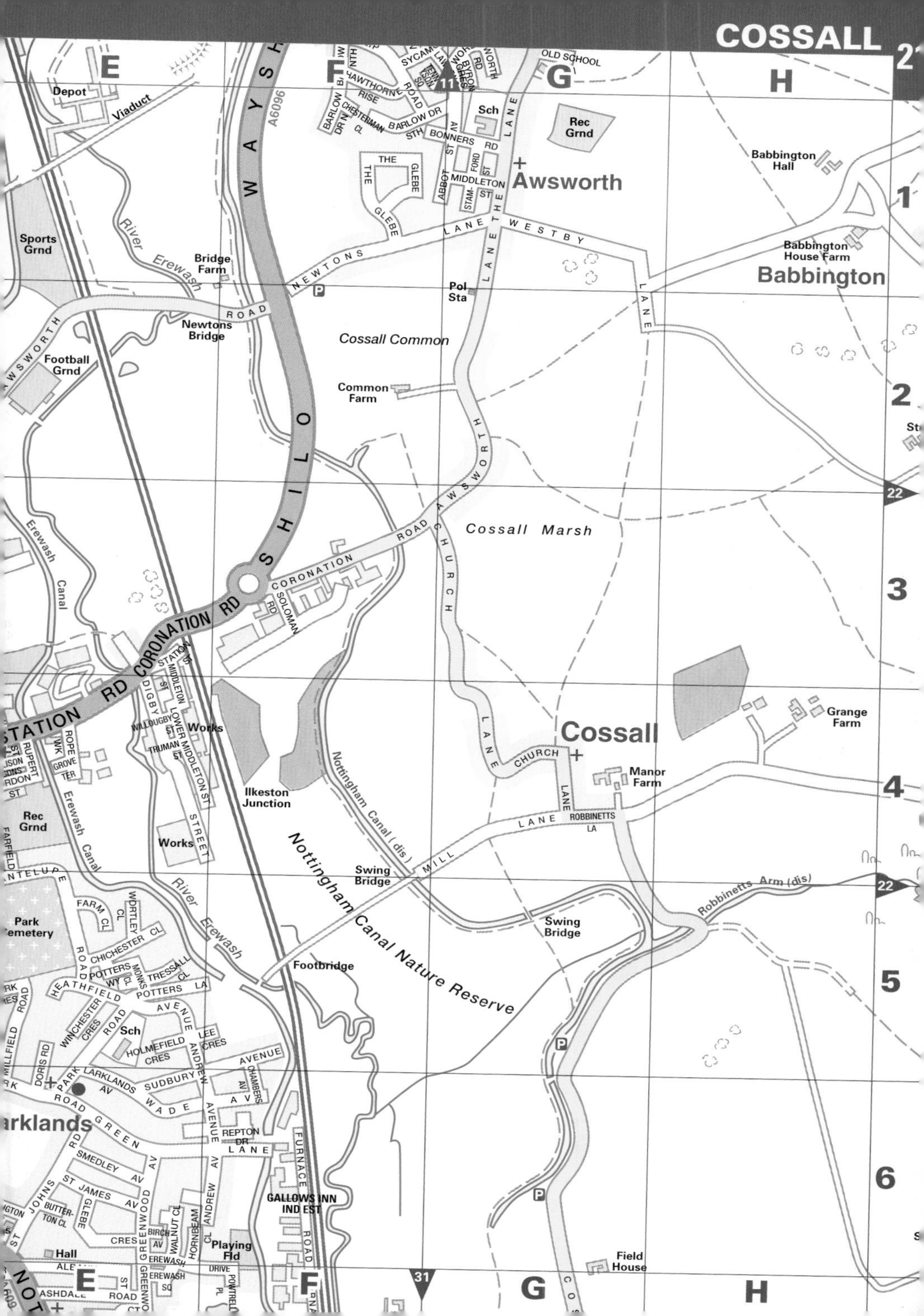
Awsworth
Babbington
Babbington Hall
Babbington House Farm
Cossall Common
Cossall Marsh
Cossall
Grange Farm
Manor Farm
Common Farm
Bridge Farm
Newtons Bridge
Football Grnd
Sports Grnd
Rec Grnd
Depot
Viaduct
River Erewash
Erewash Canal
Nottingham Canal (dis)
Nottingham Canal Nature Reserve
Robbinetts Arm (dis)
Swing Bridge
Footbridge
Ilkeston Junction
Works
Park Cemetery
Larklands
GALLOWS INN IND EST
Playing Fld
Field House
Pol Sta
Sch
Hall
SHILO WAY
A6096
CORONATION RD
STATION RD
AWSWORTH ROAD
NEWTONS LANE
WESTBY LANE
THE LANE
CHURCH LANE
MILL LANE
ROBBINETTS LA
LANE
OLD SCHOOL
BARLOW DR
HAWTHORNE ROAD
BONNERS RD
MIDDLETON ST
THE GLEBE
SOLOMAN RD
LOWER MIDDLETON ST
MIDDLETON STREET
DIGBY ST
WILLOUGHBY ST
TRUMAN ST
ROPE WK
GROVE TER
RUPERT ST
FARM CL
WORTLEY CL
CHICHESTER CL
POTTERS LA
HEATHFIELD ROAD
WINCHESTER CRES
HOLMEFIELD CRES
ANDREW AVENUE
SUDBURY AVENUE
CHAMBERS AV
LARKLANDS AV
WADE AV
PARK ROAD
GREEN LANE
REPTON DR
FURNACE ROAD
SMEDLEY AV
ST JAMES AV
GREENWOOD AV
WALNUT CL
HORNBEAM CL
EREWASH DRIVE
POWTRELL PL
22
31
11
E
F
G
H
1
2
3
4
5
6

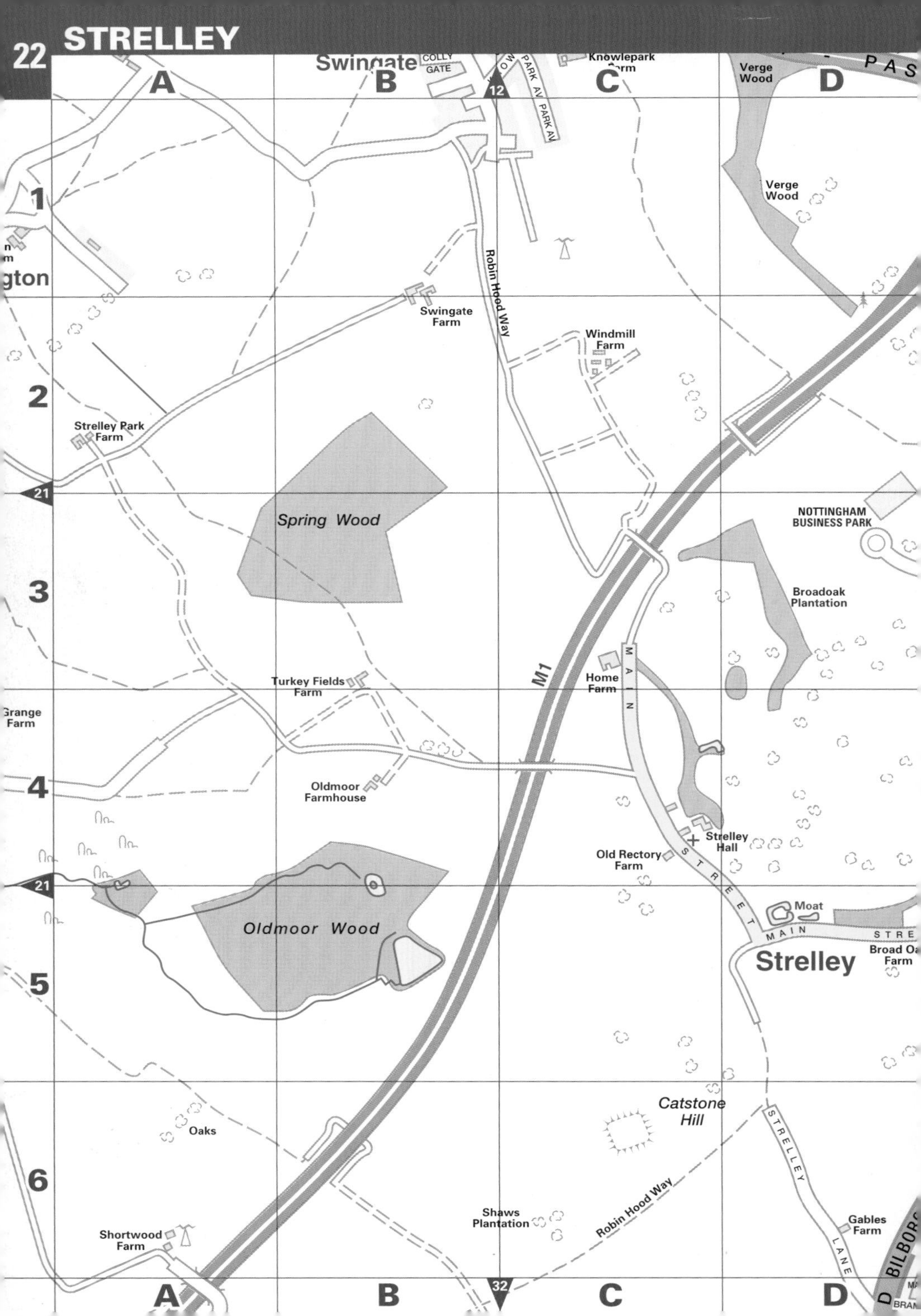

Swingate
COLLY GATE
Knowlepark Farm
PARK AV
PARK AV
Verge Wood
PAS
A
B
C
D
12
1
2
3
4
5
6
gton
Verge Wood
Robin Hood Way
Swingate Farm
Windmill Farm
Strelley Park Farm
21
Spring Wood
NOTTINGHAM BUSINESS PARK
Broadoak Plantation
M1
Home Farm
MAIN STREET
Turkey Fields Farm
Grange Farm
Oldmoor Farmhouse
Strelley Hall
Old Rectory Farm
21
Oldmoor Wood
Moat
MAIN STRE
Strelley
Broad Oa Farm
Catstone Hill
Oaks
STRELLEY LANE
Robin Hood Way
Shaws Plantation
Gables Farm
Shortwood Farm
BILBORO
32
BRAN

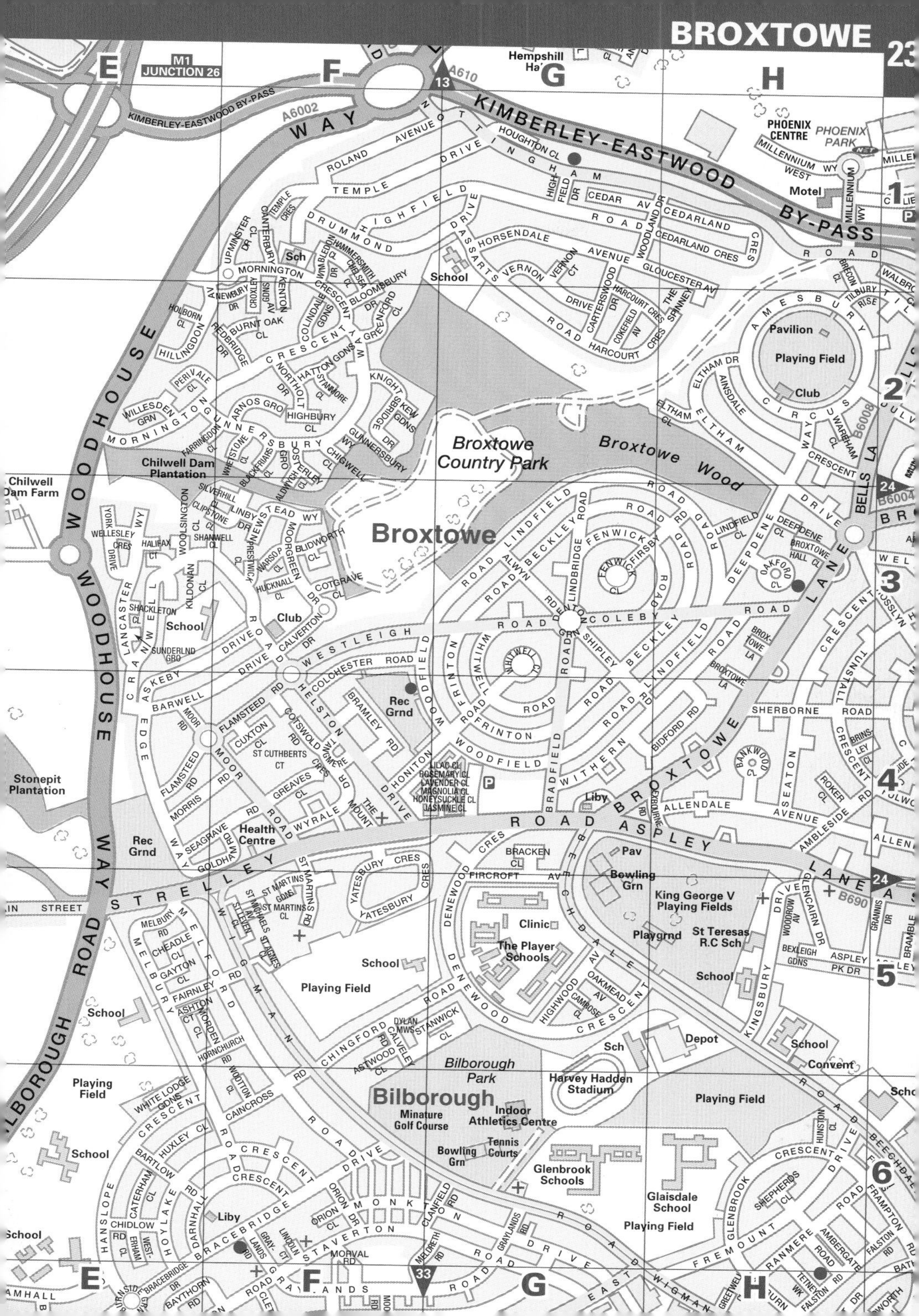
M1 JUNCTION 26
KIMBERLEY-EASTWOOD BY-PASS
A6002
A610
13
Hempshill Hall
PHOENIX CENTRE
PHOENIX PARK
MILLENNIUM WY WEST
Motel
KIMBERLEY-EASTWOOD BY-PASS
NOTTINGHAM ROAD
ROLAND AVENUE
TEMPLE DRIVE
HIGHFIELD DRIVE
HOUGHTON CL
HIGHFIELD DR
CEDAR AV
CEDARLAND CRES
WOODLAND DR
HORSENDALE AVENUE
ASSARTS ROAD
DRUMMOND DRIVE
Sch
School
MORNINGTON CRESCENT
VERNON DRIVE
GLOUCESTER AV
HARCOURT CRES
THE SPINNEY
CARTERSWOOD DR
COKEFIELD AV
HARCOURT ROAD
AMESBURY CIRCUS
Pavilion
Playing Field
Club
ELTHAM DR
AINSDALE
ELTHAM CRESCENT
WAREHAM
B6008
BELLS LA
WOODHOUSE WAY
HOLBORN CL
HILLINGDON DR
REDBRIDGE DR
BURNT OAK CL
NORTHOLT DR
HATTON GDNS
STANMORE
HIGHBURY CL
KNIGHTSBRIDGE DR
KEW GDNS
GUNNERSBURY WY
CHIGWELL
WILLESDEN GRN
PERIVALE CL
ARNOS GRO
FARRINGDON
WHETSTONE CL
BLACKFRIARS CL
OSTERLEY
Chilwell Dam Plantation
Chilwell Dam Farm
Broxtowe Country Park
Broxtowe Wood
Broxtowe
SILVERHILL
CLIPSTONE
LINBY
NEWSTEAD WY
MOORGREEN
BLIDWORTH CL
COTGRAVE CL
WOOLSINGTON CL
SHANWELL CL
YORK DRIVE
WELLESLEY CRES
HALIFAX CT
KILDONAN CL
LANCASTER
SHACKLETON CL
School
Club
CALVERTON DR
WESTLEIGH ROAD
CRANWELL
SUNDERLND GRO
ASKEBY DRIVE
LINDFIELD ROAD
BECKLEY ROAD
FENWICK ROAD
FIRSBY ROAD
LINDBRIDGE ROAD
FENWICK CL
DENTON GRN
COLEBY ROAD
SHIPLEY
DEEPDENE DRIVE
DEEPDENE CL
BROXTOWE HALL CL
OAKFORD CL
BROXTOWE LANE
24
B6004
3
COLCHESTER ROAD
WOODFIELD ROAD
WHITWELL CL
FRINTON ROAD
Rec Grnd
BRAMLEY RD
HELSTON DR
COTSWOLD RD
BARWELL
FLAMSTEED RD
CUXTON CL
ST CUTHBERTS CT
MOOR RD
GREAVES CL
MORRIS RD
Stonepit Plantation
HONITON DRIVE
LILAC CL
ROSEMARY CL
LAVENDER CL
MAGNOLIA CL
HONEYSUCKLE CL
JASMINE CL
BRADFIELD ROAD
WITHERN RD
BIDFORD RD
BANKWOOD CL
SHERBORNE ROAD
SEATON CRESCENT
ROKER CL
TUNSTALL
4
Liby
BROXTOWE ALLENDALE AVENUE
AMBLESIDE RD
THE MOUNT
WYRALE
Health Centre
SEAGRAVE
GOLDHAM
Rec Grnd
ASPLEY LANE
ROAD
STRELLEY ROAD
STREET
YATESBURY CRES
ST MARTINS RD
BRACKEN CL
Pav
Bowling Grn
King George V Playing Fields
FIRCROFT AV
DENEWOOD CRES
BEECHDALE
24
B690
GLENCAIRN DR
Clinic
The Player Schools
Playgrnd
St Teresas R.C Sch
School
BEXLEIGH GDNS
ASPLEY PK DR
5
MELBURY RD
CHEADLE CL
GAYTON CL
FAIRNLEY RD
ASHTON CT
MORDEN CL
HORNCHURCH RD
WIGMAN
School
Playing Field
DENEWOOD CRESCENT
HIGHWOOD AV
OAKMEAD AV
CAMROSE CL
KINGSBURY DRIVE
School
Depot
Convent
Sch
CHINGFORD RD
DYLAN MWS
STANWICK CL
CALVELEY RD
ASTWOOD CL
Bilborough Park
Harvey Hadden Stadium
Playing Field
Bilborough
Minature Golf Course
Indoor Athletics Centre
Tennis Courts
Bowling Grn
Glenbrook Schools
Glaisdale School
Playing Field
BEECHDALE ROAD
6
Playing Field
WHITE LODGE GDNS
CRESCENT
WOOTTON CL
CAINCROSS
HUXLEY CL
BARTLOW
CATERHAM CL
HOYLAKE
DARNHALL
CHIDLOW RD
HANSLOPE
School
School
Liby
BRACEBRIDGE
ORION DR
MONKTON DR
CLANFIELD RD
STAVERTON
GRAYLANDS RD
MORVAL RD
MELDRETH RD
33
GLENBROOK
SHEPHERDS CL
FREMOUNT
RANMERE
AMBERGATE RD
FRAMPTON
FALSTON RD
TETNEY WK
EAST WIGMAN
E
F
G
H
1
2

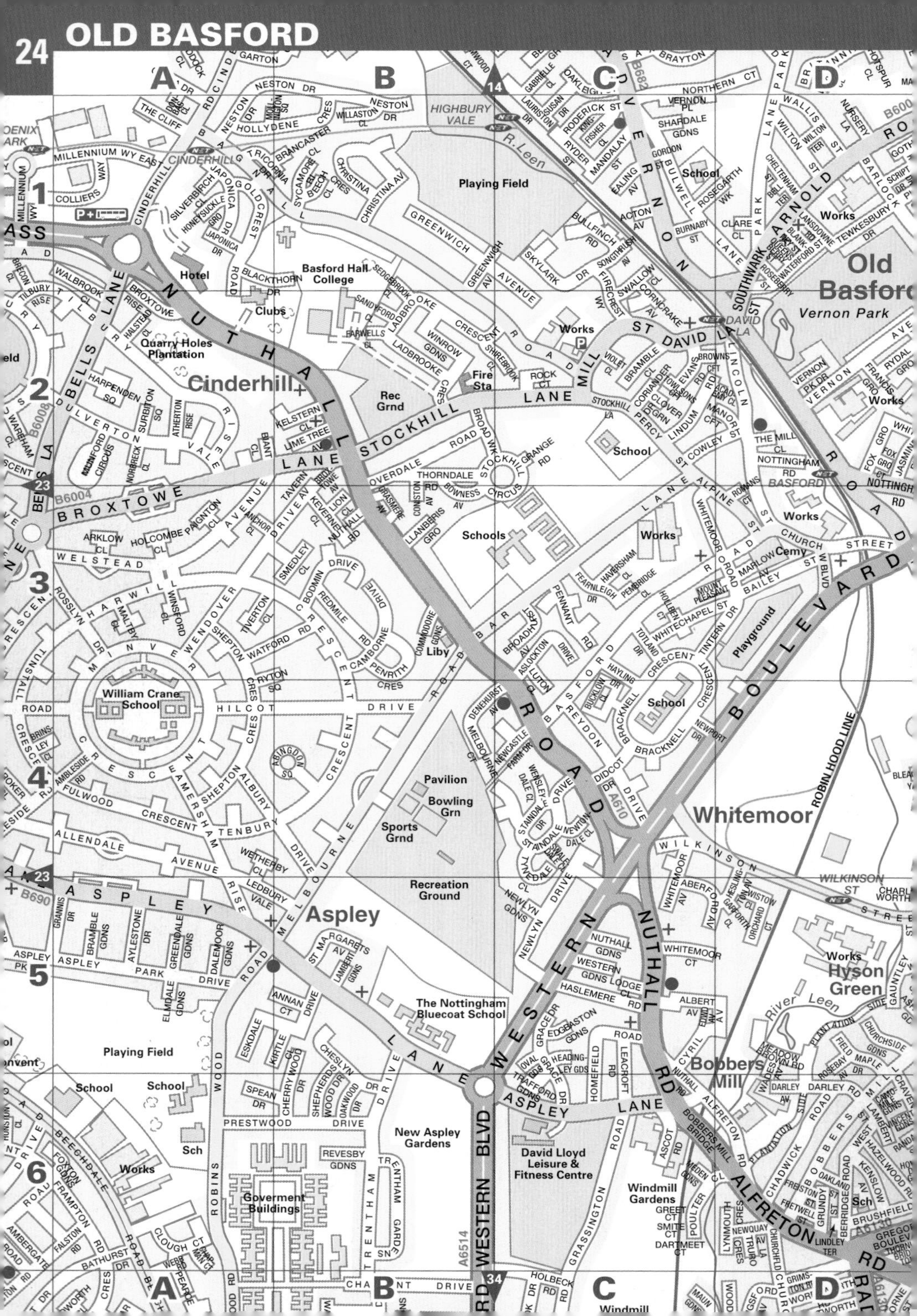
A
B
C
D
1
2
3
4
5
6
14
23
34
Cinderhill
Old Basford
Vernon Park
Whitemoor
Aspley
Bobbers Mill
Hyson Green
HIGHBURY VALE
R. Leen
River Leen
Playing Field
Basford Hall College
Hotel
Clubs
Quarry Holes Plantation
Rec Grnd
Fire Sta
Works
School
Schools
Cemy
Playground
Liby
William Crane School
Pavilion
Bowling Grn
Sports Grnd
Recreation Ground
The Nottingham Bluecoat School
New Aspley Gardens
David Lloyd Leisure & Fitness Centre
Windmill Gardens
Goverment Buildings
Sch
NUTHALL ROAD
WESTERN BOULEVARD
WESTERN BLVD
STOCKHILL LANE
BROXTOWE LANE
ASPLEY LANE
ALFRETON RD
NUTHALL RD
BELLS LANE
CINDERHILL ROAD
VERNON ROAD
ARNOLD ROAD
MILL ST
ST DAVID LA
LINCOLN ST
CHURCH STREET
NOTTINGHAM RD
BASFORD ROAD
WILKINSON STREET
ROBIN HOOD LINE
MILLENNIUM WY EAST
COLLIERS WAY
NESTON DR
HOLLYDENE CRES
BRANCASTER CL
CHRISTINA AV
CHRISTINA CRES
GREENWICH AVENUE
SKYLARK DR
BULLFINCH RD
SWALLOW CL
CORNCRAKE AV
BULWELL AV
ROSEGARTH WK
BURNABY ST
CLARE CL
PARK LANE
WALLIS ST
WILTON ST
NURSERY LA
TEWKESBURY DR
LANSDOWNE RD
WATERFORD ST
ROSEBERRY
RYDAL GRO
VERNON PK DR
FRANCIS GRO
BRAMBLE CL
CORIANDER CL
CLOVER GRN
LINDUM ST
MANOR CFT
COWLEY ST
ALPINE ST
WHITEMOOR ROAD
THE MILL CL
HARPENDEN SQ
SURBITON SQ
ATHERTON RISE
DULVERTON VALE
NORBRECK CL
MUNFORD CIRCUS
KELSTERN CL
LIME TREE AV
BROXTOWE AVENUE
HOLCOMBE CL
PAIGNTON CL
ARKLOW CL
WELSTEAD AV
HARWILL CRES
ROSSLYN DR
MINVER CRES
WENDOVER DR
WINSFORD CL
MALTBY CL
TIVERTON CL
SHEPTON CRES
WATFORD RD
BODMIN DRIVE
REDMILE RD
CAMBORNE DR
PENRITH CRES
COMMODORE GDNS
HILCOT DRIVE
CRESCENT
ABINGDON SQ
ALBURY SQ
AMERSHAM RISE
TENBURY CRES
FULWOOD CRESCENT
ALLENDALE AVENUE
WETHERBY CL
LEDBURY VALE
MELBOURNE RD
ASPLEY PARK DRIVE
GREENDALE GDNS
DALEMOOR GDNS
AYLESTONE DR
BRAMBLE GDNS
ELMDALE GDNS
ANNAN CT
ESKDALE DR
KIRTLE CL
CHERRY WOOD DR
CHESLYN DR
SHEPHERDS WOOD DR
OAKWOOD DR
SPEAN DR
PRESTWOOD DRIVE
REVESBY GDNS
TRENTHAM GARDENS
ROBINS WOOD RD
BEECHDALE ROAD
FRAMPTON RD
AMBERGATE RD
BATHURST
CLOUGH CT
OVERDALE ROAD
THORNDALE RD
BOWNESS AV
STOCKHILL CIRCUS
GRANGE RD
LLANBERIS GRO
CONISTON AV
GRASMERE AV
BROADHURST AV
ASLOCKTON DRIVE
PENNANT RD
FEARNLEIGH DR
HAVERSHAM CL
PEMBRIDGE CL
TOTLAND DR
WHITECHAPEL ST
MOUNT PLEASANT
TINTERN DR
BAILEY ST
MARLOW AV
HAYLING DR
BRACKNELL CRESCENT
BUCKLOW CL
NEWPORT DR
REYDON DR
DENEHURST AV
NEWCASTLE FARM DR
DIDCOT DRIVE
STAINDALE DR
TYNEDALE CL
NEWLYN DRIVE
NEWLYN GDNS
NUTHALL GDNS
WESTERN GDNS
HASLEMERE RD
WHITEMOOR CT
ALBERT AV
ABERFORD AV
EDGBASTON GDNS
HOMEFIELD RD
LEACROFT RD
GRASSINGTON ROAD
ASCOT RD
POULTER CL
DARTMEET CT
PLANTATION SIDE
CHADWICK RD
DARLEY RD
BERRIDGE RD
BRUSHFIELD
HAZELWOOD RD
KENSLOW AV
MEADOW BROWN RD
CHURCHSIDE GDNS
GAUNTLEY ST
B682
B600
B6004
B690
A610
A6514
A6130
NET

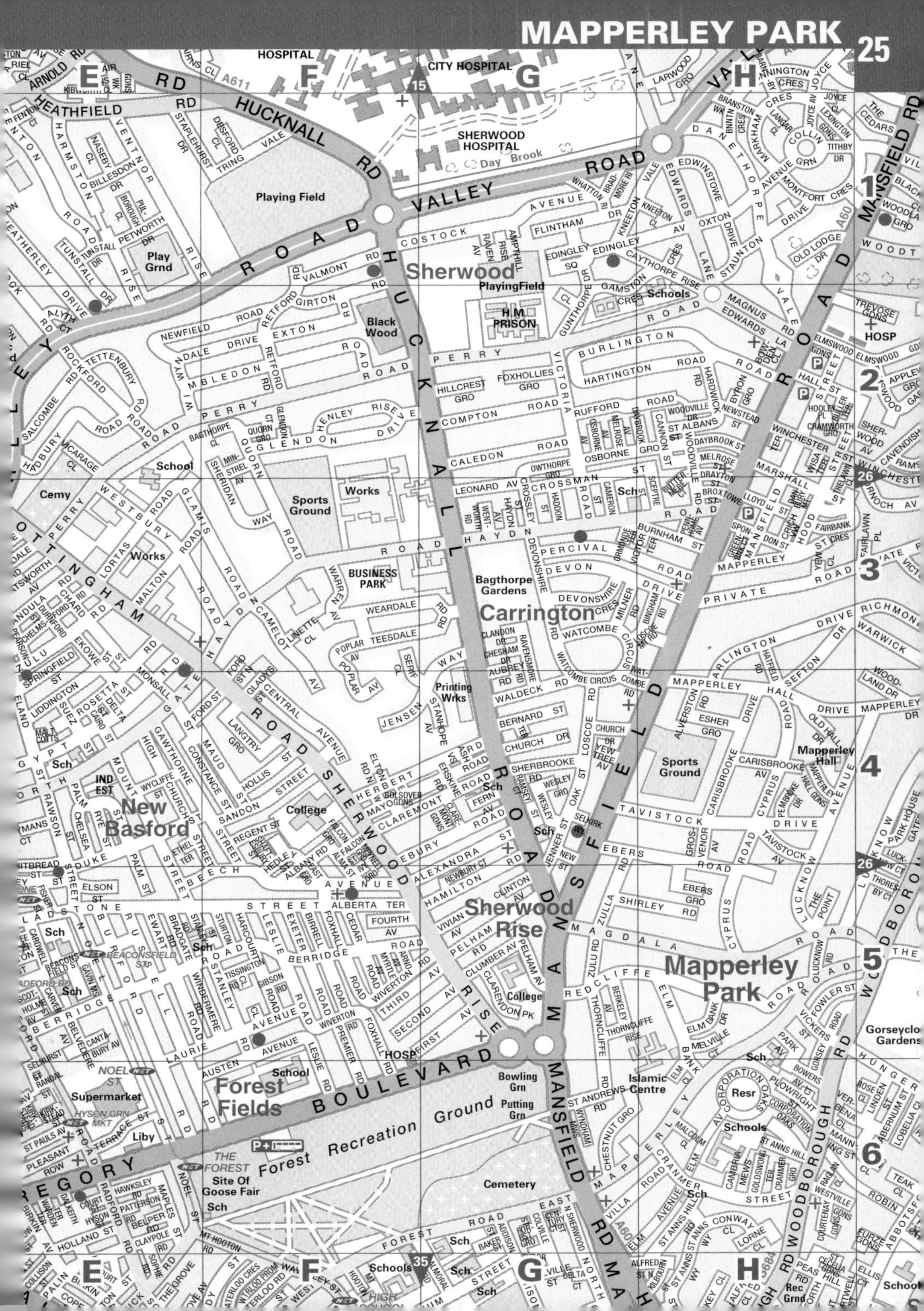
CITY HOSPITAL
SHERWOOD HOSPITAL
Day Brook
HUCKNALL RD
VALLEY ROAD
Playing Field
Play Grnd
Sherwood
PlayingField
H.M. PRISON
Black Wood
Schools
HOSP
PERRY ROAD
School
Cemy
Works
Sports Ground
Works
BUSINESS PARK
Bagthorpe Gardens
Carrington
NOTTINGHAM ROAD
Printing Wrks
MANSFIELD ROAD
Sports Ground
Mapperley Hall
New Basford
College
IND EST
Sherwood Rise
Mapperley Park
College
Gorseyclose Gardens
Forest Fields
BOULEVARD
Supermarket
Liby
Bowling Grn
Putting Grn
Islamic Centre
Resr
Schools
Forest Recreation Ground
Cemetery
Site Of Goose Fair
GREGORY
WOODBOROUGH RD
Sch
Rec Grnd
E
F
G
H
1
2
3
4
5
6
15
26
35

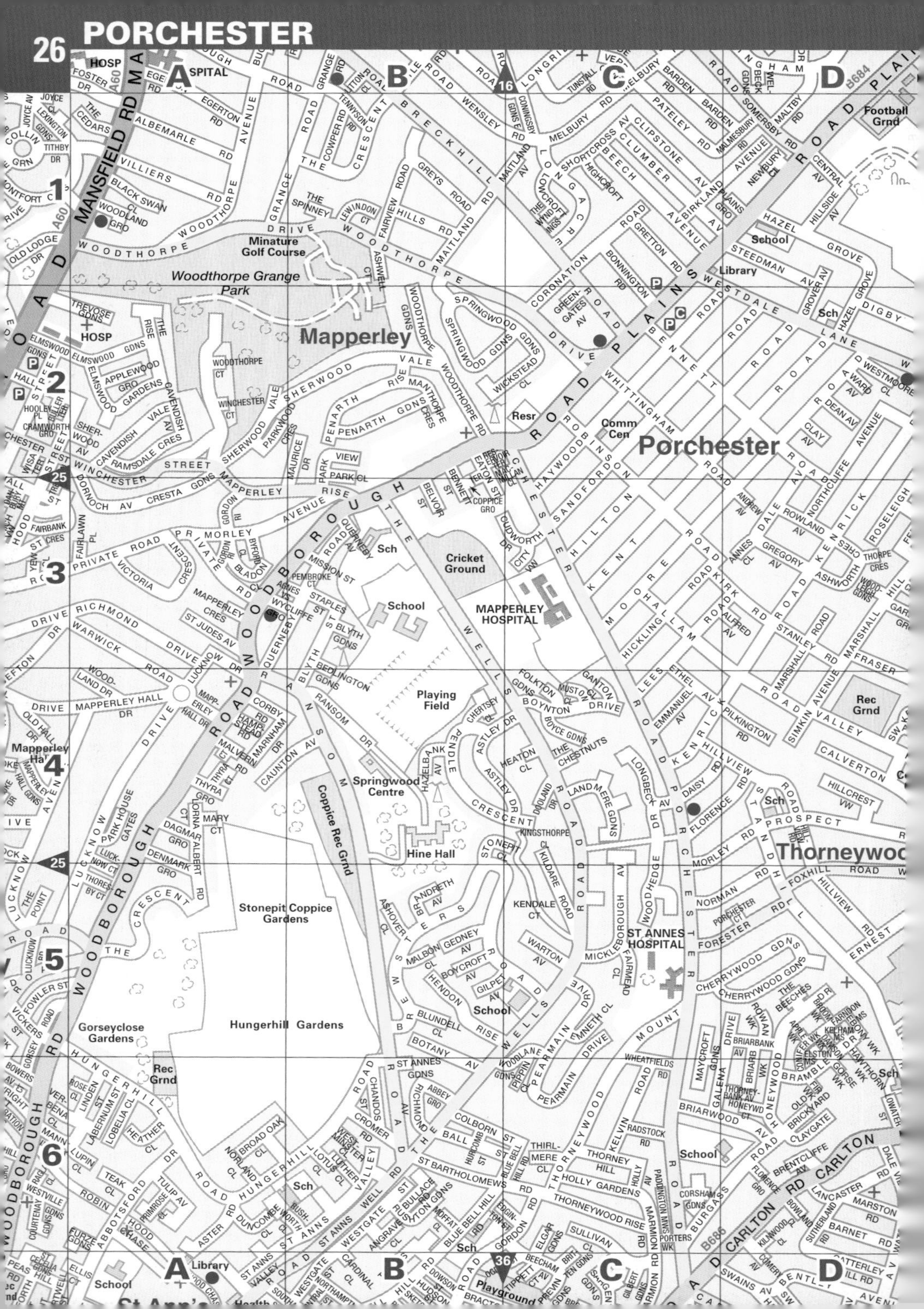

A full-page street map of Porchester, Mapperley and Thorneywood. Grid references A–D (columns) and 1–6 (rows).

Major labelled features include: Mapperley, Porchester, Thorneywood, Woodthorpe Grange Park, Miniature Golf Course, Mapperley Hospital, Cricket Ground, Playing Field, Springwood Centre, Hine Hall, Coppice Rec Grnd, Stonepit Coppice Gardens, Hungerhill Gardens, Gorseyclose Gardens, St Annes Hospital, Football Grnd, Rec Grnd.

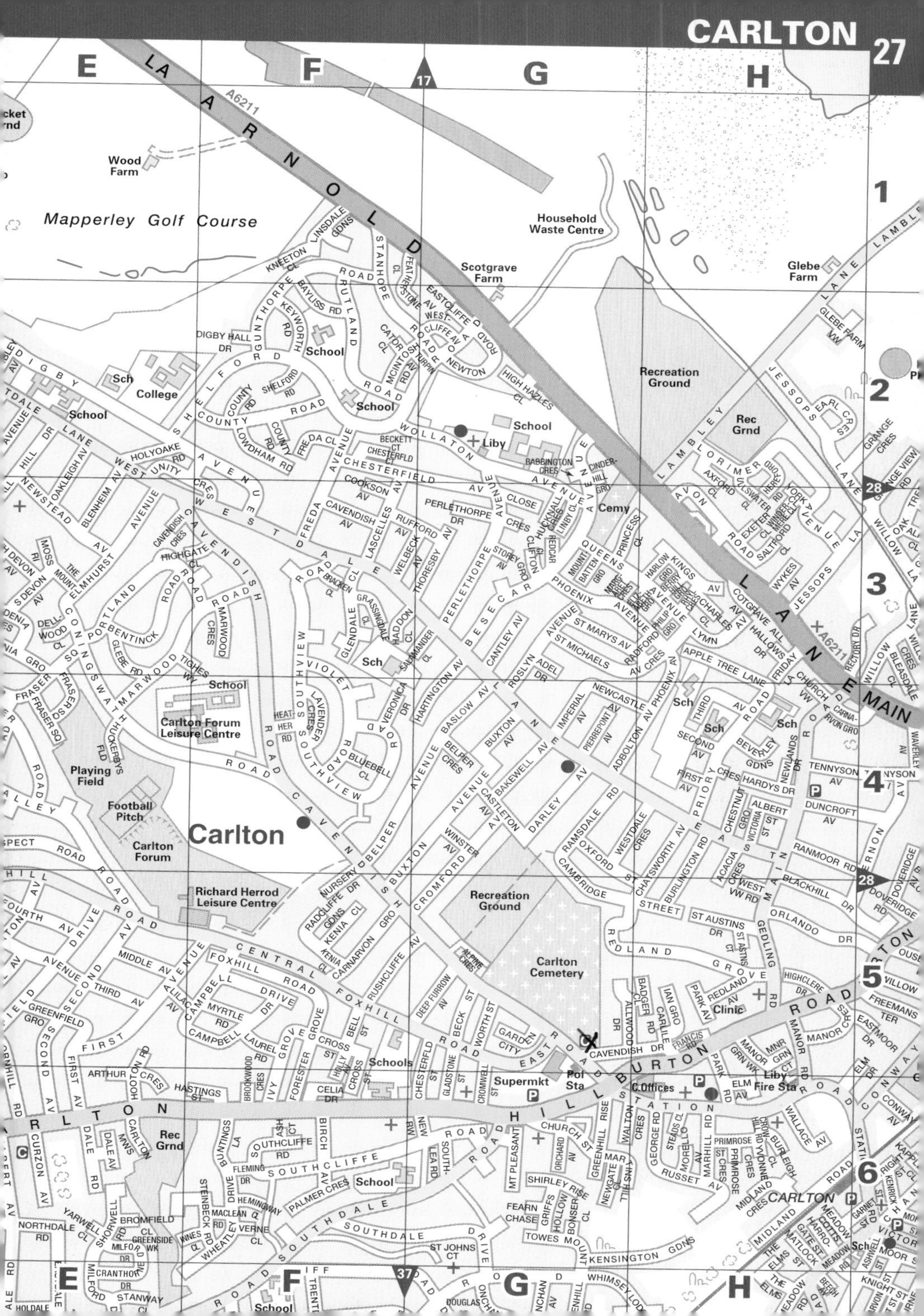
E
F
G
H
17
A6211
LA ARNOLD
Wood Farm
Mapperley Golf Course
Household Waste Centre
Scotgrave Farm
Glebe Farm
1
Recreation Ground
Rec Grnd
2
3
4
5
6
28
37
School
Sch
College
Liby
Cemy
DIGBY AV
DIGBY HALL DR
SHELFORD RD
COUNTY RD
KNEETON CL
LINSDALE GDNS
STANHOPE RD
RUTLAND RD
BAYLISS RD
KEYWORTH RD
GUNTHORPE CL
CATOR CL
MCINTOSH RD
NEWTON RD
HIGH HAZLES CL
WOLLATON AV
CHESTERFIELD AV
BECKETT CT
CHESTERFLD CT
FREDA CL
LOWDHAM RD
HOLYOAKE RD
WEST AVENUE
UNITY CRES
LAMBLEY LANE
JESSOPS LANE
GLEBE FARM VW
EARL CRES
GRANGE CRES
GRANGE VIEW RD
LORIMER AV
AXFORD CL
AVON RD
EXETER RD
SALTFORD CL
YORK AVENUE
WYKES AV
WILLOW AV
OAK AV
LAMBLEY LANE
NEWSTEAD AV
OAKLEIGH AV
BLENHEIM AV
ELMHURST AV
MOSS RI
DEVON AV
THE MOUNT
PORTLAND RD
BENTINCK RD
CONINGSWATH RD
HIGHGATE CL
CAVENDISH CRES
CAVENDISH RD
MARWOOD RD
MARWOOD CRES
TIGHES WY
GLEBE RD
FRASER SQ
FRASER RD
HUCKERBYS FLD
COOKSON AV
CAVENDISH AV
PERLETHORPE DR
PERLETHORPE AV
RUFFORD AV
LASCELLES AV
WELBECK AV
THORESBY AV
FREDA AVENUE
WEST DALE ROAD
BRACKEN CL
GRASSINGDALE CL
GLENDALE CL
HADDON CL
SALAMANDER CL
HARTINGTON AV
BESECAR AV
CANTLEY AV
STOREY AV
CLIFTON GRO
HUCKNALL CRES
LINBY CL
REDCAR CL
CINDERHILL GRO
BABBINGTON CRES
QUEENS AV
PRINCESS CL
MOUNTBATTEN GRO
PHOENIX AVENUE
KINGS AV
HARLOW GRO
CHARLES AV
COTGRAVE AV
HALLOWS DR
ALL HALLOWS DR
FRIDAY LANE
CHURCH VW
APPLE TREE LANE
MAIN LANE
RECTORY DR
BLEASDALE CL
CARNARVON GRO
ST MARYS AV
ST MICHAELS AV
RADFORD CRES
LYMN AV
ROSLYN AV
ADEL DR
VIOLET RD
LAVENDER CRES
SOUTHVIEW RD
HEATHER RD
BLUEBELL CL
VERONICA DR
BASLOW AV
BUXTON AV
BELPER CRES
BELPER AV
IMPERIAL AV
NEWCASTLE AV
PIERREPONT AV
ADBOLTON AV
BAKEWELL AV
THIRD AV
SECOND AV
FIRST AV
BEVERLEY GDNS
NEWLANDS DR
PRIORY CRES
HARDYS DR
TENNYSON AV
CASTLETON AV
DARLEY AV
RAMSDALE RD
WESTDALE CRES
OXFORD ST
CAMBRIDGE ST
CHATSWORTH AV
BURLINGTON RD
CHESTNUT GRO
VICTORIA ST
ALBERT ST
ACACIA CRES
DUNCROFT AV
RANMOOR RD
BLACKHILL DR
WEST VW RD
DOVERIDGE AV
ORLANDO DR
WINSTER AV
CROMFORD AV
Carlton
Carlton Forum Leisure Centre
Playing Field
Football Pitch
Carlton Forum
Richard Herrod Leisure Centre
Recreation Ground
Carlton Cemetery
NURSERY DR
RADCLIFFE GDNS
KENIA CL
CARNARVON GRO
ALPINE CRES
STREET
ST AUSTINS DR
REDLAND GROVE
GEDLING RD
HIGHCLERE DR
WILLOW RD
FREEMANS TER
EASTMOOR DR
MANOR RD
MANOR CRES
CONWAY AV
PROSPECT ROAD
CENTRAL AV
FOXHILL ROAD
MIDDLE AV
THIRD AV
SECOND AV
FIRST AV
GREENFIELD GRO
CAMPBELL DR
MYRTLE RD
LILAC AV
LAUREL RD
GROVE
CROSS ST
BELL ST
RUSHCLIFFE AV
DEEP FURROW AV
BECK ST
WORTH ST
GARDEN CITY
EAST RD
CAVENDISH DR
FRANCIS RD
BADGER CL
ALLWOOD DR
IAN GRO
CARLILE RD
PARK AV
REDLAND AV
Clinic
ARTHUR CRES
HOOTON RD
HASTINGS ST
BROOKWOOD CRES
IVY CRES
FORESTER ST
HOLLY AV
CELIA DR
Schools
CHESTERFLD ST
GLADSTONE ST
CROMWELL ST
Supermkt
Pol Sta
C.Offices
Liby
Fire Sta
ELM AV
MANOR GRN WK
MNR GRN CT
CARLTON HILL
BURTON ROAD
STATION ROAD
CURZON AV
DALE AV
CARLTON MWS
Rec Grnd
BUNTINGS LA
ASH CT
SOUTHCLIFFE RD
BIRCH LEA
NEW LEA RD
SOUTHCLIFFE ROAD
SOUTHCLIFFE AV
PALMER CRES
MT PLEASANT
CHURCH ST
ORCHARD AV
GREENHILL RISE
GREENHILL RD
WALTON CRES
GEORGE RD
STEADS CL
MORELLO AV
MARHILL RD
PRIMROSE ST
PRIMROSE CRES
RUSSET AV
YVONNE CRES
BURLEIGH CL
WALLACE AV
MIDLAND CRES
CARLTON
MIDLAND AV
THE ELMS
MATLOCK ST
HARROGATE ST
MEADOW COTTS
KENRICK ST
STEINBECK RD
FLEMING DR
HEMINGWAY
MACLEAN RD
VERNE CL
WHEATLEY DRIVE
SOUTHDALE ROAD
SOUTHDALE DRIVE
SHIRLEY RISE
FEARN CHASE
GRIFFS HOLLOW
BONSER CL
TOWES MOUNT
KENSINGTON GDNS
ST JOHNS CT
WHIMSEY
NORTHDALE RD
YARWELL CL
SHORWELL RD
BROMFIELD CL
GREENSIDE WK
MILFORD DR
CRANTHORNE DR
STANWAY
HOLDALE
DOUGLAS

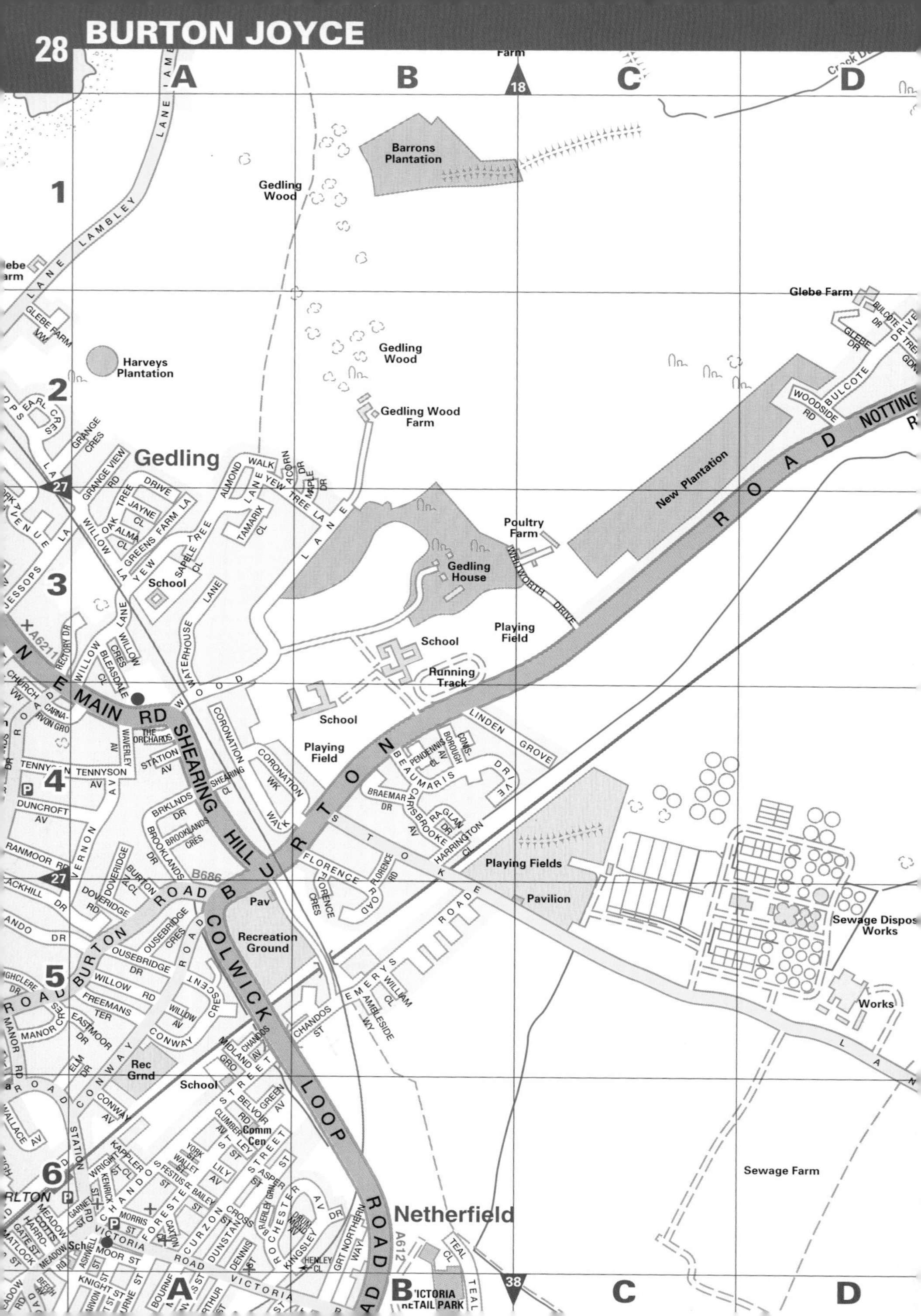

A · B · C · D

Barrons Plantation

Gedling Wood

Glebe Farm

Harveys Plantation

Gedling Wood

Gedling Wood Farm

Gedling

New Plantation

ROAD · NOTTING

WOODSIDE RD

BULCOTE

GLEBE DR

Poultry Farm

WHITWORTH DRIVE

Gedling House

Playing Field

School

Running Track

School

School

Playing Field

LINDEN GROVE

BEAUMARIS DR

BRAEMAR DR

CARISBROOKE

RAGLAN CL

HARRINGTON

Playing Fields

Pavilion

Sewage Dispos Works

Recreation Ground

FLORENCE ROAD

Pav

Works

School

Comm Cen

Netherfield

Sewage Farm

VICTORIA RETAIL PARK

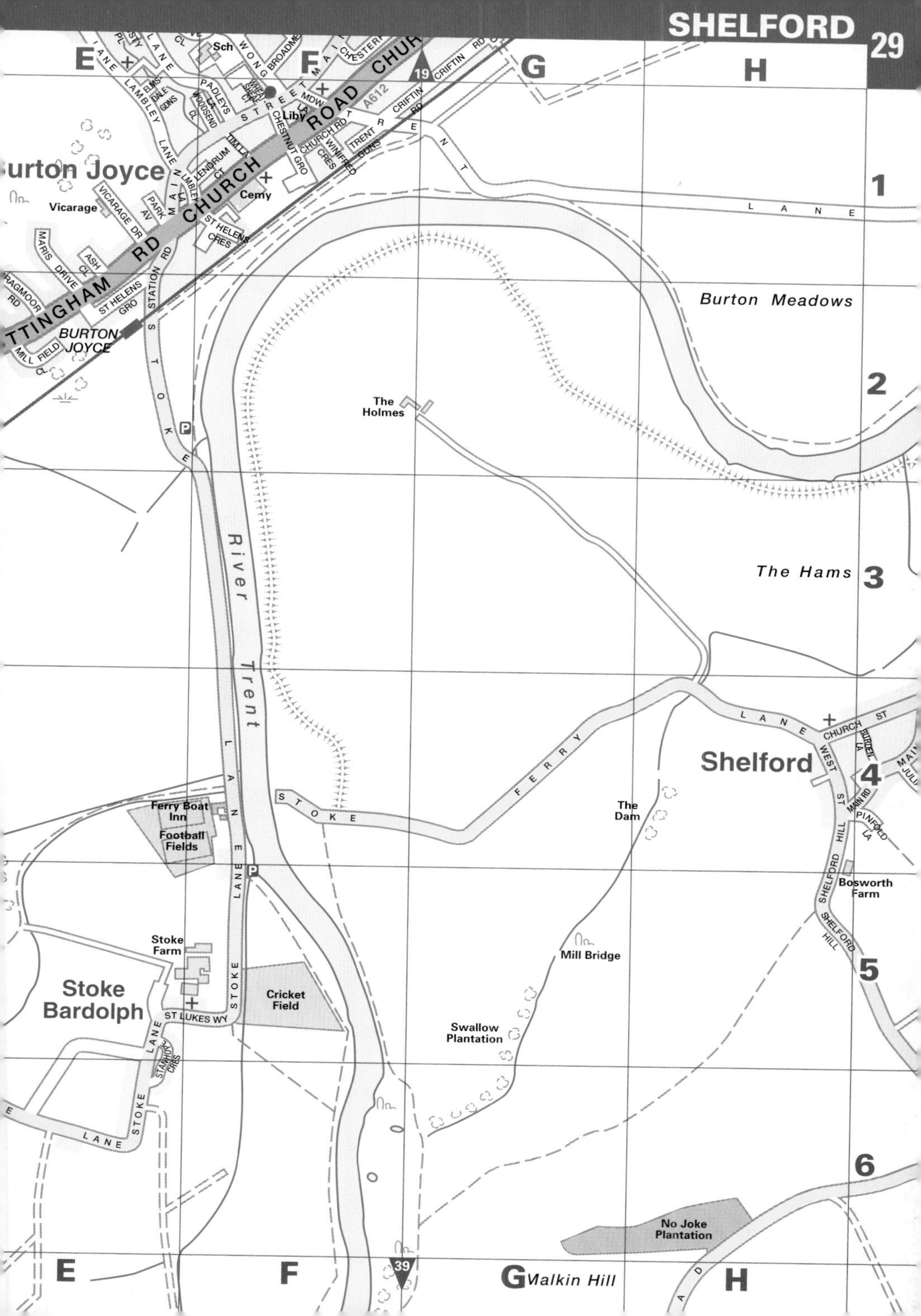

E F G H

Sch

Burton Joyce

Vicarage

BURTON
JOYCE

19

Burton Meadows

The
Holmes

The Hams

Shelford

Ferry Boat
Inn

Football
Fields

River Trent

The
Dam

Stoke
Farm

Cricket
Field

Stoke
Bardolph

Mill Bridge

Bosworth
Farm

Swallow
Plantation

No Joke
Plantation

E F G H

39

Walkin Hill

1

2

3

4

5

6

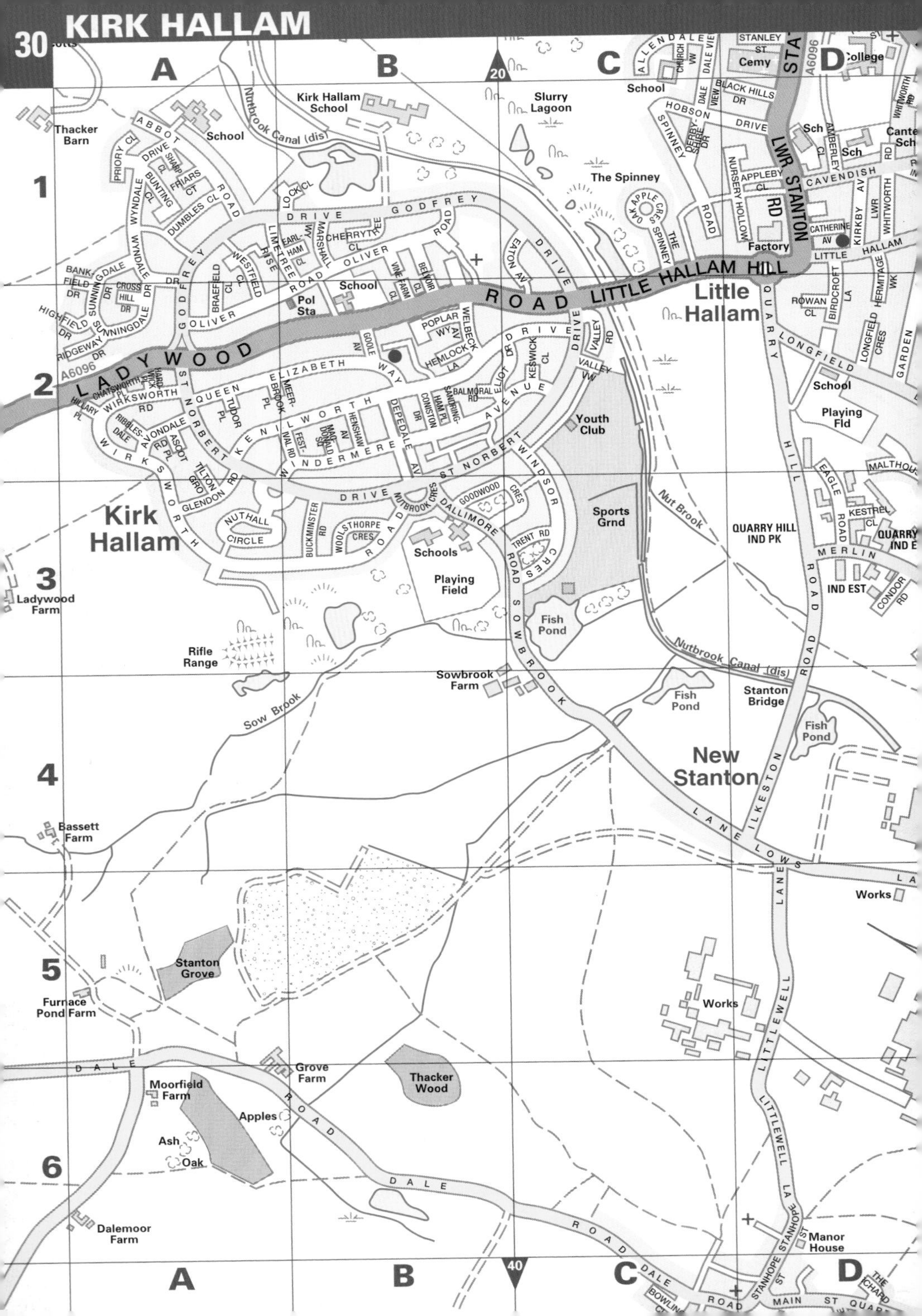
A
B
C
D
20
40
1
2
3
4
5
6
Thacker Barn
School
Kirk Hallam School
Nutbrook Canal (dis)
Slurry Lagoon
Cemy
College
Sch
The Spinney
Factory
Little Hallam
LITTLE HALLAM HILL
LWR STANTON
LADYWOOD ROAD
A6096
GODFREY DRIVE
OLIVER ROAD
Pol Sta
School
Youth Club
Sports Grnd
Nut Brook
QUARRY HILL IND PK
IND EST
Playing Fld
Kirk Hallam
Schools
Playing Field
Fish Pond
Ladywood Farm
Rifle Range
Sowbrook Farm
Sow Brook
SOWBROOK ROAD
Stanton Bridge
New Stanton
ILKESTON ROAD
LOWS LANE
Works
Bassett Farm
Stanton Grove
Furnace Pond Farm
Grove Farm
Thacker Wood
Moorfield Farm
Apples
Ash
Oak
DALE ROAD
Dalemoor Farm
LITTLEWELL LANE
Manor House
STANHOPE ST
MAIN ST

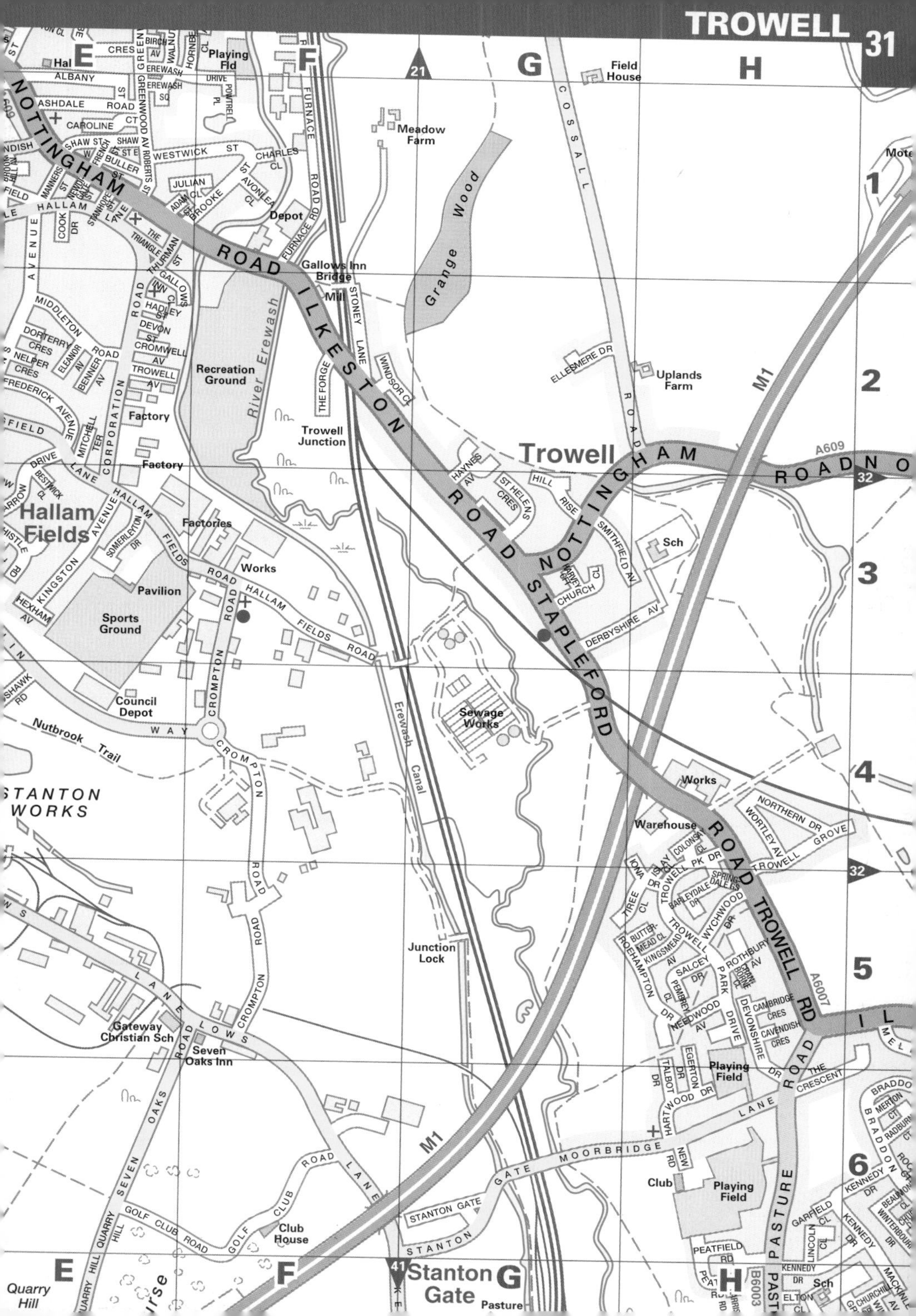
TROWELL
31
E
F
G
H
1
2
3
4
5
6
21
32
41
NOTTINGHAM ROAD
ILKESTON ROAD
STAPLEFORD ROAD
TROWELL RD
A609
A6007
B6003
M1
Trowell
Hallam Fields
STANTON WORKS
Stanton Gate
Quarry Hill
Field House
Meadow Farm
Grange Wood
Uplands Farm
Playing Fld
Depot
Gallows Inn Bridge
Mill
Recreation Ground
River Erewash
Trowell Junction
Factory
Factories
Works
Pavilion
Sports Ground
Council Depot
Nutbrook Trail
Sewage Works
Erewash Canal
Junction Lock
Warehouse
Sch
Playing Field
Club
Gateway Christian Sch
Seven Oaks Inn
Club House
Pasture
COSSALL ROAD
FURNACE ROAD
STONEY LANE
WINDSOR CL
THE FORGE
ELLESMERE DR
HAYNES AV
ST HELENS CRES
HILL RISE
SMITHFIELD AV
CHURCH CL
DERBYSHIRE AV
NORTHERN DR
WORTLEY AV
TROWELL GROVE
TROWELL PK DR
COLONSAY CL
ISLAY CL
IONA DR
TREE CL
BARLEYDALE DR
WYCHWOOD DR
BUTTERMEAD CL
KINGSMEAD AV
ROEHAMPTON DR
SALCEY DR
ROTHBURY AV
PEMBREY CL
NEEDWOOD AV
PARK DRIVE
DEVONSHIRE DR
CAMBRIDGE CRES
CAVENDISH CRES
EGERTON DR
TALBOT DR
HARTWOOD DR
THE CRESCENT
LANE
MOORBRIDGE
NEW RD
STANTON GATE
PASTURE ROAD
PEATFIELD RD
KENNEDY DR
GARFIELD CL
LINCOLN CL
BRADDON AV
MERTON CT
WINTERBOURNE DR
HALLAM FIELDS ROAD
CROMPTON ROAD
WAY
LOWS LANE
SEVEN OAKS ROAD
QUARRY HILL
GOLF CLUB ROAD
HALLAM LANE
CORPORATION ROAD
MITCHELL TER
SOMERLEYTON DR
KINGSTON AVENUE
HEXHAM AV
FREDERICK AVENUE
MIDDLETON ROAD
DORTERRY CRES
NELPER CRES
ELEANOR AV
BENNER AV
TROWELL AV
CROMWELL AV
DEVON ST
HADLEY ST
GALLOWS INN CL
THURMAN ST
THE TRIANGLE
COOK DR
AVENUE
WESTWICK ST
CHARLES CL
JULIAN CL
BROOKE ST
AVONLEA CL
ADAM ST
SHAW ST
BULLER ST
FRENCH ST
ROBERTS ST
CAROLINE CT
ASHDALE ROAD
ALBANY ST
GREENWOOD AV
EREWASH SQ
BIRCH AV
WALNUT AV
HORNBEAM
POWTRELL PL
DRIVE
STANHOPE ST
MANNERS ST

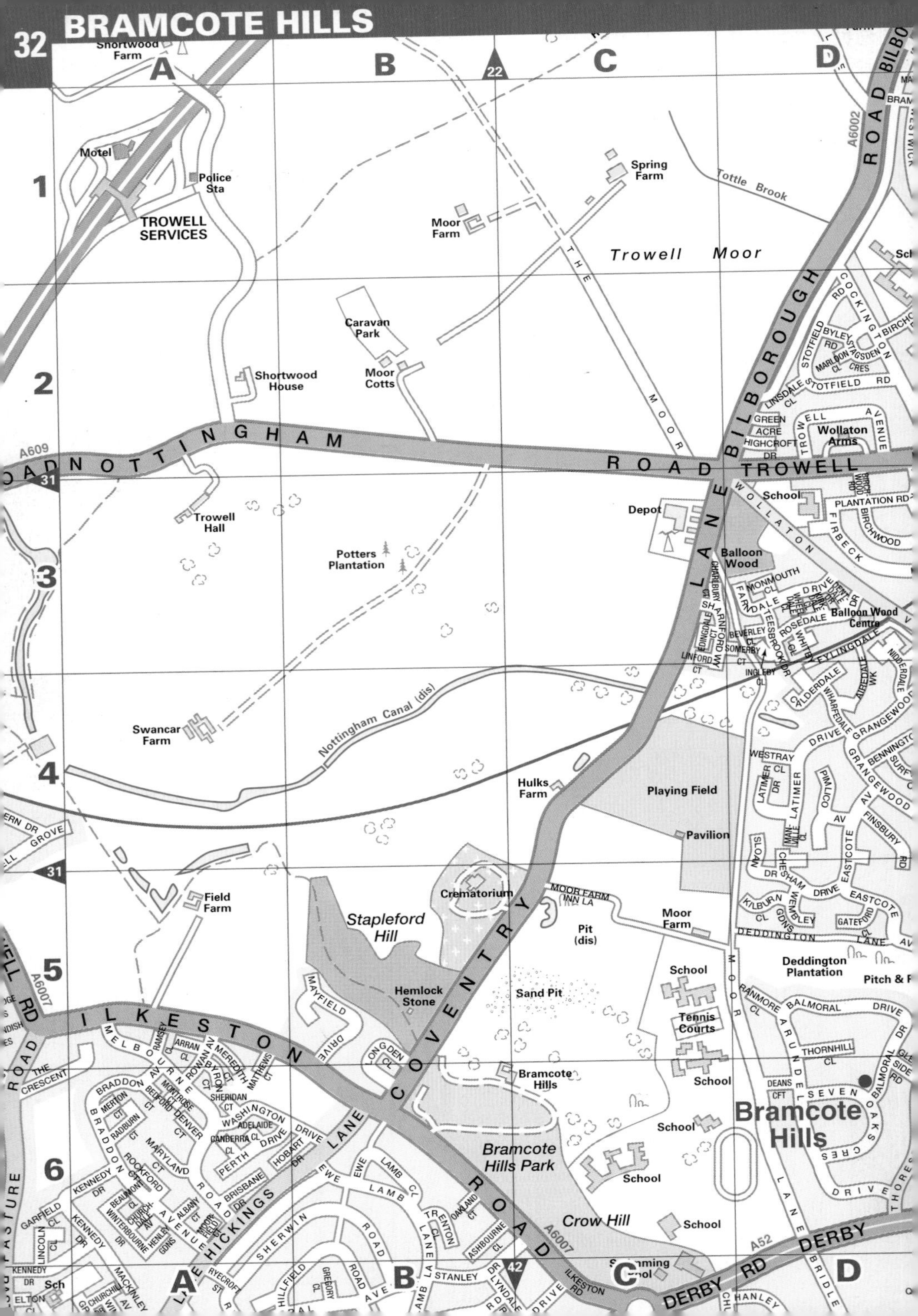

Shortwood Farm
Motel
Police Sta
TROWELL SERVICES
Spring Farm
Tottle Brook
Moor Farm
Trowell Moor
THE MOOR
Caravan Park
Shortwood House
Moor Cotts
NOTTINGHAM ROAD
A609
ROAD TROWELL
BILBOROUGH ROAD
A6002
Trowell Hall
Potters Plantation
Depot
School
Balloon Wood
Balloon Wood Centre
Wollaton Arms
Nottingham Canal (dis)
Swancar Farm
Hulks Farm
Playing Field
Pavilion
Field Farm
Crematorium
Stapleford Hill
MOOR FARM INN LA
Moor Farm
Pit (dis)
DEDDINGTON LANE
Deddington Plantation
Pitch & P
Hemlock Stone
Sand Pit
School
Tennis Courts
COVENTRY ROAD
ILKESTON ROAD
A6007
Bramcote Hills
School
Bramcote Hills
Bramcote Hills Park
School
Crow Hill
School
Swimming Pool
DERBY RD
A52
BALMORAL DRIVE
THORNHILL CL
SEVEN OAKS CRES
ARUNDEL DRIVE
MOOR LANE
BRIDLE
HICKINGS LANE
SHERWIN ROAD
EWE LAMB LANE
EWE LAMB CL
TRENTON CL
OAKLAND CT
ASHBOURNE CL
STANLEY DR
LYNDALE DRIVE
HILLFIELD
GREGORY AVE
KENNEDY DR
GARFIELD CL
LINCOLN CL
MACKINLEY
ELTON
Sch
RYECROFT ST
THE CRESCENT
PASTURE
BRADDON AV
MELBOURNE
RAMSEY
ARRAN CL
MEREDITH CT
ROWAN AV
BYRON CT
MATTHEWS CT
SHERIDAN CT
WASHINGTON DRIVE
ADELAIDE CL
CANBERRA CL
PERTH DRIVE
HOBART DR
BRISBANE DR
MERTON CT
RADBURN CT
BELFORD CT
MONTROSE CT
DENVER CT
MARYLAND CT
ROCKFORD CT
ALBANY CT
BEAUMONT CT
CHURCHDALE AV
WINTERBOURNE DR
HENLEY GDNS
MAYFIELD DRIVE
LONGDEN CL
WOLLATON VALE
COCKINGTON RD
BYLEY RD
STOTFIELD RD
MARLDON CL
STAGSDEN CRES
LINSDALE CL
GREEN ACRE
HIGHCROFT DR
TROWELL AVENUE
PLANTATION RD
BIRCHWOOD
FIRBECK
MONMOUTH CL
FARNDALE DRIVE
ROSEDALE
TEESBROOK DR
WHITBY CL
EYLINGDALE
SHARNFORD WY
LINFORD CT
INGLEBY CL
BEVERLEY CT
SOMERBY CT
ALDERDALE
WHARFEDALE
AIREDALE WK
NIDDERDALE
GRANGEWOOD DRIVE
GRANGEWOOD AV
BENNINGTON
WESTRAY CL
LATIMER DR
LATIMER
PIMLICO AV
FINSBURY
MANEVILLE CL
SLOAN
CHESHAM DRIVE
EASTCOTE AV
KILBURN CL
WEMBLEY GDNS
GATEFORD
RANMORE CL
DEANS CFT

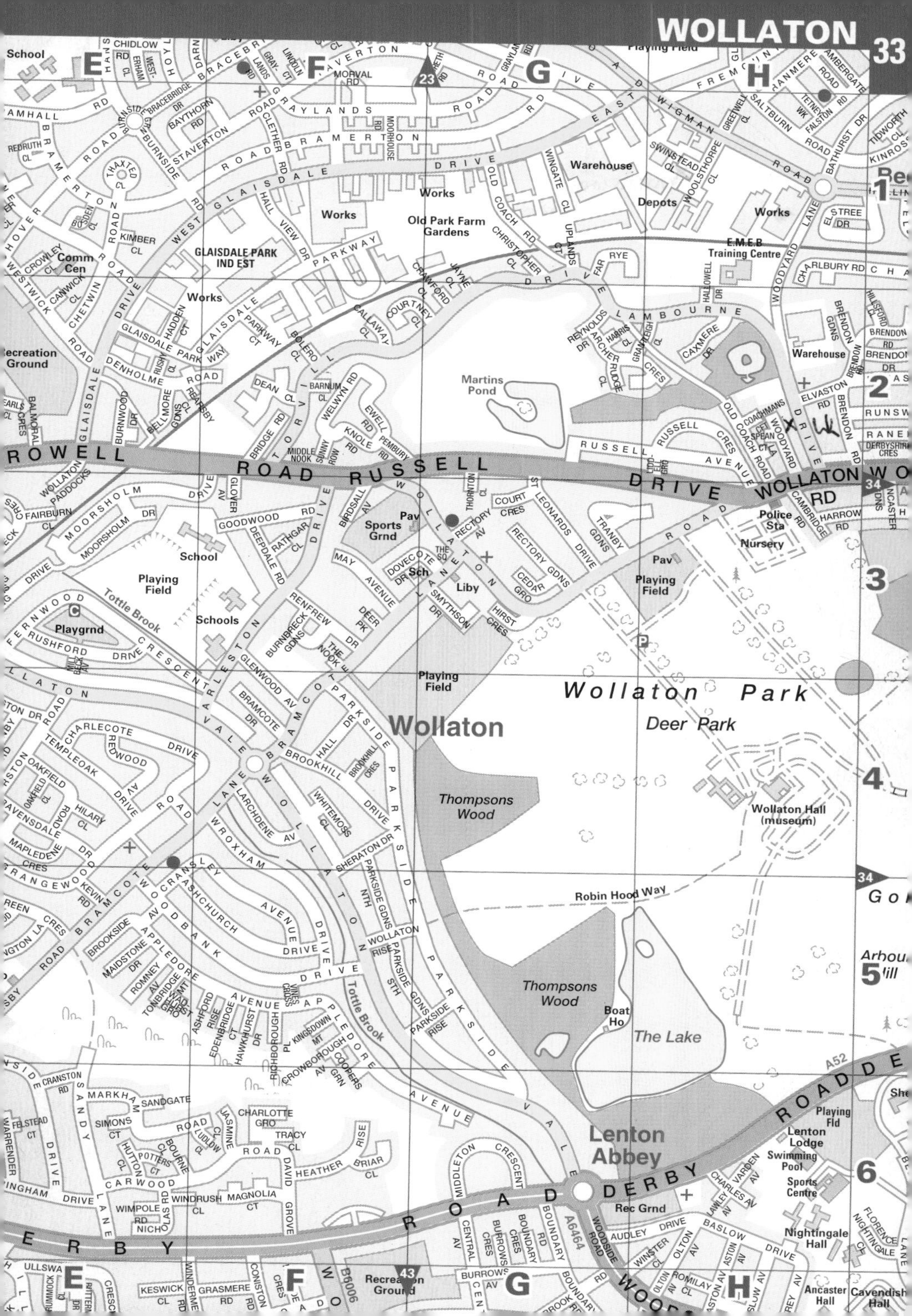

Wollaton
Wollaton Park
Deer Park
Wollaton Hall (museum)
Thompsons Wood
The Lake
Boat Ho
Robin Hood Way
Lenton Abbey
Lenton Lodge
Swimming Pool
Sports Centre
Nightingale Hall
Ancaster Hall
Cavendish Hall
Rec Grnd
Recreation Ground
Playing Field
Playing Fld
Playgrnd
Sports Grnd
Pav
Sch
Liby
School
Schools
Police Sta
Nursery
Martins Pond
Glaisdale Park Ind Est
Old Park Farm Gardens
E.M.E.B Training Centre
Warehouse
Works
Depots
Comm Cen
Tottle Brook
Russell Drive
Wollaton Road
Wollaton Vale
Derby Road
Bramcote Lane
Parkside
Glaisdale Drive West
Glaisdale Drive East
Wigman Road
Bramerton Road
Graylands Road
Woodyard Lane
Lambourne Drive
Beeston Lane
Middleton Crescent
Sandy Lane
Applerdore Avenue
Woodbank Drive
Ashchurch Drive
Charlecote Drive
Fernwood Drive
Moorsholm Drive
A52
A6464
B6006
23
34
43
E
F
G
H
1
2
3
4
5
6

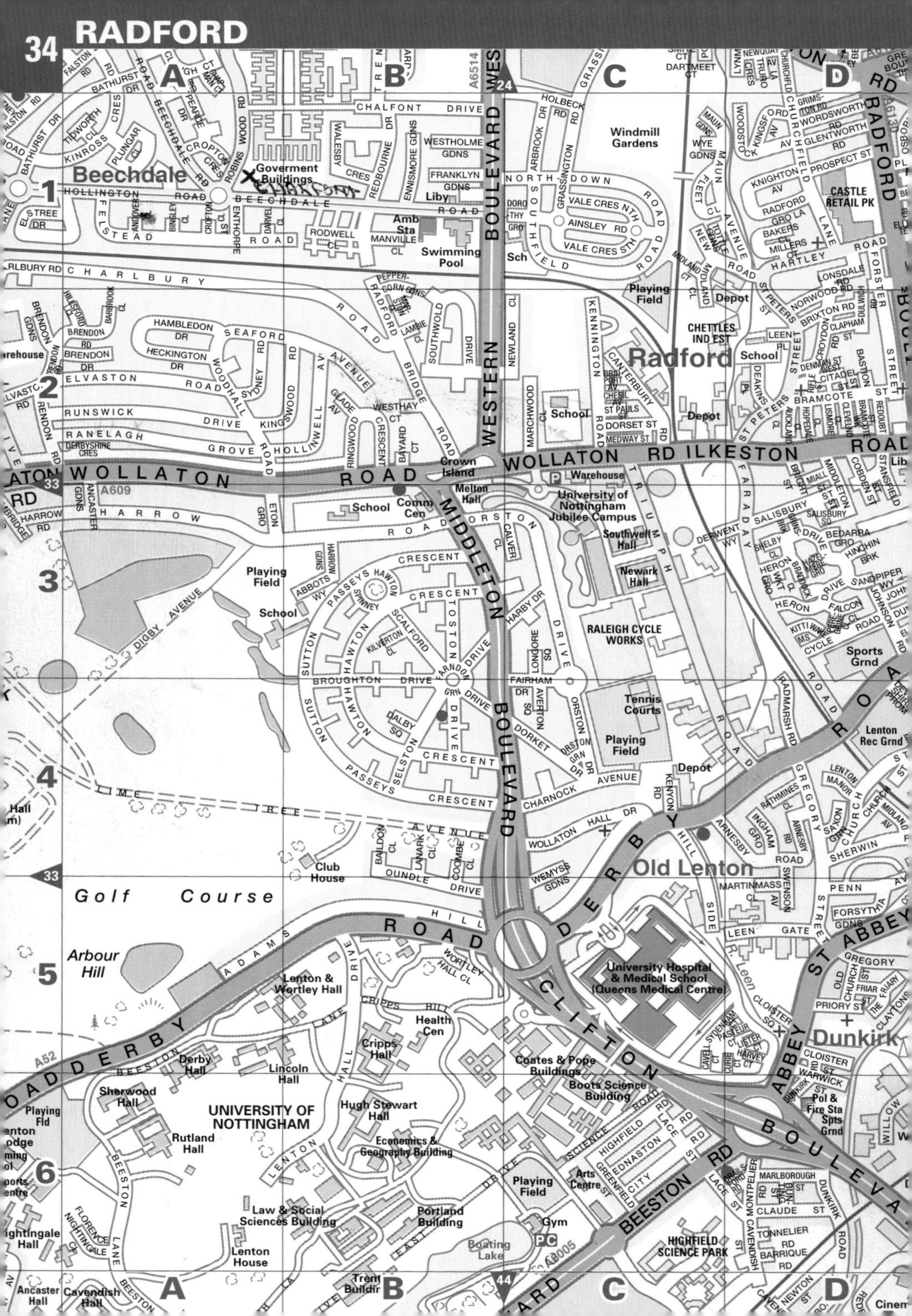

Beechdale
Goverment Buildings
Windmill Gardens
CASTLE RETAIL PK
Radford
CHETTLES IND EST
Playing Field
School
Depot
Swimming Pool
WESTERN BOULEVARD
WOLLATON ROAD
WOLLATON RD ILKESTON ROAD
Crown Island
Melton Hall
Comm Cen
Warehouse
University of Nottingham Jubilee Campus
Southwell Hall
Newark Hall
RALEIGH CYCLE WORKS
Tennis Courts
Sports Grnd
Lenton Rec Grnd
MIDDLETON BOULEVARD
Old Lenton
Golf Course
Club House
Arbour Hill
Lenton & Wortley Hall
Health Cen
Cripps Hall
Derby Hall
Lincoln Hall
Sherwood Hall
Rutland Hall
UNIVERSITY OF NOTTINGHAM
Hugh Stewart Hall
Economics & Geography Building
Law & Social Sciences Building
Lenton House
Portland Building
Boating Lake
Gym
Arts Centre
Coates & Pope Buildings
Boots Science Building
University Hospital & Medical School (Queens Medical Centre)
HIGHFIELD SCIENCE PARK
Dunkirk
Pol & Fire Sta
Spts Grnd
DERBY ROAD
CLIFTON BOULEVARD
ABBEY ST
BEESTON RD
Ancaster Hall
Cavendish Hall
Nightingale Hall
Trent Buildir

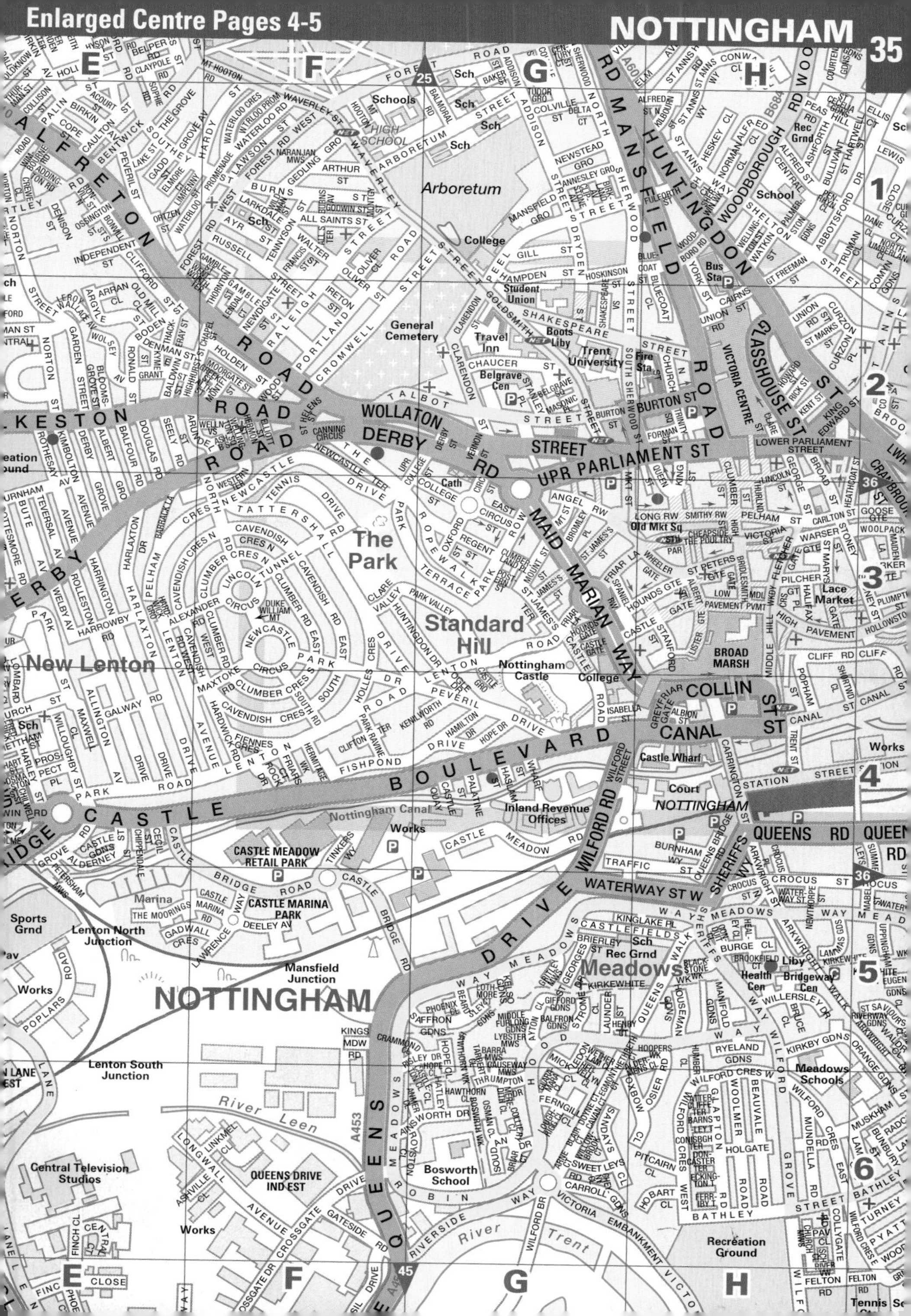
E
F
G
H
1
2
3
4
5
6
25
36
45
ALFRETON ROAD
ILKESTON ROAD
DERBY ROAD
WOLLATON STREET
DERBY RD
UPR PARLIAMENT ST
LOWER PARLIAMENT STREET
MAID MARIAN WAY
MANSFIELD ROAD
HUNTINGDON STREET
GLASSHOUSE ST
WOODBOROUGH RD
CASTLE BOULEVARD
CANAL ST
COLLIN ST
QUEENS RD
WILFORD RD
WATERWAY ST W
QUEENS DRIVE
VICTORIA EMBANKMENT
CASTLE BRIDGE ROAD
CASTLE MEADOW RD
Arboretum
College
General Cemetery
Travel Inn
Student Union
Boots Liby
Trent University
Fire Sta
Belgrave Cen
Victoria Centre
Bus Sta
Cath
The Park
Standard Hill
Nottingham Castle
Old Mkt Sq
Lace Market
BROAD MARSH
Castle Wharf
Court
NOTTINGHAM
Inland Revenue Offices
Nottingham Canal
Works
CASTLE MEADOW RETAIL PARK
CASTLE MARINA PARK
Marina
Sports Grnd
Lenton North Junction
Mansfield Junction
Lenton South Junction
NOTTINGHAM
New Lenton
Meadows
Rec Grnd
Health Cen
Bridgeway Cen
Liby
Meadows Schools
Bosworth School
Central Television Studios
QUEENS DRIVE IND EST
River Leen
River Trent
Recreation Ground
Schools
HIGH SCHOOL
School
A60
A453
B684
Tennis

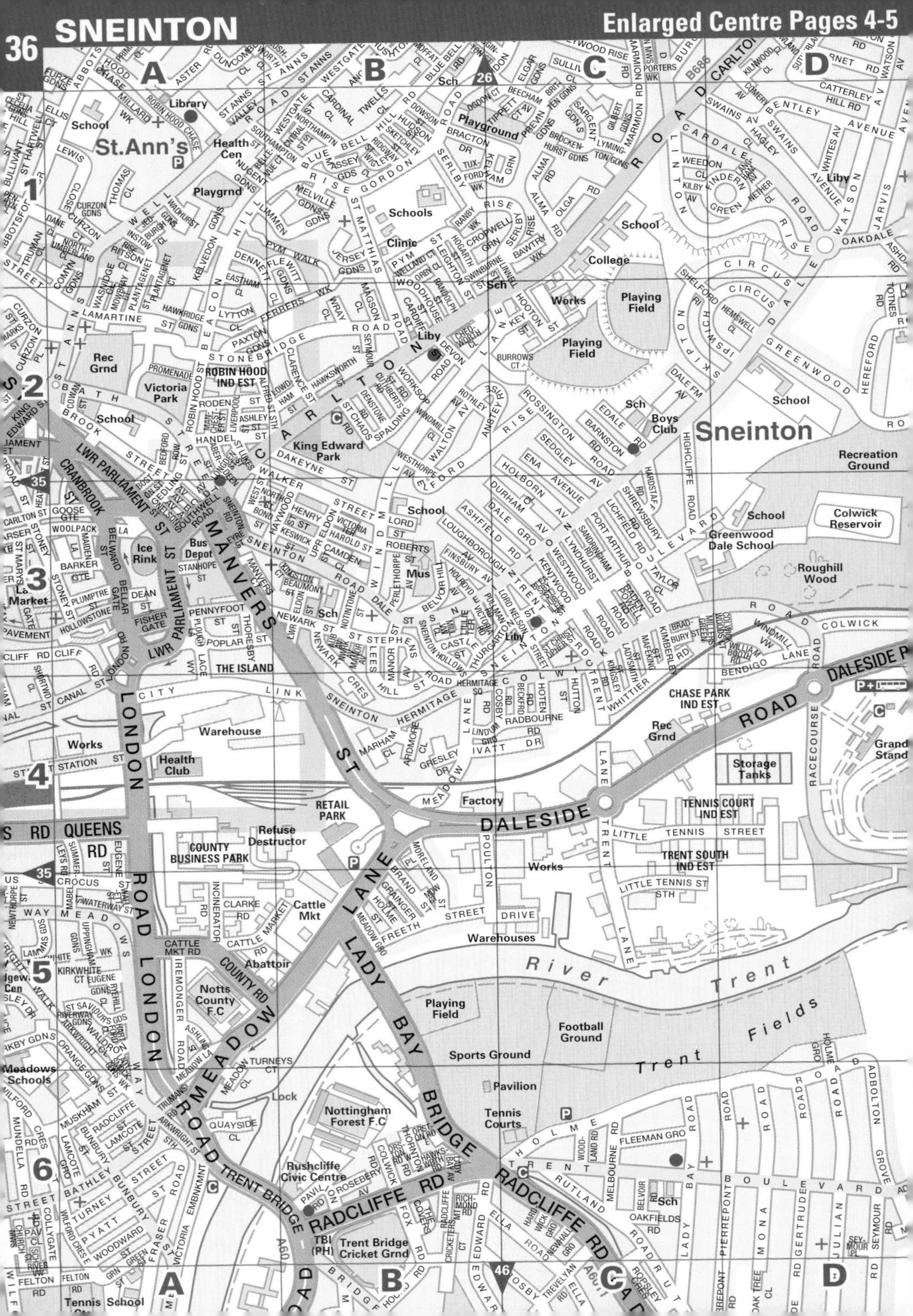
St.Ann's
Sneinton
Library
Health Cen
Playgrnd
Schools
Clinic
Playground
College
Playing Field
Rec Grnd
Victoria Park
ROBIN HOOD IND EST
King Edward Park
Recreation Ground
Colwick Reservoir
Greenwood Dale School
Roughill Wood
Ice Rink
Bus Depot
THE ISLAND
CHASE PARK IND EST
Warehouse
Health Club
Storage Tanks
RETAIL PARK
Refuse Destructor
COUNTY BUSINESS PARK
TENNIS COURT IND EST
TRENT SOUTH IND EST
Cattle Mkt
Abattoir
Notts County F.C
Warehouses
River Trent
Trent Fields
Football Ground
Sports Ground
Pavilion
Tennis Courts
Nottingham Forest F.C
Rushcliffe Civic Centre
Trent Bridge Cricket Grnd
Meadows Schools
Grand Stand
CARLTON ROAD
MANVERS ST
LONDON ROAD
MEADOW LANE
LADY BAY BRIDGE
DALESIDE ROAD
RADCLIFFE RD
QUEENS RD
LWR PARLIAMENT ST
SNEINTON DALE
GREENWOOD
COLWICK ROAD
TRENT BOULEVARD
HOLME RD
26
35
46

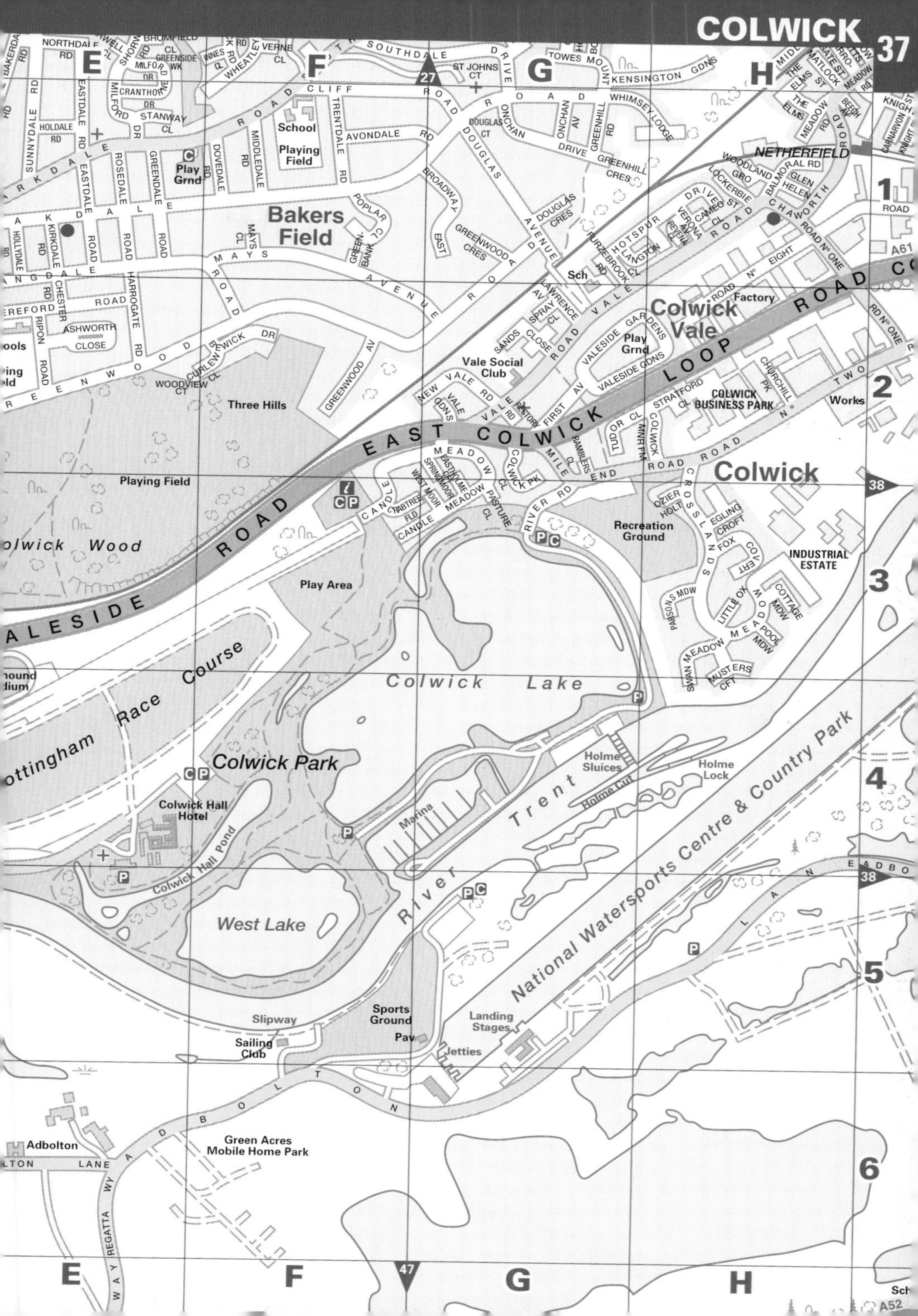
Bakers Field
Colwick Vale
NETHERFIELD
Colwick
Colwick Park
Colwick Lake
West Lake
River Trent
National Watersports Centre & Country Park
Nottingham Race Course
Colwick Wood
Three Hills
Playing Field
Play Area
Colwick Hall Hotel
Colwick Hall Pond
Marina
Holme Sluices
Holme Lock
Holme Cut
Recreation Ground
INDUSTRIAL ESTATE
COLWICK BUSINESS PARK
Vale Social Club
Sports Ground
Sailing Club
Slipway
Landing Stages
Jetties
Adbolton
Green Acres Mobile Home Park
EAST COLWICK LOOP ROAD
VALESIDE ROAD
MILE END ROAD
BOLTON
REGATTA WAY
27
38
47

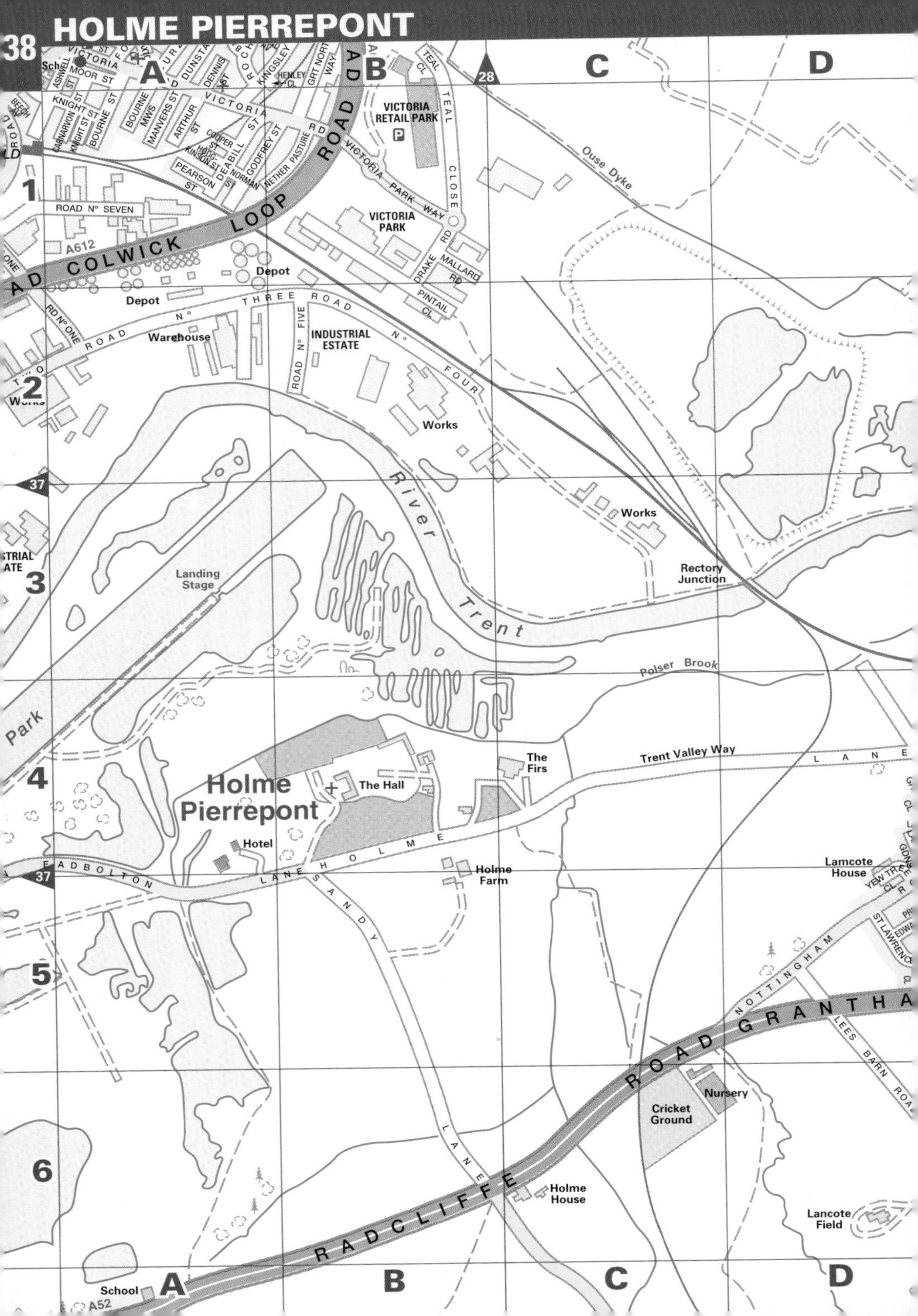

School A52

RADCLIFFE

Holme House

Lancote Field

Cricket Ground

Nursery

Road GRANTHA

Nottingham Road

Lees Barn Road

St Lawrence

Yew Tree

Lamcote House

Holme Farm

Hotel

Holme Pierrepont

The Hall

The Firs

Trent Valley Way

Polser Brook

Landing Stage

Rectory Junction

Works

River Trent

Works

INDUSTRIAL ESTATE

Warehouse

Depot

Depot

COLWICK LOOP ROAD

A612

ROAD Nº SEVEN

VICTORIA PARK

VICTORIA RETAIL PARK

Ouse Dyke

Holme Lane

Sandy Lane

Eadbolton Lane

37

28

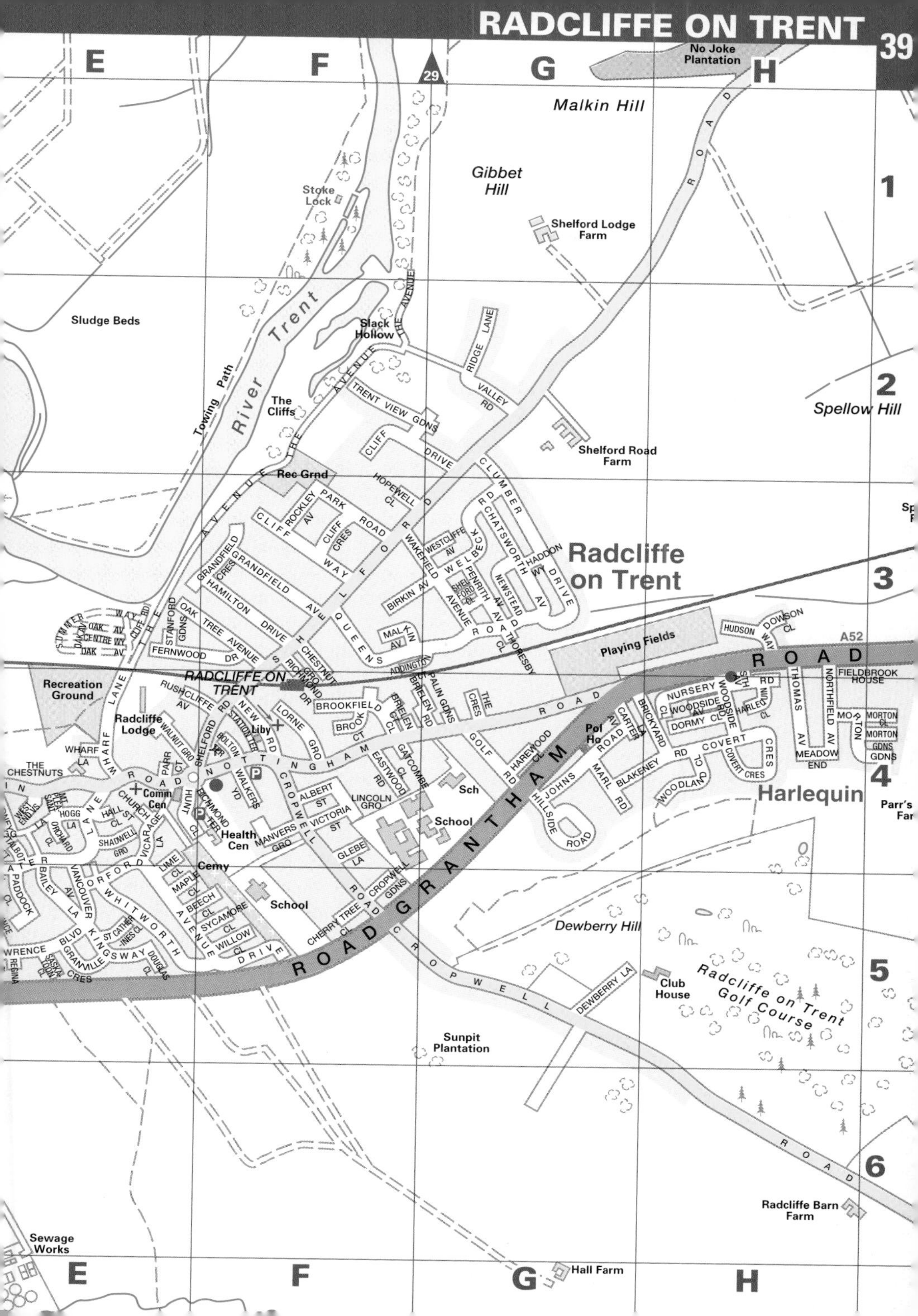

E F G H

No Joke Plantation

Malkin Hill

Gibbet Hill

Shelford Lodge Farm

1

Stoke Lock

Sludge Beds

Slack Hollow

Spellow Hill

2

The Cliffs

RIDGE LANE

VALLEY RD

Shelford Road Farm

River Trent

Towing Path

THE AVENUE

TRENT VIEW GDNS

CLIFF DRIVE

CLUMBER RD

CHATSWORTH DRIVE

Rec Grnd

HOPEWELL CL

Radcliffe on Trent

3

CLIFF AV

ROCKLEY PARK ROAD

CLIFF CRES

CLIFF WAY

WAKEFIELD

WESTCLIFFE AV

WELBECK RD

HADDON WY

NEWSTEAD AV

HUDSON CL

DOWSON CL

A52

Grandfield Cres

Grandfield

Hamilton Drive

OAK TREE AVENUE

CHESTNUT DRIVE

BIRKIN AV

QUEENS

MALKIN CT

SHERWIN AV

PENRITH AV

THOMESBY AV

ADDINGTON RD

Playing Fields

ROAD

FIELDBROOK HOUSE

STANFORD GDNS

RICHMOND DR

THOMAS AV

NORTHFIELD AV

MORTON CL

SUMMER WAY

OAK AV

PLACE THE WY

OAK AV

FERNWOOD DR

RADCLIFFE ON TRENT

RUSHCLIFFE AV

WALNUT GRO

SHELFORD RD

STATION TER

LORNE GRO

NEW RD

PALIN GDNS

BIELBY RD

GATCOMBE CT

THE CRES

GOLF RD

NURSERY RD

WOODSIDE RD

DORMY CT

WOODSIDE WY

HARLESS RD

NIDD RD

COVERT CRES

MORTON GDNS

MEADOW END

Recreation Ground

Radcliffe Lodge

Liby

BROOKFIELD CT

BROOK CT

BRICKYARD

CARTER ROAD

BLAKENEY RD

MARL RD

WOODLAND RD

Harlequin

WHARF LA

THE CHESTNUTS

PARR LA

CHURCH LA

HOGG LA

HALL LA

SHAINWELL GRO

WALKERS YD

NOTTINGHAM RD

RICHMOND TER

HUNT CL

ALBERT ST

VICTORIA ST

MANVERS GRO

LINCOLN GRO

Sch

Pol Ho

JOHNS RD

HILLSIDE ROAD

COVERT

Parr's Far

4

IN

WICE CL

ORCHARD

VANCOUVER AV

KINGSWAY

Health Cen

Comm Cen

ENNIE

CROMWELL GRO

GLEBE LA

EASTWOOD CT

School

HAREWOOD RD

ROAD GRANTHAM

5

WRENCE

REGINA

BAILEY LA

PADDOCK

GRANVILLE CRES

BLVD

DOUGLAS

WHITWORTH AVENUE

CATHER

VICES DR

BEECH CT

MAPLE CL

SYCAMORE

WILLOW DRIVE

CHERRY TREE GDNS

School

Cemy

Dewberry Hill

Club House

DEWBERRY LA

CROPWELL

Radcliffe on Trent Golf Course

ROAD

6

Sunpit Plantation

Sewage Works

Radcliffe Barn Farm

Hall Farm

E F G H

29

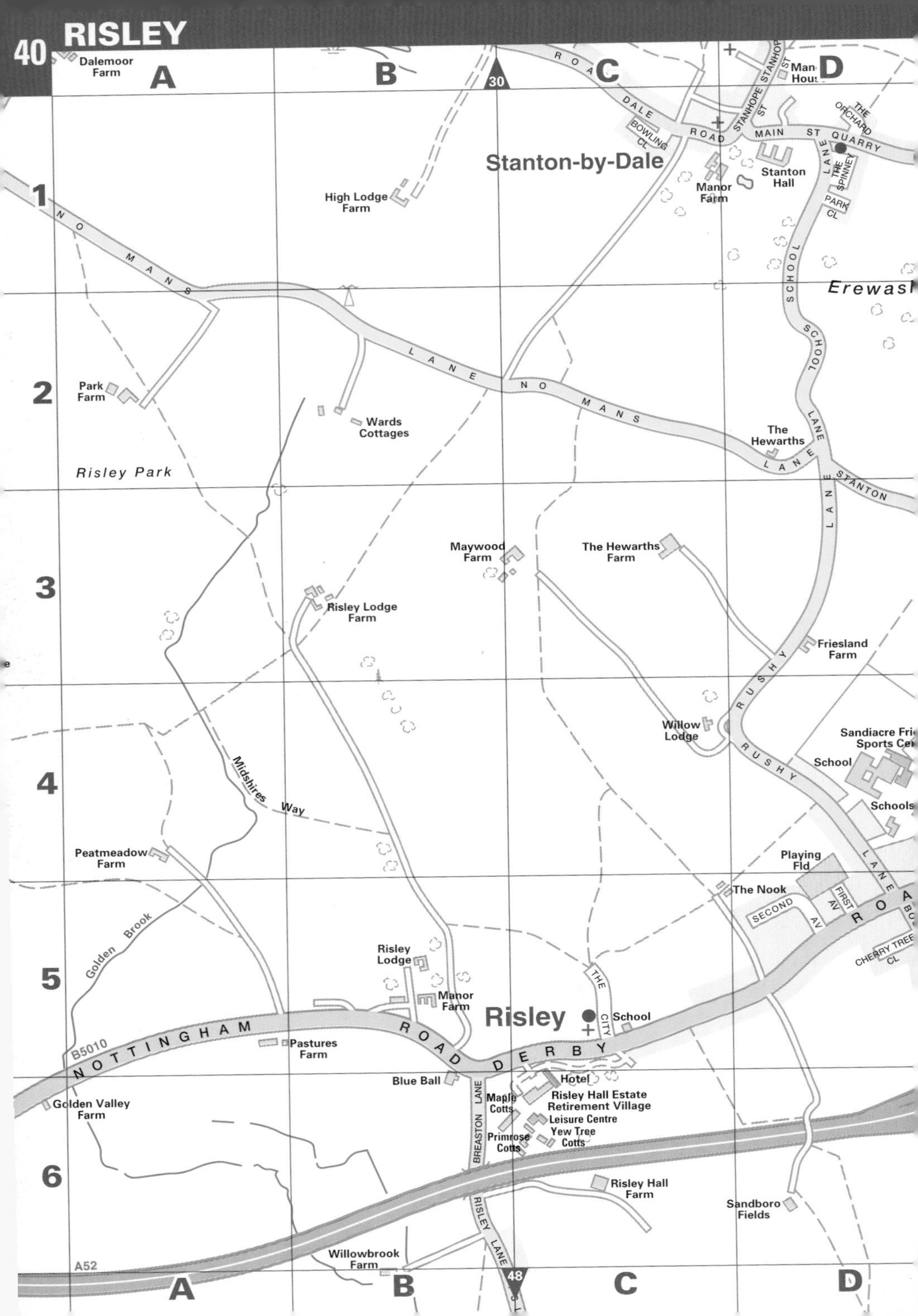
A
B
C
D
1
2
3
4
5
6
30
48
Dalemoor Farm
High Lodge Farm
Stanton-by-Dale
DALE ROAD
BOWLING CL
STANHOPE ST
MAIN ST
QUARRY
THE ORCHARD
THE SPINNEY
PARK CL
Manor Farm
Stanton Hall
Erewash
NO MANS LANE
SCHOOL LANE
Park Farm
Wards Cottages
Risley Park
The Hewarths
STANTON
Maywood Farm
The Hewarths Farm
Risley Lodge Farm
Friesland Farm
RUSHY LANE
Willow Lodge
School
Schools
Midshires Way
Peatmeadow Farm
Playing Fld
The Nook
SECOND AV
FIRST AV
CHERRY TREE CL
Golden Brook
Risley Lodge
Manor Farm
THE CITY
Risley
School
B5010
NOTTINGHAM ROAD
DERBY ROAD
Pastures Farm
Blue Ball
Hotel
Risley Hall Estate Retirement Village
Leisure Centre
Maple Cotts
Primrose Cotts
Yew Tree Cotts
BREASTON LANE
Golden Valley Farm
Risley Hall Farm
Sandboro Fields
RISLEY LANE
A52
Willowbrook Farm

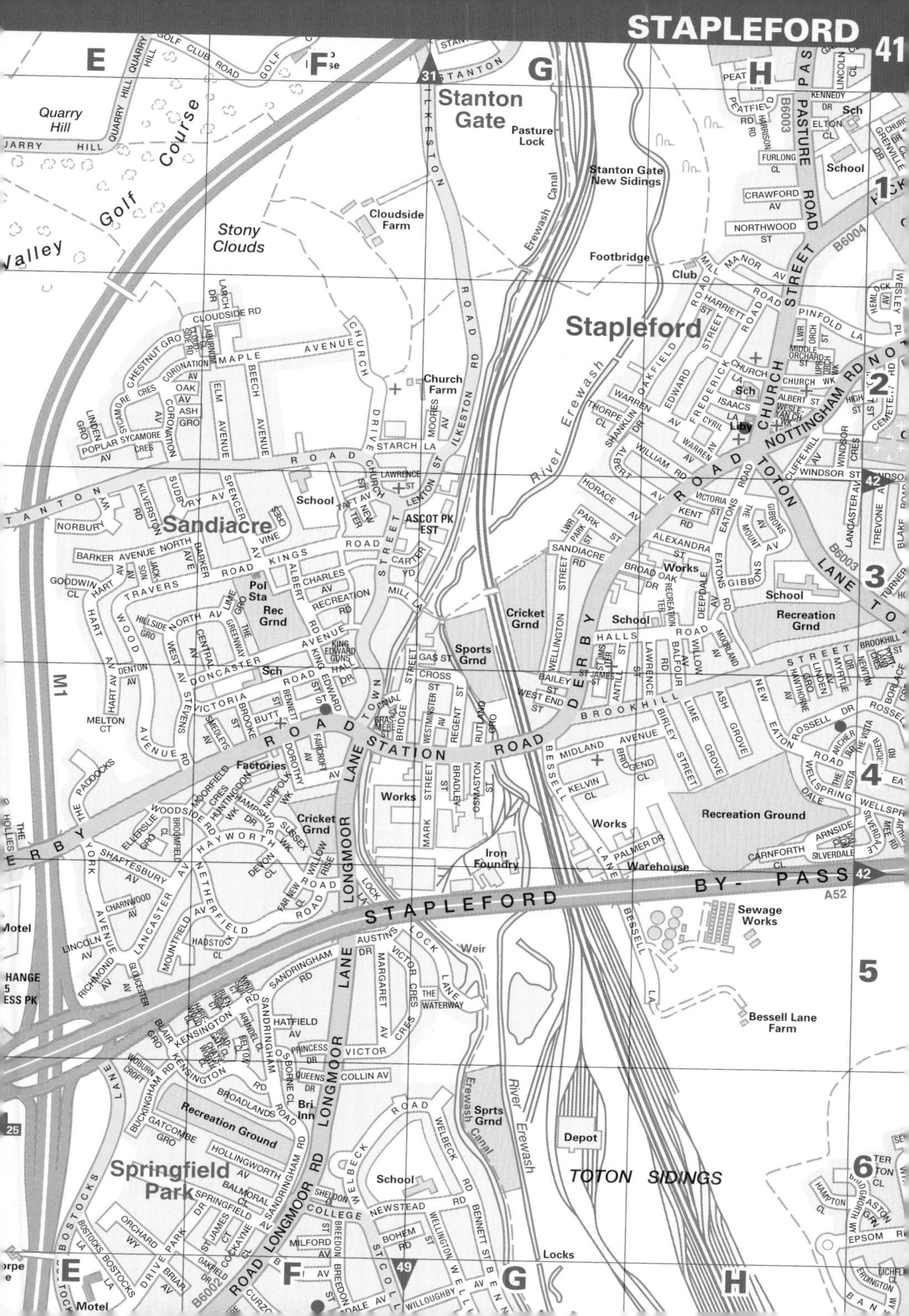

Grid references (top): E, F, G, H
Grid references (side): 1, 2, 3, 4, 5, 6

Quarry Hill
Golf Course
Valley
Quarry Hill
GOLF CLUB ROAD
GOLF
Stony Clouds
Cloudside Farm
31
STANTON
ILKESTON ROAD
Stanton Gate
Pasture Lock
Stanton Gate New Sidings
Erewash Canal
Footbridge
Club
PEAT
PETFIELD
KENNEDY
CL
ELTON CL
Sch
B6003
HARRISON RD
FURLONG
School
CRAWFORD AV
NORTHWOOD ST
PASTURE ROAD
LINCOLN CL
GRENVILLE
PINFOLD LA

Stapleford

CHESTNUT GRO
CLOUDSIDE RD
CORONATION DR
LABURNUM
MAPLE
BEECH
AVENUE
CHURCH DRIVE
Church Farm
MOORES
STARCH LA
OAK CRES
ELM
ASH GRO
AVENUE
SYCAMORE CRES
LINDEN GRO
POPLAR AV
Church Farm
ILKESTON ROAD
OAKFIELD
WARREN
CHURCH ST
WESLEY
ISAACS
CYRIL
MIDDLE ORCHARD
CHURCH WK
NOTTINGHAM RD

River Erewash

2

Sandiacre
LAWRENCE
School
TAFT AV
NEW TER
ASCOT PK EST
VINE
KINGS
CHARLES
ALBERT
RECREATION
KING EDWARD
Sch
BENNETT ST
KING EDWARD
STATION ROAD
DRAYCOTT
BRADMAN
NORBURY
BARKER AVENUE NORTH
BARKER AVE
SUDBURY
SPENCER AVE
SON
LIME
THE GREENWAY
CENTRAL AV
Pol Sta
Rec Grnd
HILLSIDE NORTH
WEST AV
DONCASTER
VICTORIA
STEVENS AV
M1
HART GRO
DENTON AV
MELTON CT
GOODWIN CL
TRAVERS
WOOD
HART AV
AVENUE
SHELBYS
BROOK
FAIRCROFT
DOROTHY
MOORFIELD CRES
HUNTINGDON
HAMPSHIRE WK
NORFOLK WK
SUSSEX
DEVON
WILLOW
PARK NEW ROAD
LOCK
Factories
Cricket Grnd
HAYWORTH
ELLESLIE
BROMFIELD
NETHERFIELD
THE HOLLIES
YORK
SHAFTESBURY
CHARNWOOD
LANCASTER
MOUNTFIELD
HADSTOCK CL
Works

LAWRENCE
HORACE
KENT
PARK ST
ALEXANDRA ST
Works
SANDIACRE
BROAD OAK
DEEPDALE
Cricket Grnd
Sports Grnd
School
WELLINGTON ST
HALLS
ST JAMES ST
BAILEY ST
WEST END
RUTLAND
CROSS ST
WESTMINSTER ST
REGENT ST
BRADMAN ST
MIDLAND AV
BROXTOWE
OSMASTON ST
MARK ST
Works
Iron Foundry
STAPLEFORD BY-PASS
WILLIAM RD
VICTORIA ST
LWR PARK ST
THORPE CL
SHANKLIN CL
HORACE
WARREN AV
FREDERICK AVE
EDWARD ST
ALBERT ST
WINDSOR CRES
School
Recreation Grnd
BALFOUR
MORLAND
WILLOW
HAWTHORN
ASH GRO
LIME GRO
BIRLEY
NEW EATON
KELVIN CL
BROAD OAK DR
BROOKHILL
BRIDGEND CL
PALMER DR
CARNFORTH CL
Recreation Ground
Warehouse
A52
ROSSELL CL
WELLSPRING
SILVERDALE
ARNSIDE CL
THE VISTA
WELLSPRING
LINDEN GRO
MYRTLE GRO
BORLACE CRES
WELLSPRING
School
TREVONE
GIBBONS
THE MOUNT
EATON AV
B6003
GIBB ST
SNO
Lby
CHURCH ST
TOTON LANE
WINDSOR
CHURCH WK
CEMETERY
HEML
DUCK

Lower:
Motel
CHANGE
ESS PK
25
Springfield Park
LINCOLN AV
RICHMOND
GLOUCESTER
WOBURN
BUCKINGHAM RD
KENSINGTON RD
BLAIR
GATCOMBE AV
HOLLINGWORTH
ORCHARD WY
DRIVE
BRIAN CL
JAMES DR
CLAYNE DR
OAKFIELD
CURZON
BOSTOCKS LA
Motel
Thorpe
SANDRINGHAM RD
SANDRINGHAM RD
HATFIELD AV
PRINCESS DR
QUEENS DR
COLLIN AV
Bri Inn
BROADLANDS
Recreation Ground
SPRINGFIELD
BALMORAL
SANDRINGHAM RD
LONGMOOR ROAD
LONGMOOR LANE
COLLEGE ST
SHELDON RD
BREEDON
MILFORD AV
BOHEM RD
NEWSTEAD
WELBECK
WELLINGTON ST
BENNETT ST
ST COL
WILLOUGHBY
BREEDON
DALE AV
49
AUSTINS DR
MARGARET CRES
VICTOR CRES
VICTOR
THE WATERWAY
Weir
LOCK
Erewash Canal
River Erewash
Sprts Grnd
Sewage Works
Bessell Lane Farm
BESSELL LA
Depot
TOTON SIDINGS
Locks
School
WELBECK
ROAD
5
6
TER
TON CL
EASTON CL
HAMPTON
HUDDLESTON
EPSOM
EDDINGTON
DUCHIES
BAN

STANTON ROAD
CHURCH STREET
MILL ST
LENTON ST
CARTER
MILL LANE
TOWN LANE
CANAL BRIDGE
DERBY ROAD
STATION ROAD
GAS ST
LONGMOOR LANE
LONGMOOR ROAD
DERBY ROAD
DERBY

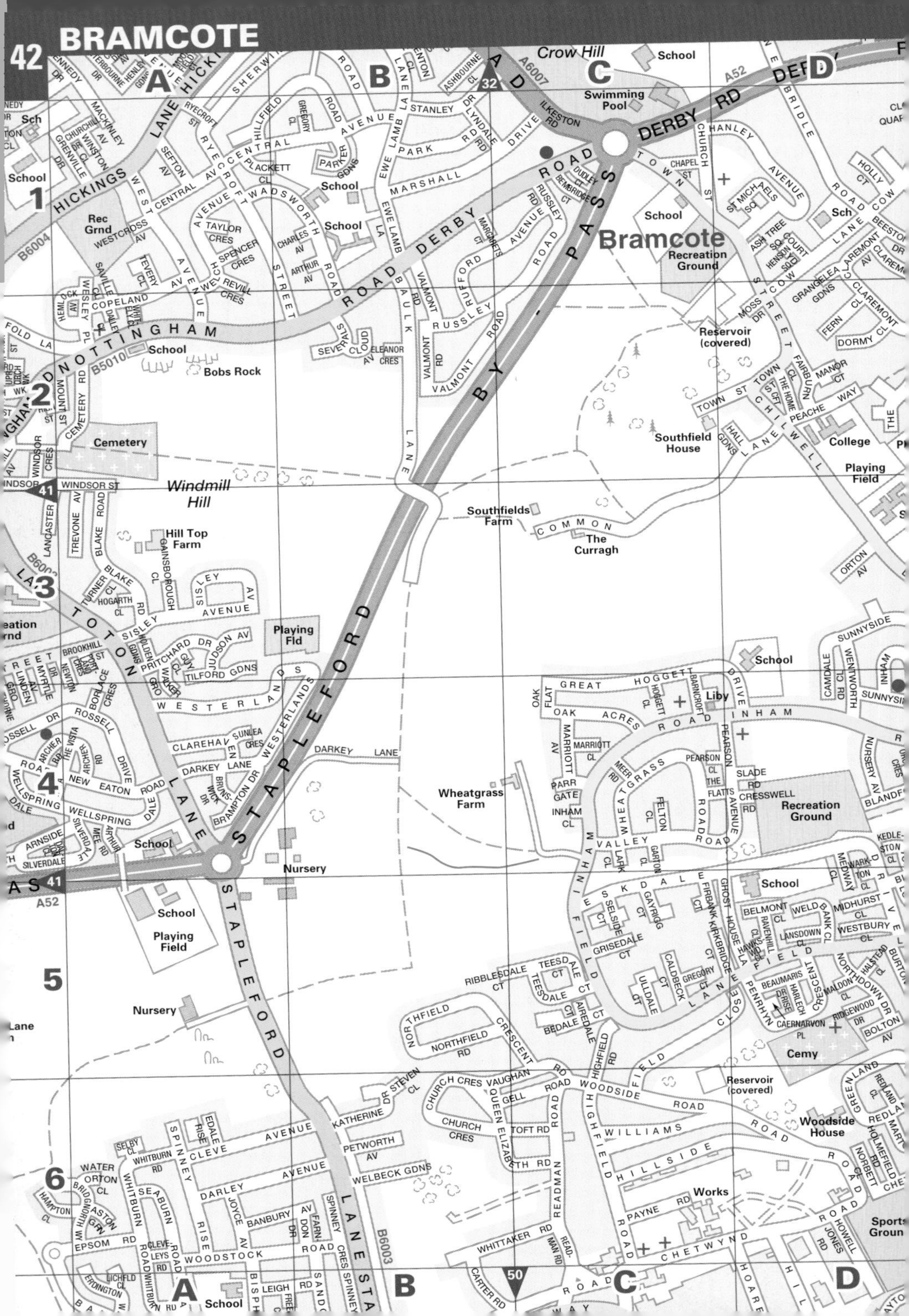
Crow Hill
School
Swimming Pool
A6007
A52
DERBY RD
ILKESTON RD
HICKINGS LANE
B6004
Rec Grnd
School
Bramcote
Recreation Ground
Reservoir (covered)
Southfield House
College
Playing Field
Cemetery
Bobs Rock
NOTTINGHAM RD
B5010
DERBY ROAD
BY-PASS
Windmill Hill
Hill Top Farm
Southfields Farm
The Curragh
COMMON
TOTON LANE
B6003
Playing Fld
WESTERLANDS
DARKEY LANE
STAPLEFORD LANE
Wheatgrass Farm
Nursery
School
Playing Field
INHAM ROAD
Liby
Recreation Ground
Cemy
Reservoir (covered)
Woodside House
Works
Sports Ground
WOODSIDE ROAD
HIGHFIELD RD
NORTHFIELD CRESCENT
ESKDALE DR
INHAM FIELD
School
Nursery
School

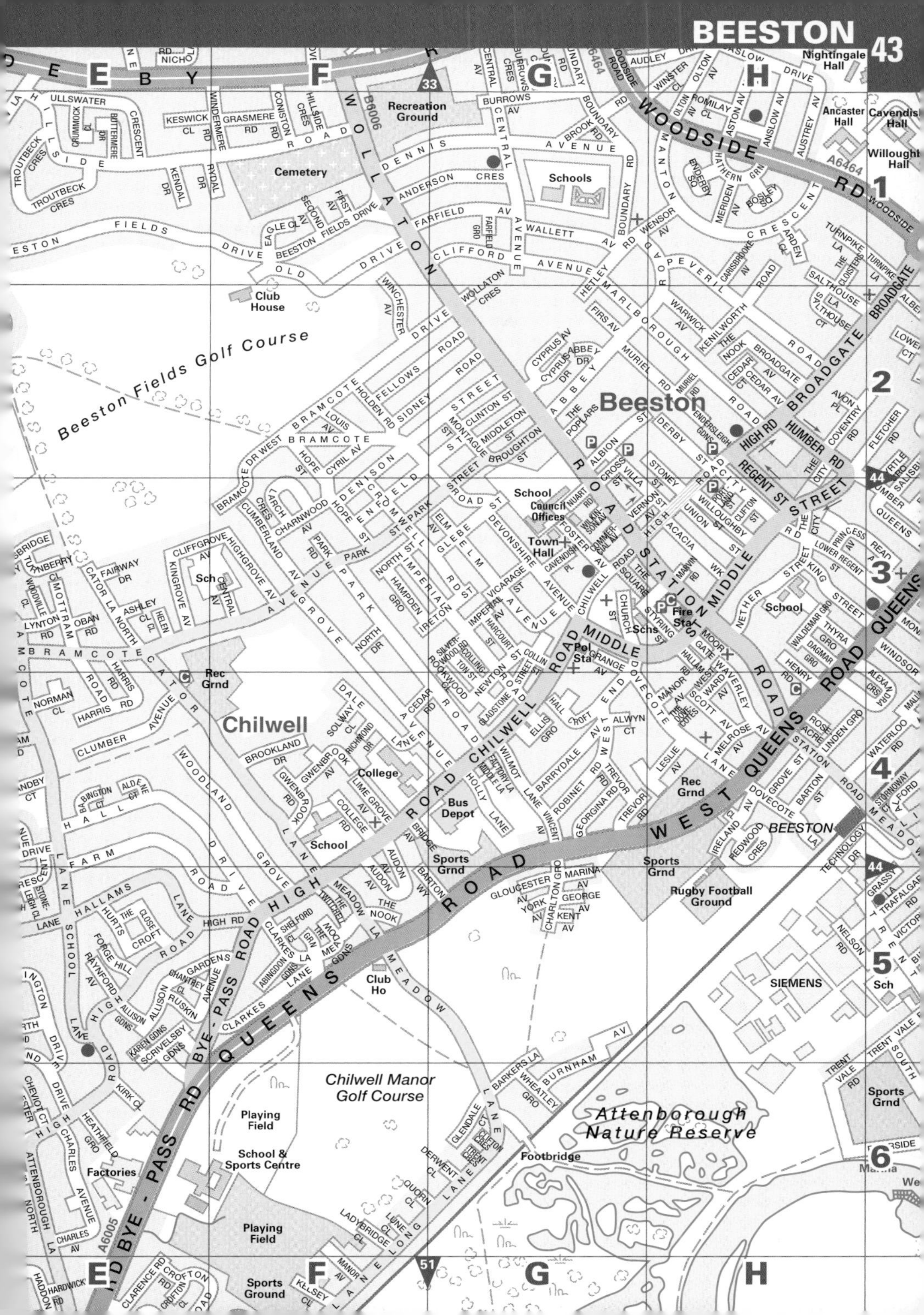

Recreation Ground
Cemetery
Schools
Club House
Beeston Fields Golf Course
Beeston
Chilwell
School
Council Offices
Town Hall
Pol Sta
Fire Sta
Schs
Sch
Rec Grnd
College
Bus Depot
Sports Grnd
Rugby Football Ground
SIEMENS
Club Ho
Chilwell Manor Golf Course
Playing Field
School & Sports Centre
Factories
Footbridge
Attenborough Nature Reserve
Sports Ground
Nightingale Hall
Ancaster Hall
Cavendish Hall
Willoughby Hall
BEESTON
WOODSIDE RD
WOLLATON RD
B6006
A6464
A6005
QUEENS RD WEST
QUEENS RD
HIGH RD
CHILWELL RD
STATION RD
MIDDLE ST
BROADGATE
BEESTON FIELDS DRIVE
BRAMCOTE DR WEST
BRAMCOTE LA
BYE-PASS RD
MEADOW LA
BARKERS LA
BURNHAM AV
DEERBY
33
44
51
E
F
G
H
1
2
3
4
5
6

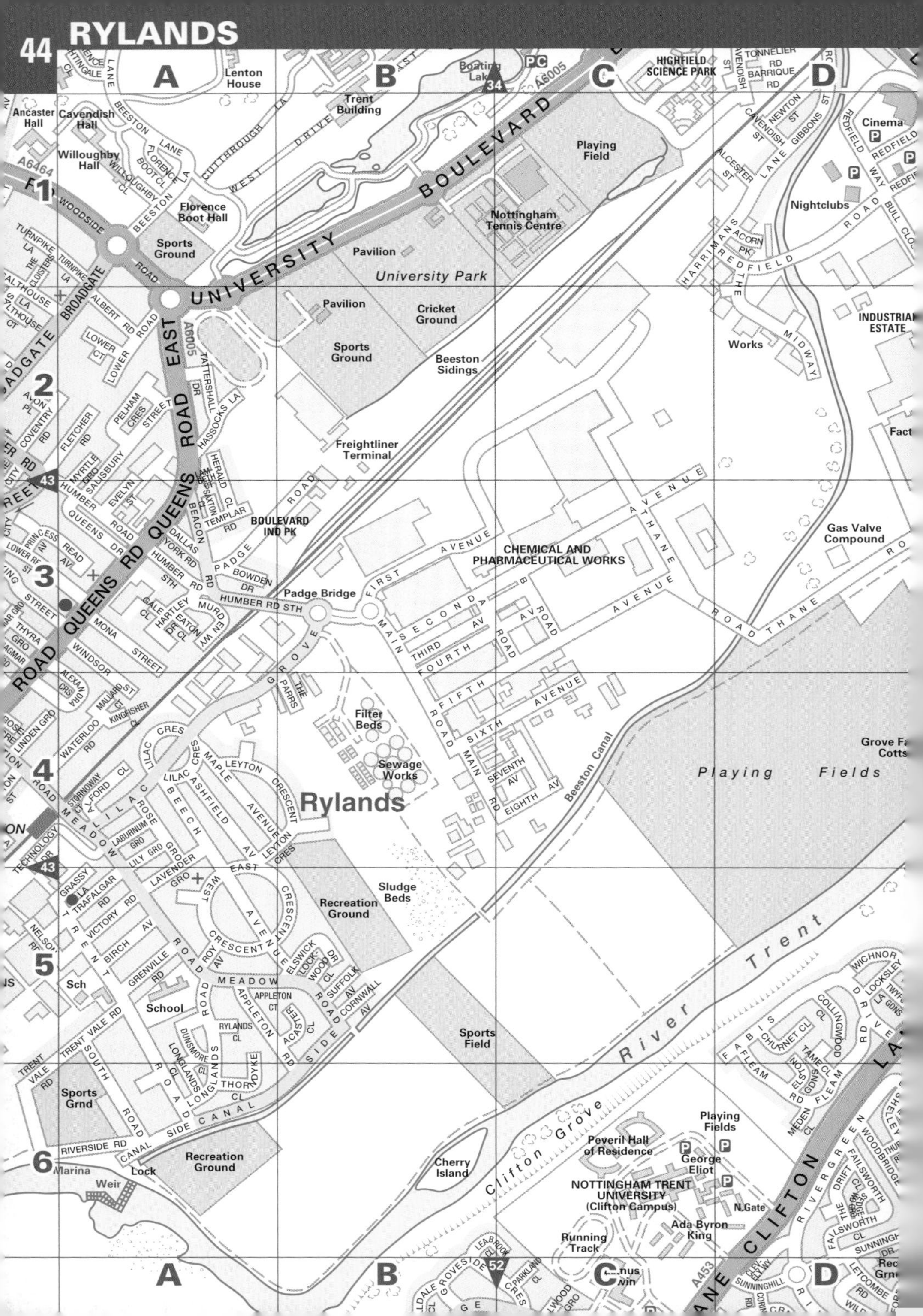

Lenton House
Highfield Science Park
Trent Building
Ancaster Hall
Cavendish Hall
Willoughby Hall
Florence Boot Hall
Sports Ground
Playing Field
Nottingham Tennis Centre
Pavilion
University Park
Cricket Ground
Beeston Sidings
Freightliner Terminal
Boulevard Ind Pk
Chemical and Pharmaceutical Works
Padge Bridge
Filter Beds
Sewage Works
Rylands
Sludge Beds
Recreation Ground
Sports Field
Beeston Canal
Playing Fields
River Trent
Cherry Island
Clifton Grove
Peveril Hall of Residence
George Eliot
Nottingham Trent University (Clifton Campus)
Running Track
Ada Byron King
N.Gate
Marina
Weir
Lock
Sports Grnd
School
Sch
Nightclubs
Cinema
Works
Industrial Estate
Gas Valve Compound
University Boulevard
Queens Road
Queens Road East
Broadgate
Beeston Canal
Canal Side
Riverside Rd
Clifton Lane
A6005
A6464
A453

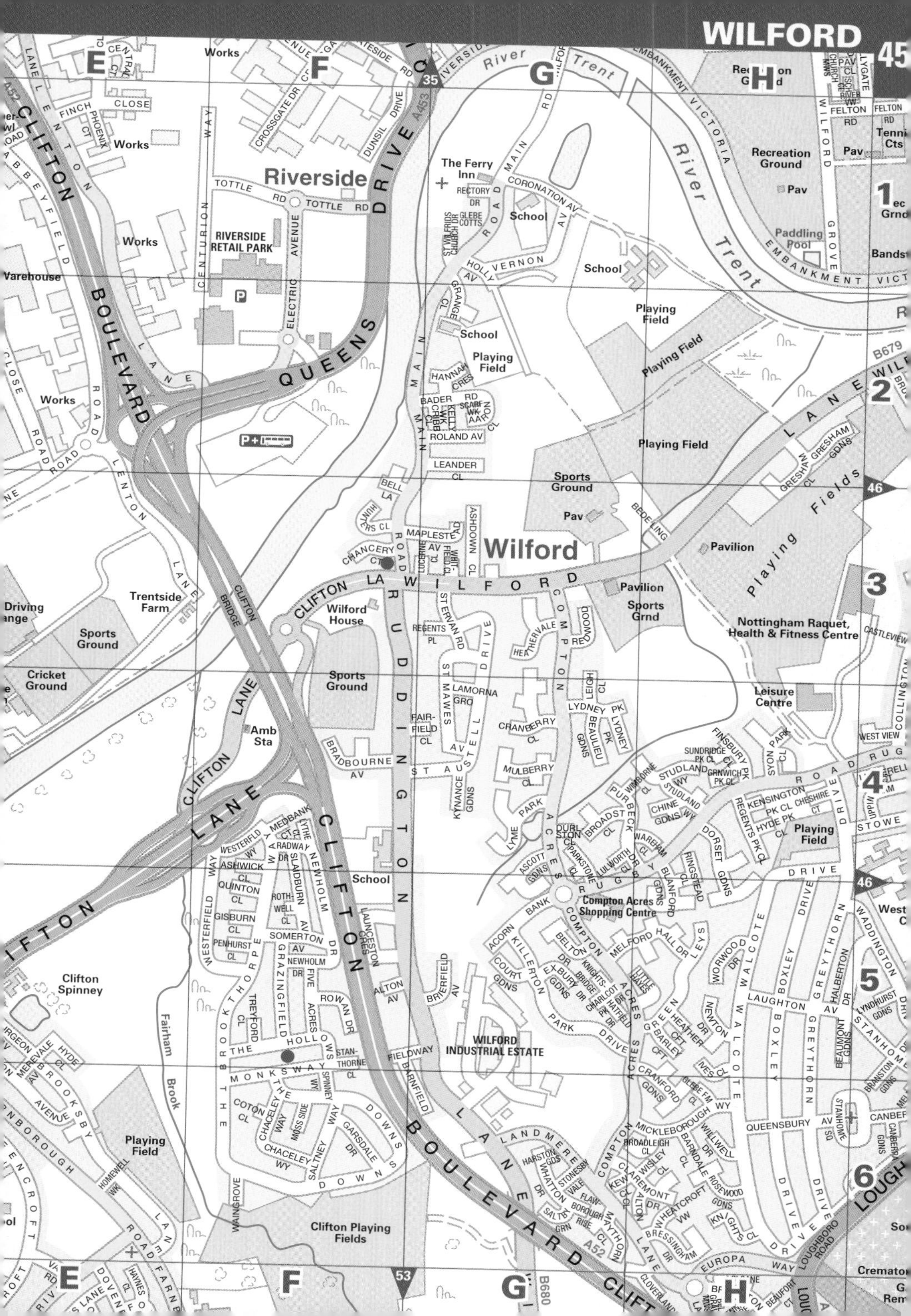
Riverside
RIVERSIDE RETAIL PARK
Wilford
The Ferry Inn
River Trent
Recreation Ground
Paddling Pool
Playing Field
Sports Ground
Pavilion
Nottingham Raquet, Health & Fitness Centre
Leisure Centre
Wilford House
Trentside Farm
Cricket Ground
Amb Sta
Clifton Spinney
Clifton Playing Fields
Fairham Brook
WILFORD INDUSTRIAL ESTATE
Compton Acres Shopping Centre
QUEENS DRIVE
CLIFTON BOULEVARD
CLIFTON LANE
WILFORD LANE
RUDDINGTON LANE
CLIFTON BRIDGE
LENTON LANE
VICTORIA EMBANKMENT
EUROPA WAY
LOUGHBORO ROAD
A52
A453
B679
B680

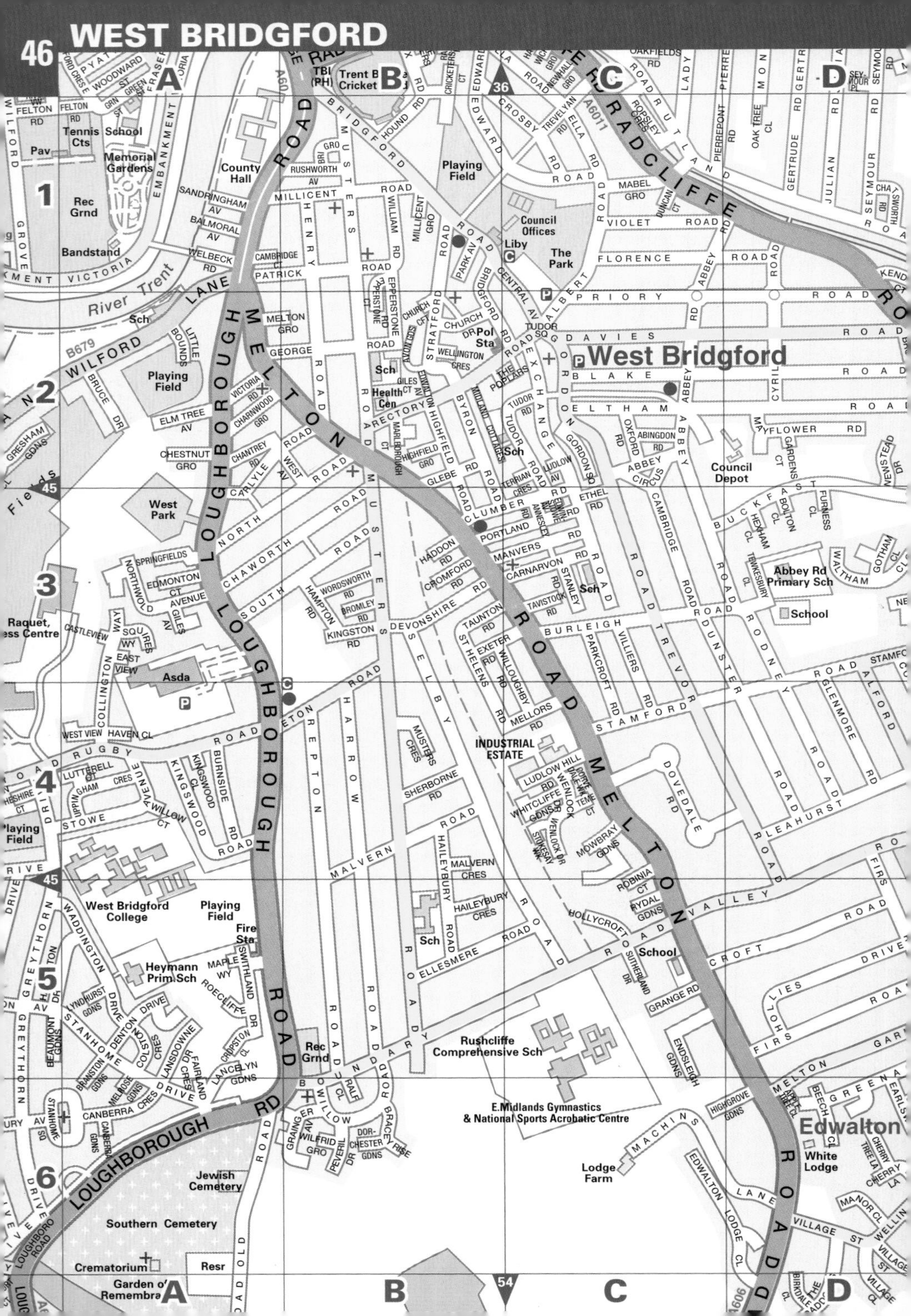

West Bridgford
Trent Bridge Cricket
TBI (PH)
County Hall
Tennis Cts
School
Pav
Memorial Gardens
Rec Grnd
Bandstand
River Trent
Playing Field
Council Offices
Liby
The Park
Pol Sta
Sch
Health Cen
Council Depot
Abbey Rd Primary Sch
School
West Park
Raquet, ess Centre
Asda
INDUSTRIAL ESTATE
West Bridgford College
Fire Sta
Heymann Prim.Sch
Rec Grnd
Rushcliffe Comprehensive Sch
E.Midlands Gymnastics & National Sports Acrobatic Centre
Lodge Farm
Edwalton
White Lodge
Jewish Cemetery
Southern Cemetery
Crematorium
Resr
Garden of Remembra
LOUGHBOROUGH ROAD
MELTON ROAD
RADCLIFFE ROAD
WILFORD LANE
B679
A60
A6011
A606
BRIDGFORD ROAD
CENTRAL AV
MUSTERS ROAD
PRIORY ROAD
DAVIES ROAD
BLAKE ROAD
ELTHAM ROAD
ABBEY ROAD
VIOLET ROAD
FLORENCE ROAD
MILLICENT ROAD
RUTLAND ROAD
GORDON ROAD
TREVOR ROAD
DUNSTER ROAD
RODNEY ROAD
STAMFORD ROAD
BURLEIGH ROAD
DEVONSHIRE ROAD
SELBY ROAD
HARROW ROAD
REPTON ROAD
RUGBY ROAD
MALVERN ROAD
ELLESMERE ROAD
BOUNDARY ROAD
VALLEY ROAD
CROFT ROAD
FIRS ROAD
LEAHURST ROAD
GLENMORE ROAD
ALFORD ROAD
CHAWORTH ROAD
NORTH ROAD
SOUTH ROAD
WEST ROAD
RECTORY ROAD
EDWALTON LODGE CL
MACHINS LANE
VILLAGE ST
OLD ROAD
CANBERRA CRES
STANHOME DRIVE
WADDINGTON DRIVE
DOVEDALE RD
MELTON GRO
A B C D
1 2 3 4 5 6
36 45 54

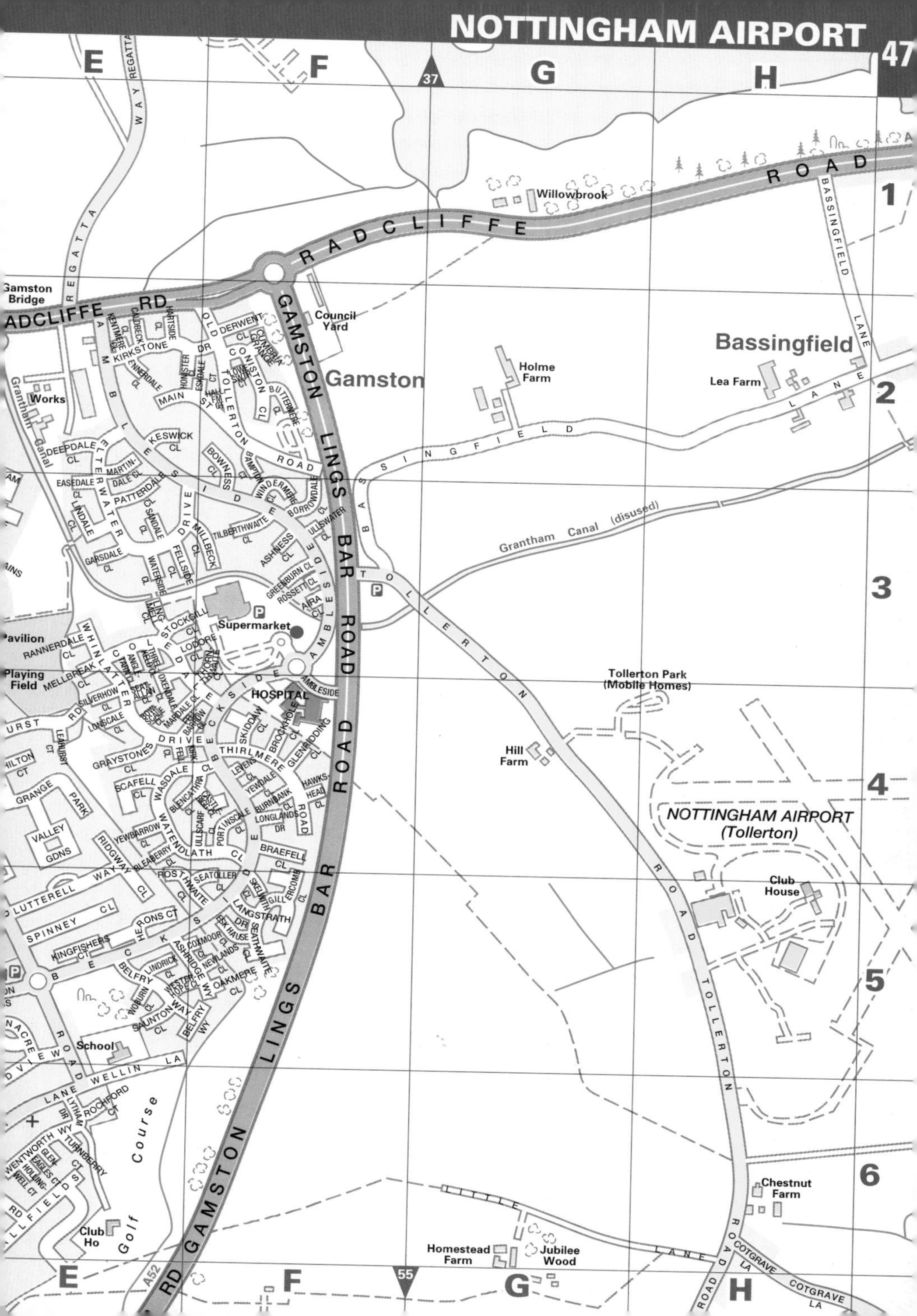
Radcliffe Road
Willowbrook
Bassingfield
Bassingfield Lane
Lea Farm
Holme Farm
Council Yard
Gamston
Gamston Bridge
Gamston Lings Bar Road
Bassingfield Lane
Grantham Canal (disused)
Tollerton Road
Supermarket
HOSPITAL
Tollerton Park (Mobile Homes)
Hill Farm
NOTTINGHAM AIRPORT (Tollerton)
Club House
Chestnut Farm
Homestead Farm
Jubilee Wood
Little Lane
Cotgrave La
Golf Course
Club Ho
School
Wellin La
Works
Pavilion
Playing Field
A52

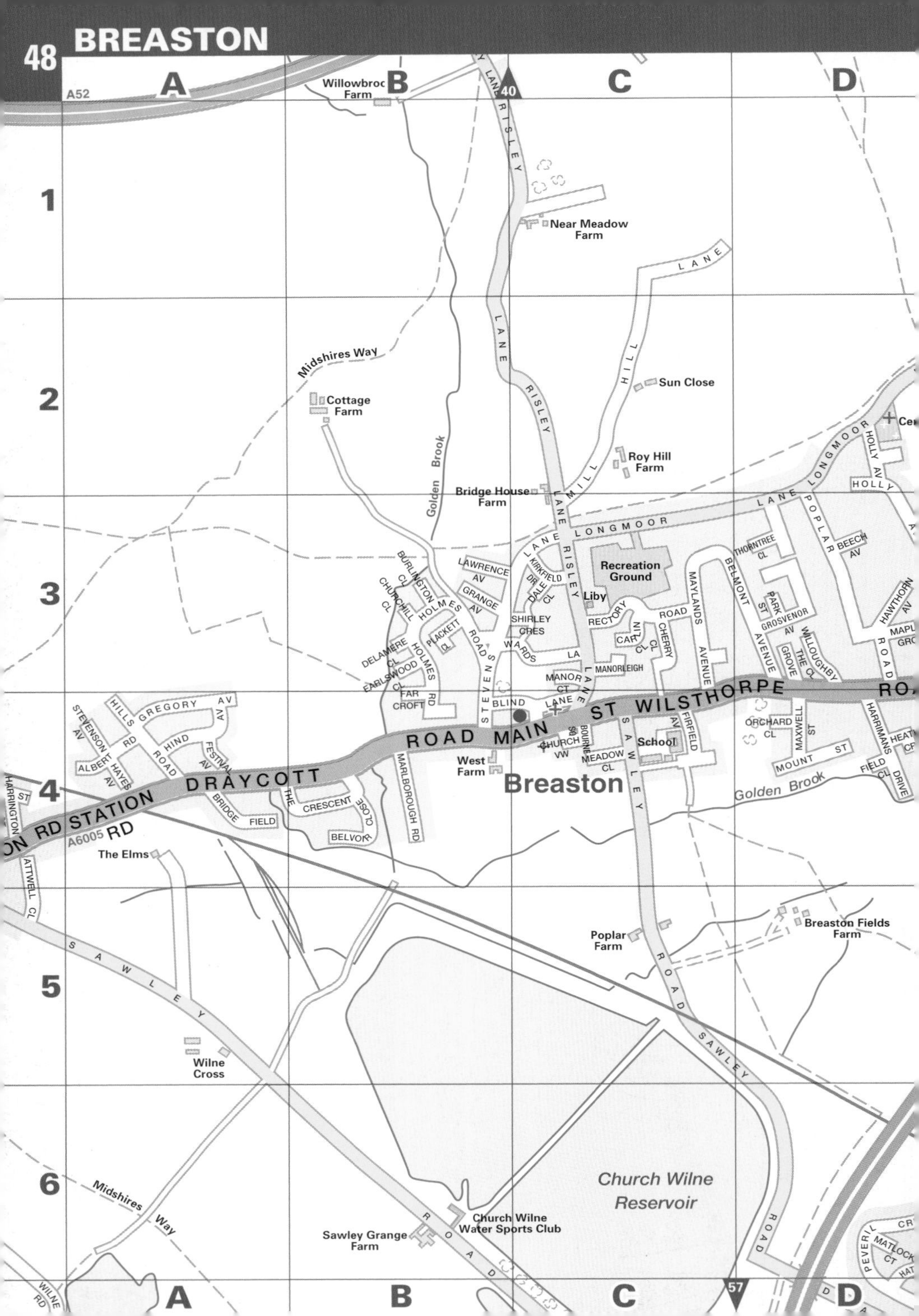

A52

A   B   C   D

1

2

3

4

5

6

Willowbrook Farm

40

Near Meadow Farm

LANE RISLEY

Midshires Way

Cottage Farm

Golden Brook

Sun Close

LANE

HILL

Roy Hill Farm

MILL LANE

RISLEY LANE

Bridge House Farm

Recreation Ground

Liby

LONGMOOR LANE

LONGMOOR LANE

POPLAR AV

HOLLY AV

HOLLY

THORNTREE CL

BEECH AV

HAWTHORN RD

MAPL GRO

Ce

LAWRENCE AV

KIRKFIELD DR

DALE CL

SHIRLEY CRES

RECTORY

CART CL

CHERRY CL

MAYLANDS AVENUE

BELMONT

PARK ST

GROSVENOR AV

WILLOUGHBY

THE GROVE

AVENUE

BURLINGTON AV

CHURCHILL CL

GRANGE AV

HOLMES RD

HACKETT

DELAMERE

EARLSWOOD

FAR CROFT

WARDS

MANOR CT

LA

MANORLEIGH

STEVENS RD

BLIND LANE

STEVENSON RD

HILLS RD

GREGORY AV

HIND AV

HAYES AV

ALBERT AV

FESTIVAL AV

BRIDGE FIELD

THE CRESCENT

MARLBOROUGH RD

BELVOR

350 CLOSE

ROAD MAIN ST WILSTHORPE ROAD

DRAYCOTT

HARRINGTON ST

ON RD STATION RD

A6005 RD

CHATTWELL CL

The Elms

SAWLEY

West Farm

Breaston

CHURCH VW

BOURNE CL

MEADOW CL

SAWLEY

School

FIRFIELD

ORCHARD CL

MOUNT ST

MAXWELL

HARRIMANS DRIVE

FIELD

HEATH

Golden Brook

SAWLEY ROAD

Poplar Farm

Breaston Fields Farm

Wilne Cross

Midshires Way

Sawley Grange Farm

Church Wilne Water Sports Club

Church Wilne Reservoir

ROAD

PEVERIL

MATLOCK

CR

CT

WILNE RD

57

A   B   C   D

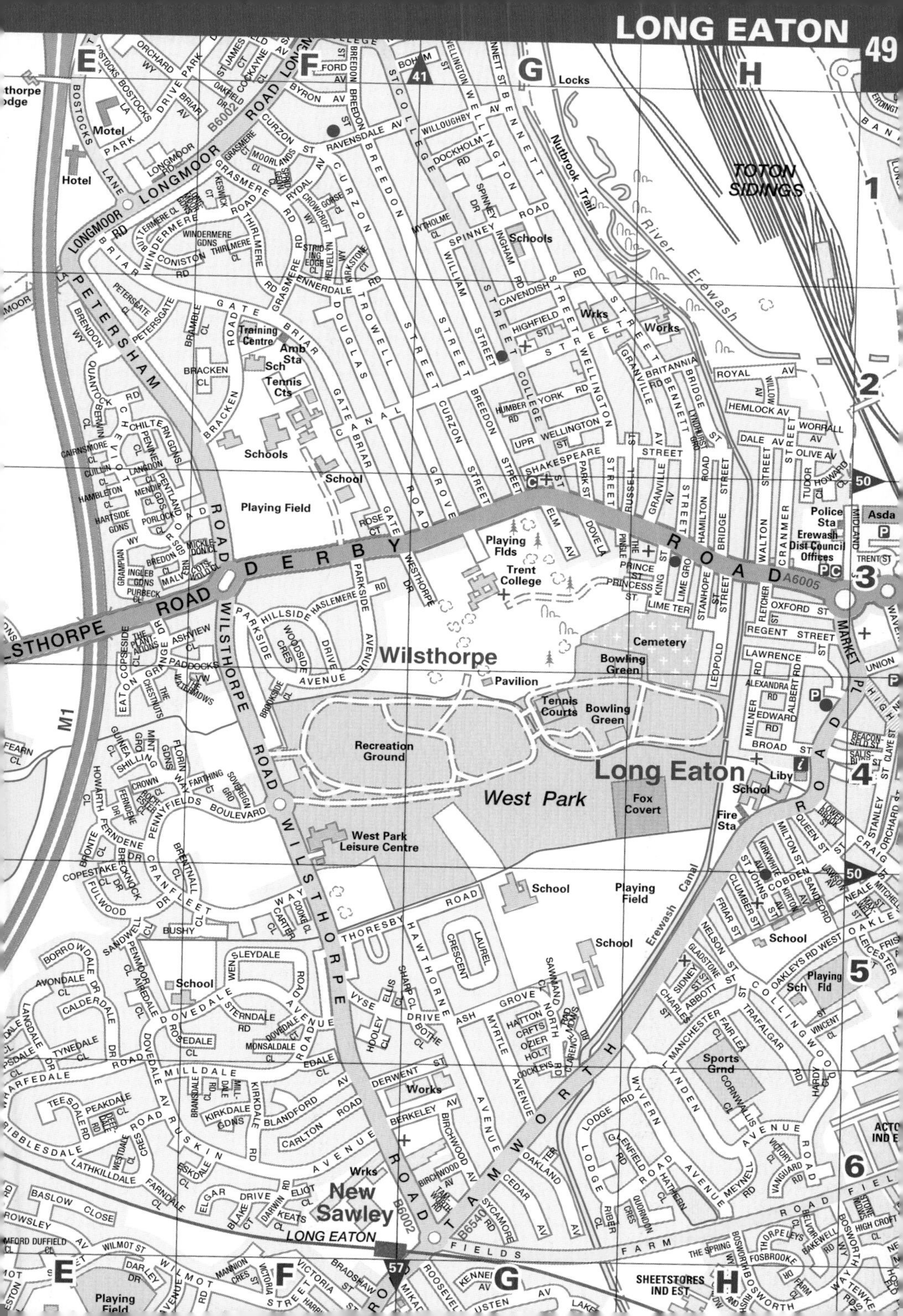
Long Eaton
Wilsthorpe
New Sawley
West Park
TOTON SIDINGS
River Erewash
Erewash Canal
Nutbrook Trail
DERBY ROAD
A6005
WILSTHORPE ROAD
B6002
TAMWORTH ROAD
B6540
FIELDS FARM ROAD
LONGMOOR ROAD
B6002
PETERSHAM ROAD
M1
Recreation Ground
Trent College
Cemetery
Fox Covert
West Park Leisure Centre
Police Sta
Erewash Dist Council Offices
Asda
Liby
Fire Sta
Sports Grnd
SHEETSTORES IND EST
Motel
Hotel
Locks
Schools
Playing Field
Training Centre
Amb Sta
Tennis Cts
Pavilion
Bowling Green
Tennis Courts
50
57
41

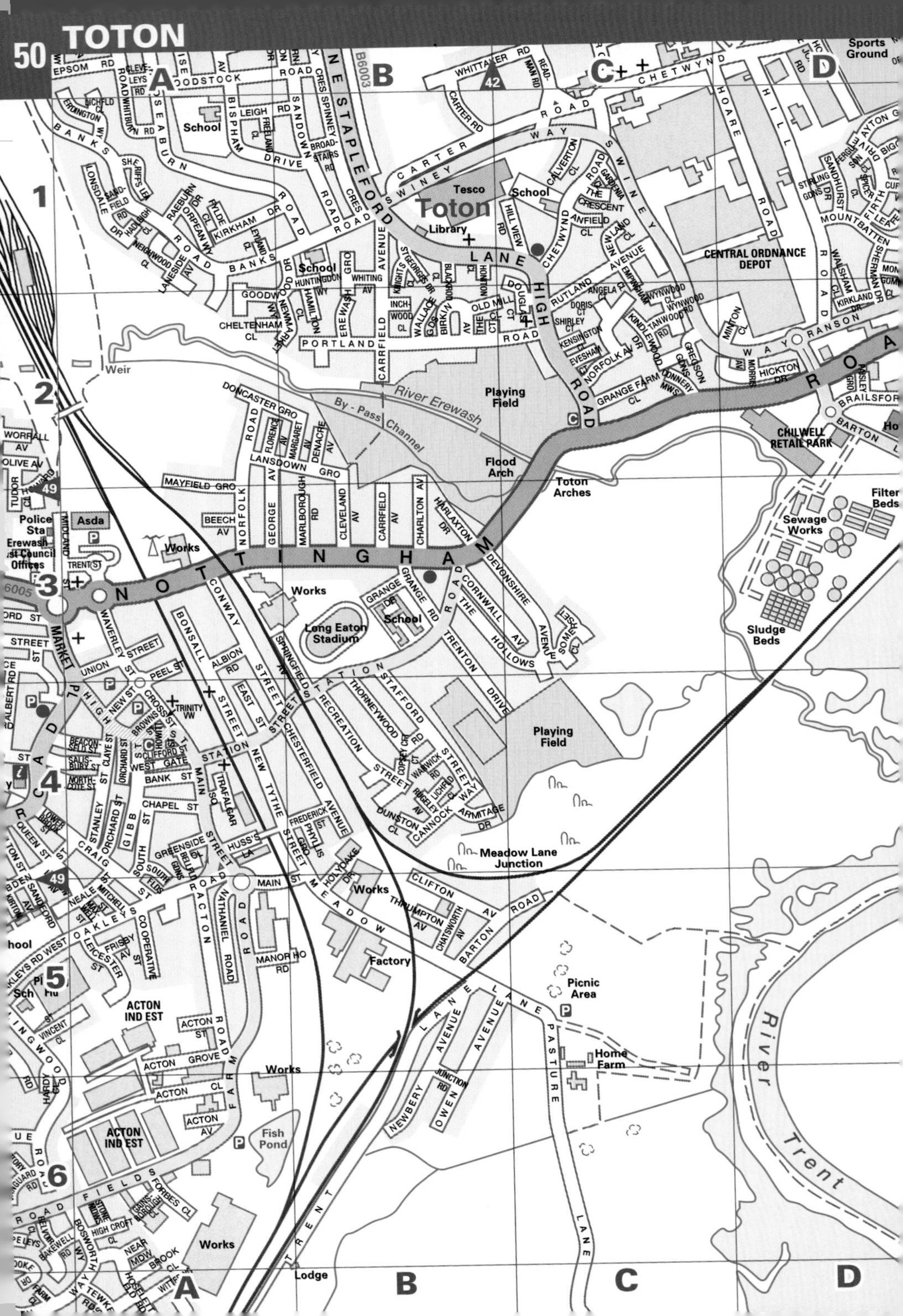
A
B
C
D
1
2
3
4
5
6
B6003
42
49
Sports Ground
EPSOM RD
WOODSTOCK
ROAD
LEIGH RD
SANDOWN
CRES SPINNEY
BROAD-STAIRS RD
STAPLEFORD
WHITTAKER RD
CARTER RD
CARTER WAY
CHETWYND
ROAD
SWINEY
WAY
HOARE
HILL
ROAD
School
ERDINGTON WY
BANKS
SEABURN
BISPHAM
DRIVE
FREELAND CL
LONSDALE DR
SHERIFFS LEA
RAEBURN DR
ORPEAN WY
FYLDE CL
KIRKHAM DR
BANKS ROAD
LAKESIDE AV
NEIGHWOOD CL
Tesco
Toton
Library
CALVERTON CL
THE CRESCENT
ANFIELD CL
NEW LAND CL
AVENUE
CENTRAL ORDNANCE DEPOT
MOUNTBATTEN
LANE
HIGH
HILL VIEW RD
HUNTINGDON WY
WHITING AV
GOODWOOD
CHELTENHAM CL
NEWMARKET WY
HAMILTON
EREWASH GRO
PORTLAND
CARRFIELD AVENUE
KNIGHTS CL
INCH-WOOD CL
WALLACE
BIRKIN AV
BLACKROD CL
OLD MILL CL
DOUGLAS CT
RUTLAND
ANGELA CL
DORIS CT
SHIRLEY CT
KENSINGTON CT
EVESHAM CT
NORFOLK AV
KINDLEWOOD DR
TANWOOD RD
WYNWOOD CL
WYNWOOD RD
GREGSON GDNS
CONNERY MWS
GRANGE FARM CL
MINTON CL
RANSON
WAY
HICKTON DR
MORRIS
BRAILSFORD
BARTON
CHILWELL RETAIL PARK
Weir
River Erewash
By - Pass Channel
Playing Field
Flood Arch
Toton Arches
DONCASTER GRO
FLORENCE AV
MARGARET AV
DENACRE AV
LANSDOWN GRO
MAYFIELD GRO
BEECH AV
NORFOLK
GEORGE AV
MARLBOROUGH RD
CLEVELAND AV
CARRFIELD AV
CHARLTON AV
HARLAXTON DR
WORRALL AV
OLIVE AV
TUDOR
HOWARD
Police Sta
Asda
MIDLAND
Erewash Council Offices
TRENT ST
Works
NOTTINGHAM
ROAD
B6005
Filter Beds
Sewage Works
Sludge Beds
DEVONSHIRE
CORNWALL AV
THE HOLLOWS
SOMERSET CL
AVENUE
GRANGE DR
GRANGE RD
School
Long Eaton Stadium
TRENTON DRIVE
CONWAY
SPRINGFIELD AV
BONSALL
ALBION RD
EAST ST
STREET
MARKET
WAVERLEY ST
UNION
PEEL ST
STREET
HIGH
NEW ST
CROSS ST
TRINITY VW
BROWNS LA
BEACON-SFIELD ST
SALIS-BURY ST
CLAYE ST
ORCHARD ST
CLIFFORD ST
WEST GATE
BANK ST
NORTH-COTE ST
STATION
STATION STREET
RECREATION
THORNEYWOOD
STAFFORD
CHESTERFIELD
NEW TYTHE STREET
MAIN STREET
TRAFALGAR SQ
HUSS'S LA
CHAPEL ST
GIBB ST
STANLEY
SOUTH ST
GREENSIDE CL
GROS GDNS
CRAIG ST
QUEEN ST
LOWER BROOK ST
ALBERT RD
Playing Field
WARWICK RD
COPPICE CT
STREET
LICHFIELD CL
RUGELEY AV
CANNOCK WAY
ARMITAGE DR
DUNSTON CL
FREDERICK ST
PHYLLIS GRO
AVENUE
HOLYOAKE DR
Meadow Lane Junction
MAIN ST
MEADOW
CLIFTON AV
THRUMPTON AV
CHATSWORTH AV
BARTON ROAD
Works
Factory
NATHANIEL ROAD
ACTON ROAD
OAKLEYS RD WEST
LEICESTER ST
FRISBY AV
CO OPERATIVE ST
SANDFORD
NEALE ST
MITCHELL ST
MANOR HO RD
ACTON IND EST
ACTON ST
ACTON ROAD
ACTON GROVE
ACTON CL
ACTON AV
FARM ROAD
VINCENT CL
LINGWOOD
HARDY CL
Works
Fish Pond
Picnic Area
LANE
AVENUE
PASTURE LANE
Home Farm
NEWBERY AVENUE
JUNCTION RD
OWEN
ACTON IND EST
FIELDS ROAD
FORBES CL
STONE MDWS
GAINSBOROUGH
HIGH CROFT
NEAR MDW
BROOK CL
BOSWORTH WY
BAKEWELL RD
TRENT
Works
Lodge
River Trent

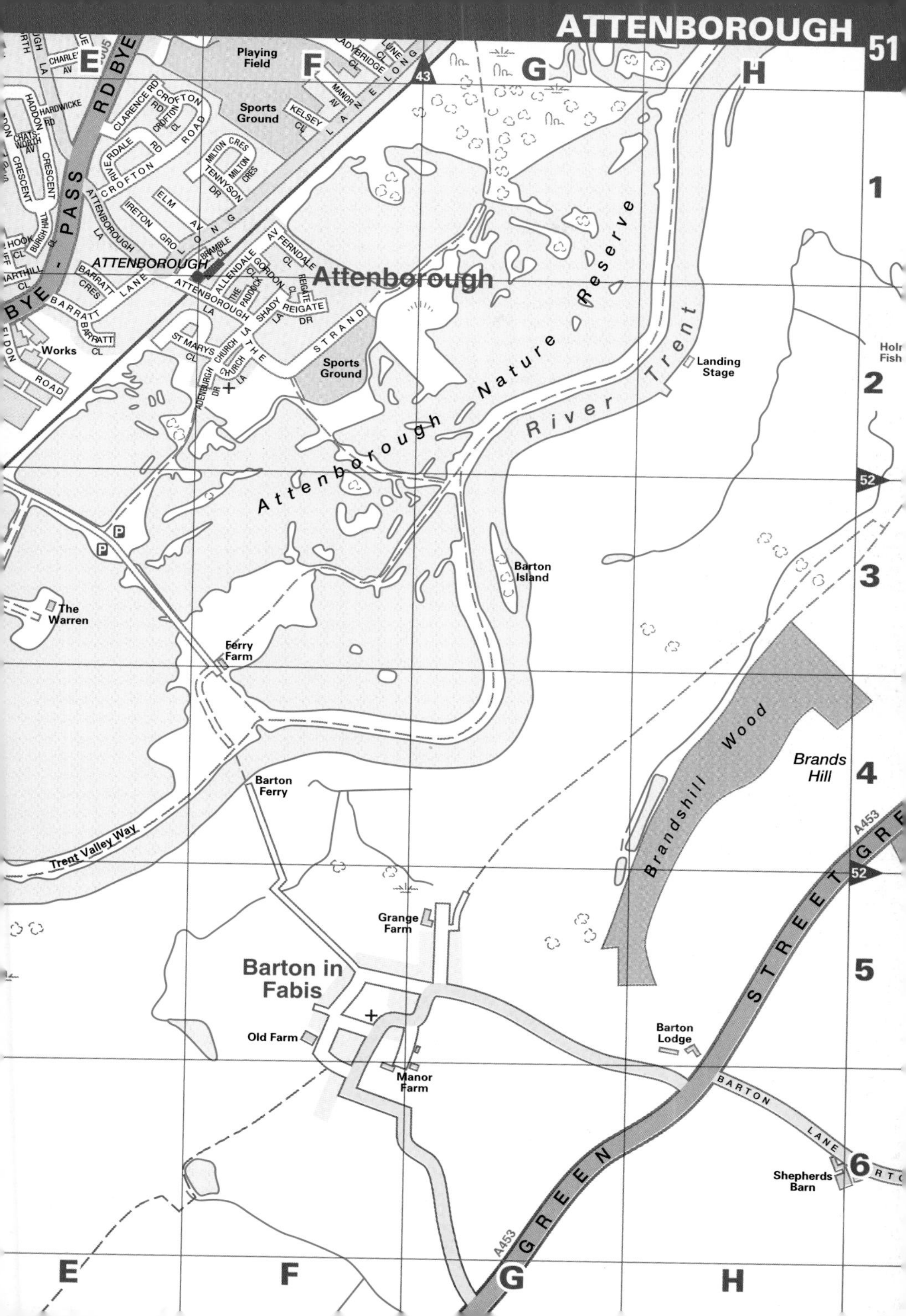

E   F   G   H

Playing Field

Sports Ground

ATTENBOROUGH

Attenborough

Attenborough Nature Reserve

River Trent

Works

ROAD

Sports Ground

Landing Stage

Holm Fish

1

2

52

3

The Warren

Ferry Farm

Barton Island

Brandshill Wood

Brands Hill

4

A453

STREET GRE

52

Barton Ferry

Trent Valley Way

Grange Farm

5

Barton in Fabis

Barton Lodge

Old Farm

Manor Farm

BARTON LANE

GREEN

A453

6

Shepherds Barn

E   F   G   H

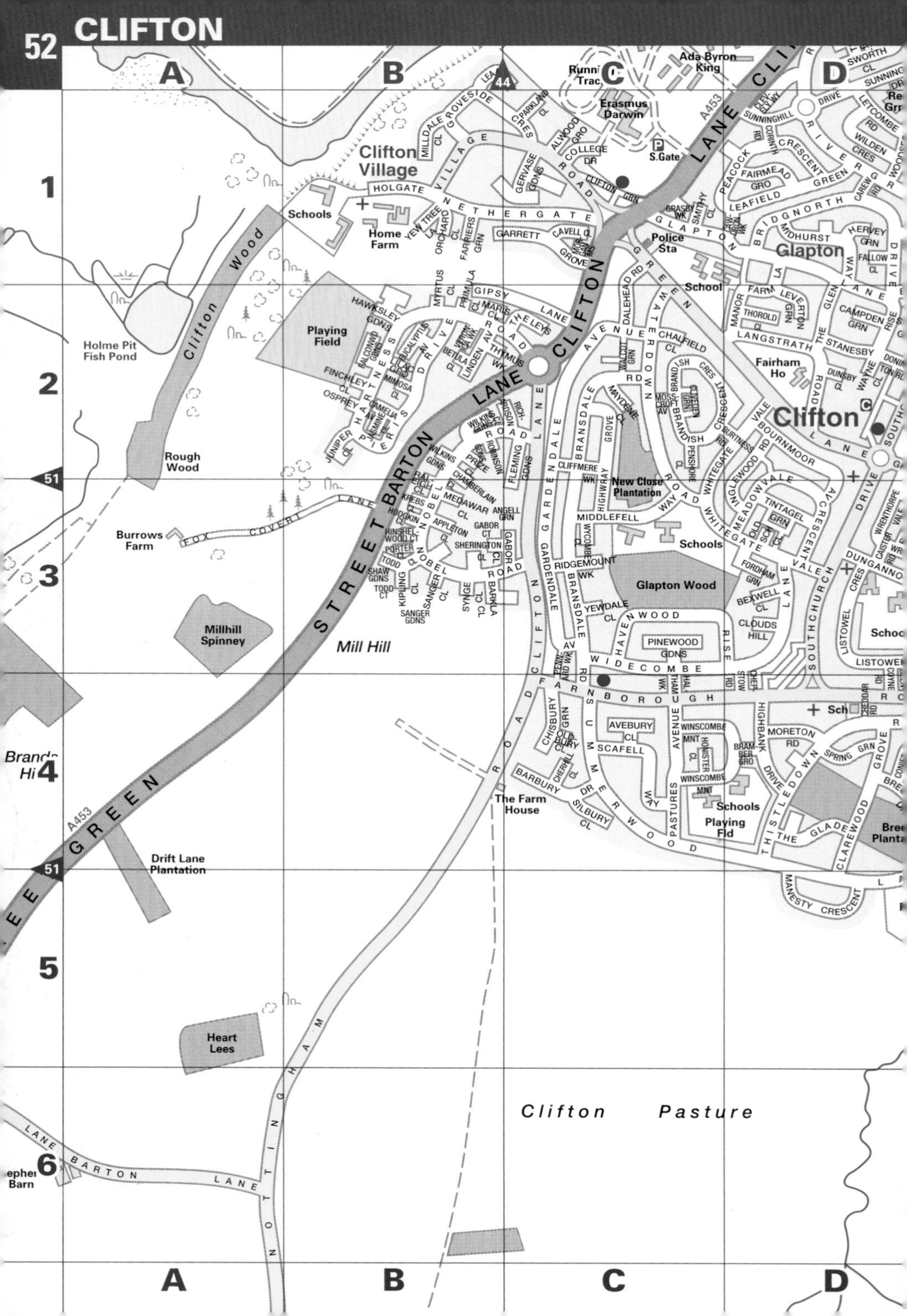

A   B   C   D

1

2

51

3

4

5

6

A   B   C   D

Clifton Village

HOLGATE
Schools
Home Farm
Playing Field

Clifton Wood

Holme Pit Fish Pond

Rough Wood

Burrows Farm

Millhill Spinney

Mill Hill

STREET BARTON LANE

FOX COVERT

Brands Hill

A453

LEE GREEN

Drift Lane Plantation

Heart Lees

Shepherds Barn

BARTON LANE

NOTTINGHAM

Clifton Pasture

Ada Byron King
Running Trac
Erasmus Darwin
S.Gate
CLIFTON
GRN
Police Sta
School
Glapton
Manor Farm
Fairham Ho
Clifton
Glapton Wood
New Close Plantation
Middlefell
Schools
Clouds Hill
Pinewood Gdns
Widecombe
Avebury Cl
Scafell
Winscombe
Moreton
Schools
Playing Fld
The Farm House
Breck Planta

STREET BARTON LANE
CLIFTON LANE

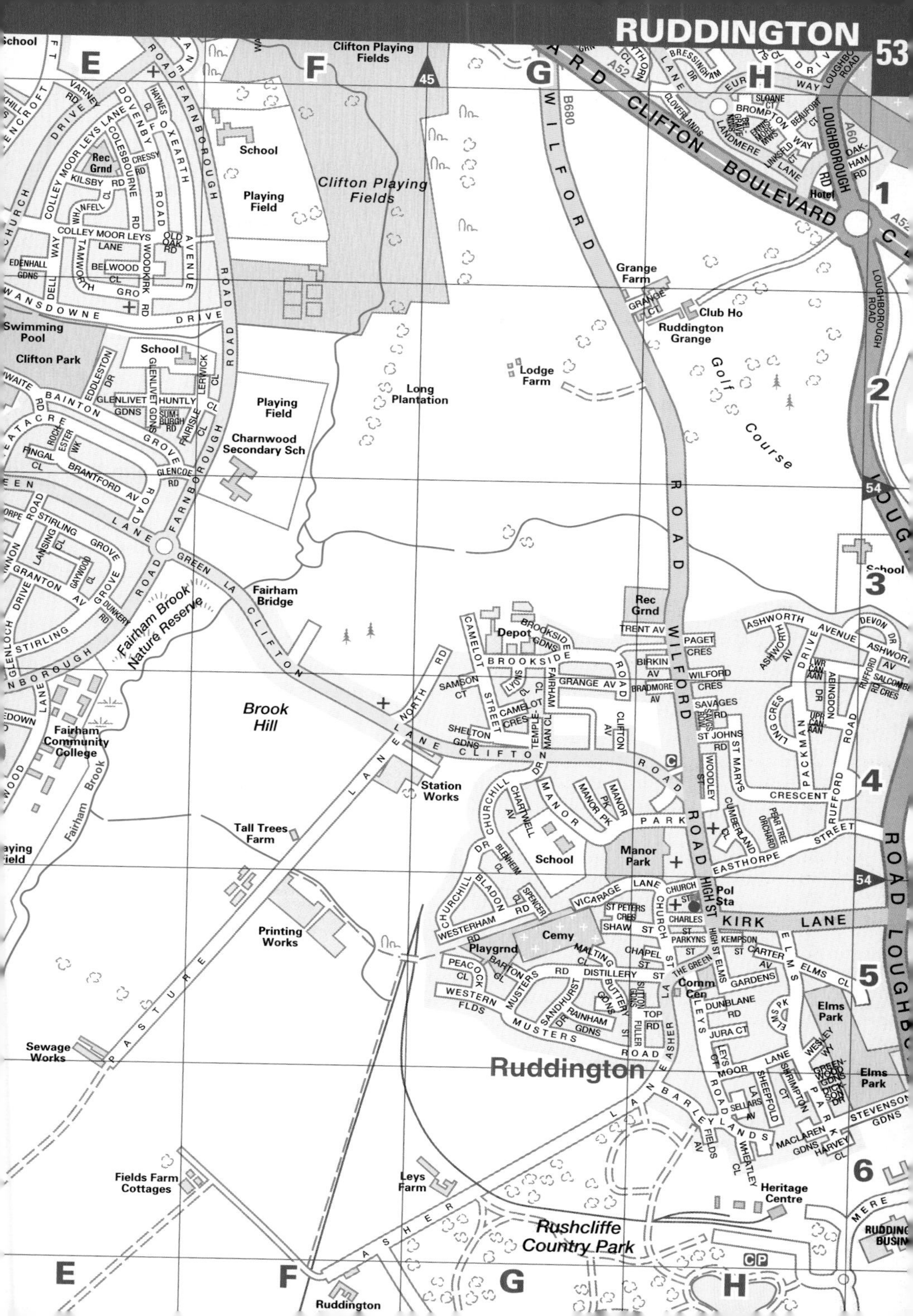
School
E
F
G
H
Clifton Playing Fields
45
Clifton Playing Fields
School
Playing Field
Rec Grnd
Swimming Pool
Clifton Park
School
Playing Field
Charnwood Secondary Sch
Long Plantation
Lodge Farm
Grange Farm
Club Ho
Ruddington Grange
Golf Course
CLIFTON BOULEVARD
WILFORD ROAD
Hotel
1
2
3
4
5
6
54
School
Fairham Brook Nature Reserve
Fairham Bridge
Brook Hill
Fairham Community College
Rec Grnd
Depot
Station Works
Tall Trees Farm
School
Manor Park
Pol Sta
KIRK LANE
Cemy
Playgrnd
Printing Works
Comm Cen
Elms Park
Elms Park
Sewage Works
Ruddington
Fields Farm Cottages
Leys Farm
Heritage Centre
Rushcliffe Country Park
CP
Ruddington

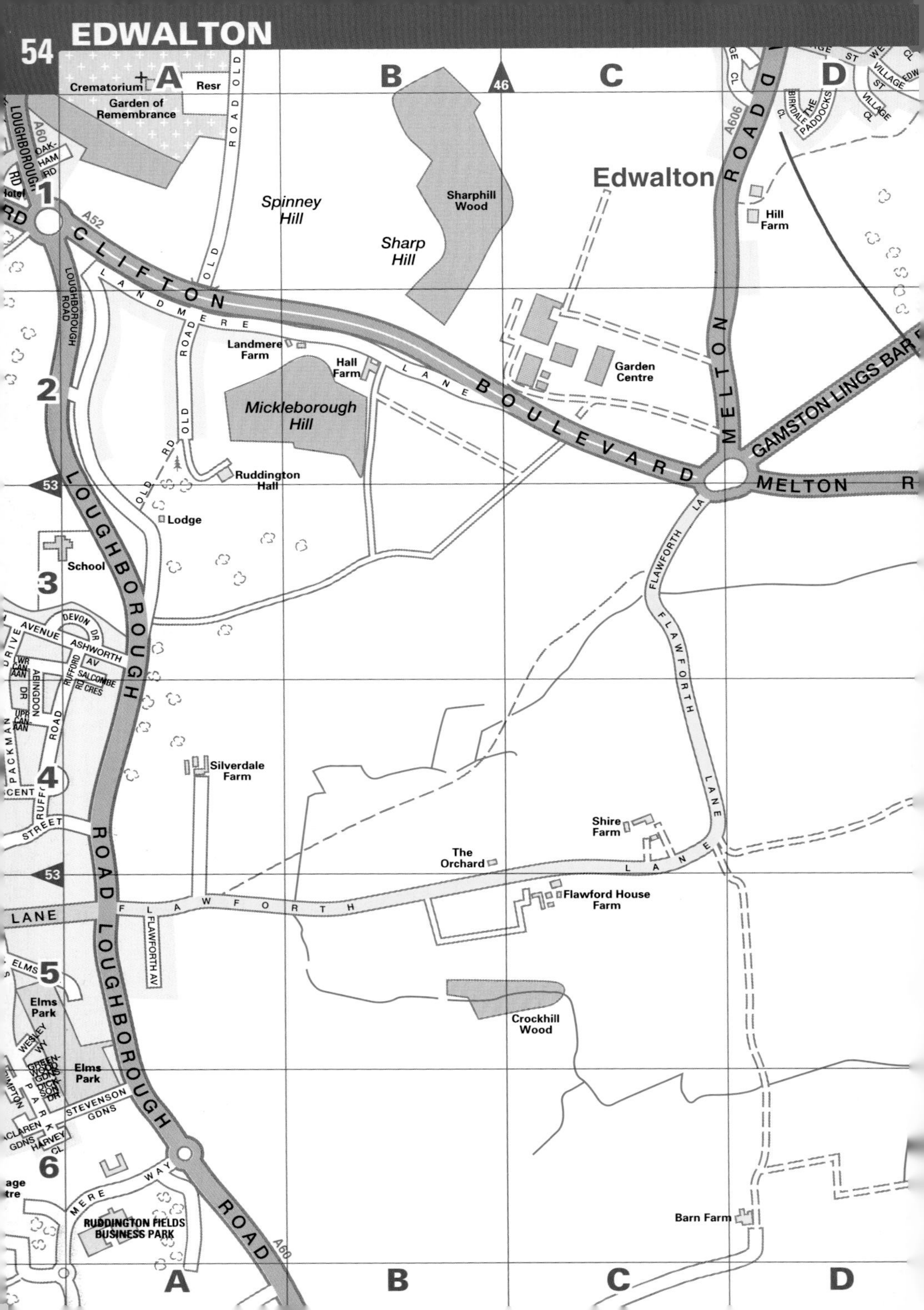

A Crematorium Resr B C D

Garden of Remembrance

Edwalton

Spinney Hill

Sharphill Wood

Hill Farm

Sharp Hill

1

CLIFTON

Landmere Farm

Hall Farm

LANE

Garden Centre

GAMSTON LINGS BAR

2

Mickleborough Hill

BOULEVARD

MELTON

53

Ruddington Hall

Lodge

MELTON

LOUGHBOROUGH

FLAWFORTH

School

3

DEVON DR

ASHWORTH AV

SALCOMBE CRES

RUFFORD RD

AVENUE

ABINGDON DR

PACKMAN

4

Silverdale Farm

Shire Farm

STRUFFIT

STREET

The Orchard

LANE

53

FLAWFORTH

Flawford House Farm

LANE

FLAWFORTH AV

5

ELMS

Elms Park

Crockhill Wood

WESLEY WY

Elms Park

STEVENSON GDNS

CLAREN GDNS

HARVEY CL

6

ROAD

LOUGHBOROUGH

Barn Farm

MERE WAY

RUDDINGTON FIELDS BUSINESS PARK

A B C D

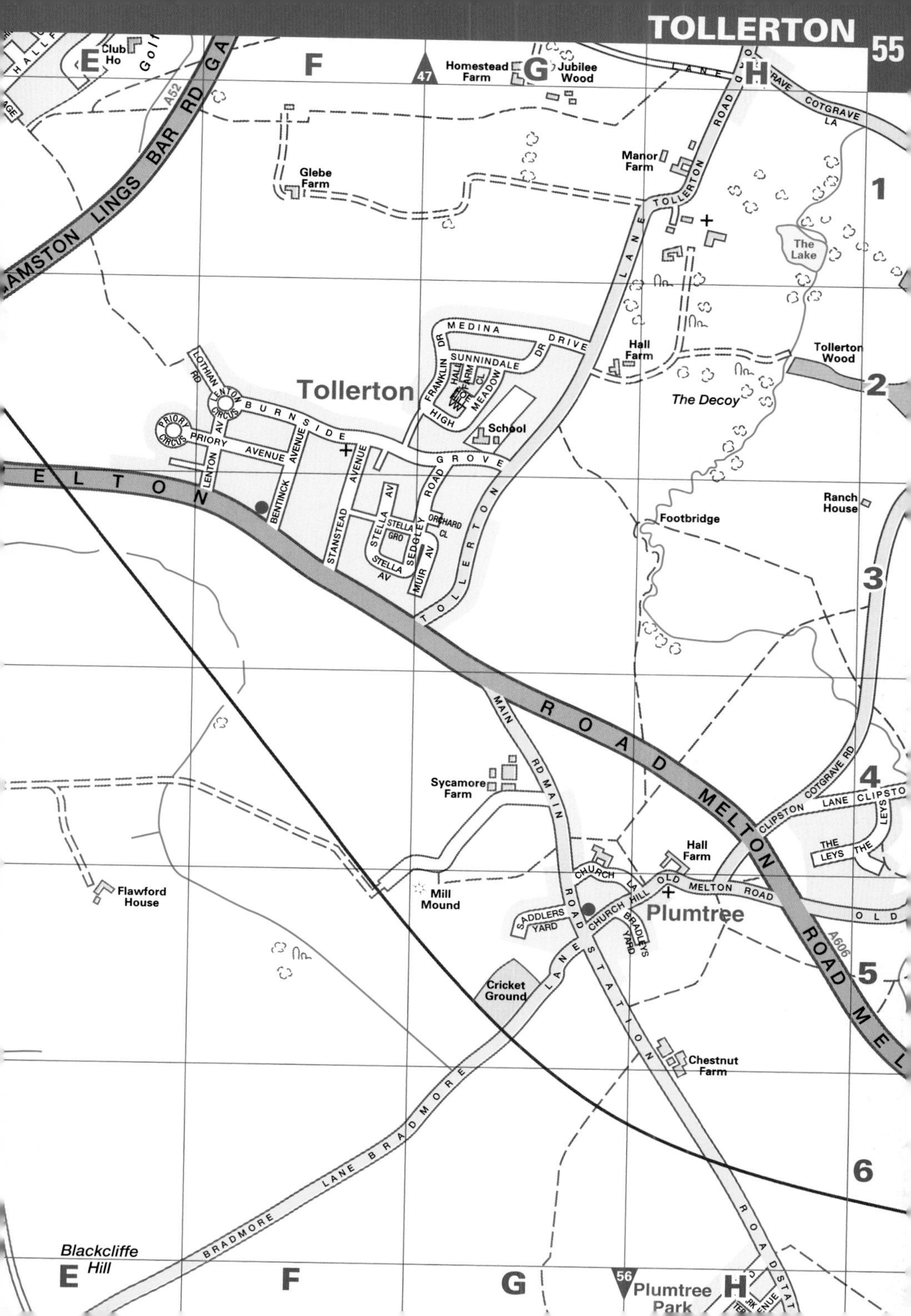
Club Ho
Homestead Farm
Jubilee Wood
47
Glebe Farm
Manor Farm
GAMSTON LINGS BAR RD
A52
TOLLERTON LANE
COTGRAVE LA
The Lake
Hall Farm
Tollerton Wood
The Decoy
Tollerton
MEDINA DRIVE
SUNNINDALE DR
FRANKLIN DR
HALL FARM CL
MEADOW
HIGH
School
LOTHIAN RD
LENTON CIRCUS
PRIORY CIRCUS
BURNSIDE
PRIORY AVENUE
LENTON AV
BENTINCK AVENUE
STANSTEAD AVENUE
GROVE
ROAD
STELLA AV
STELLA GRO
SEDGLEY
ORCHARD CL
MUIR AV
MELTON ROAD
Ranch House
Footbridge
MAIN RD
Sycamore Farm
COTGRAVE RD
CLIPSTON LANE
THE LEYS
Hall Farm
CHURCH HILL
OLD MELTON ROAD
Flawford House
Mill Mound
Plumtree
SADDLERS YARD
BRADLEYS YARD
A606
Cricket Ground
STATION ROAD
Chestnut Farm
BRADMORE LANE
Blackcliffe Hill
56
Plumtree Park
E
F
G
H
1
2
3
4
5
6

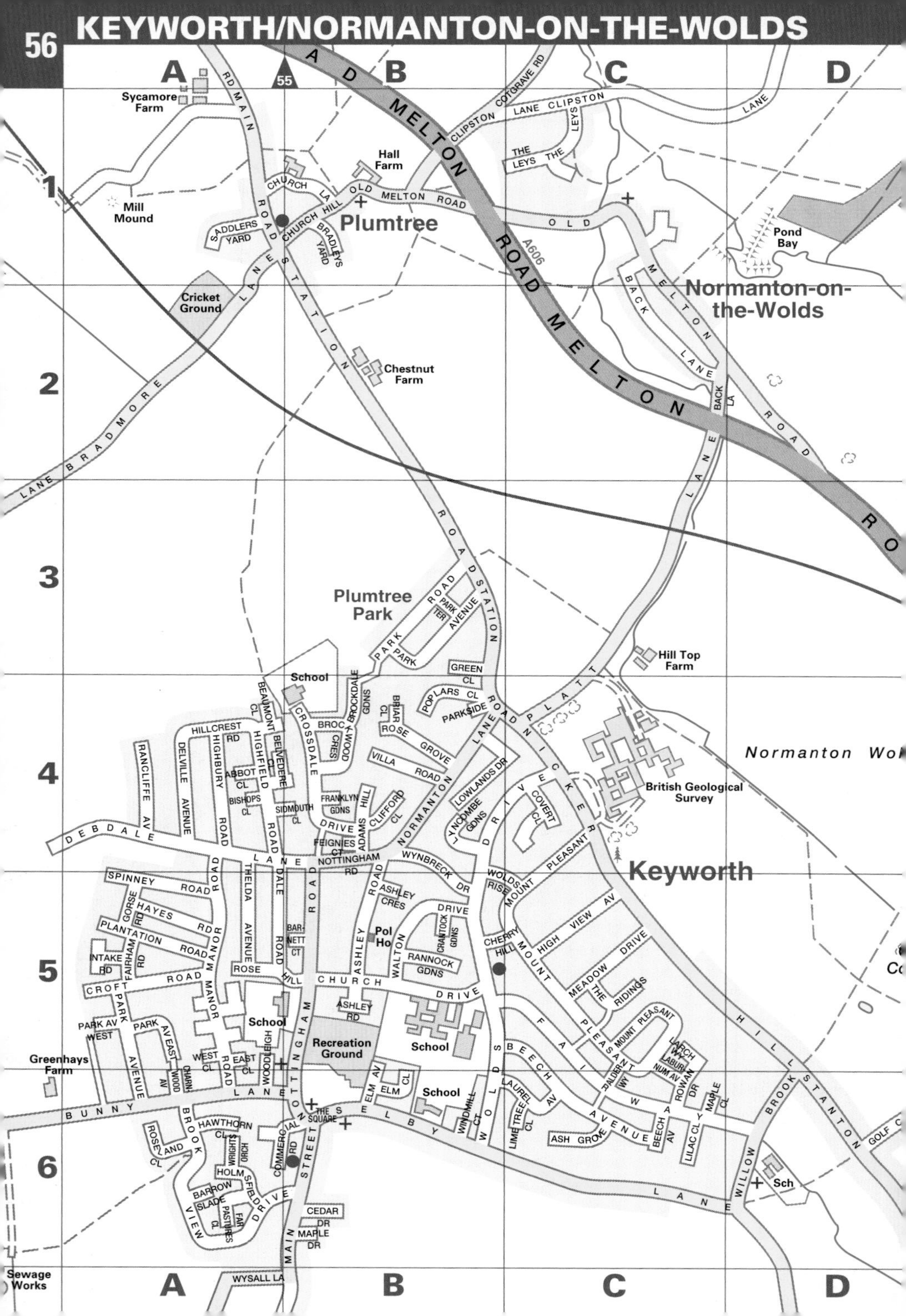

A **B** **C** **D**

1

2

3

4

5

6

Sycamore Farm

Mill Mound

SADDLERS YARD

Cricket Ground

Hall Farm

Plumtree

Chestnut Farm

MELTON ROAD

OLD MELTON ROAD

A606

MELTON ROAD

BACK LANE

Pond Bay

Normanton-on-the-Wolds

Plumtree Park

School

Hill Top Farm

British Geological Survey

Normanton Wo

Keyworth

HILLCREST

RANCLIFFE AV

DELVILLE

HIGHBURY

AVENUE

DEBDALE

SPINNEY ROAD

GORSE RD

HAYES RD

PLANTATION

FARNHAM RD

INTAKE RD

CROFT RD

PARK AV

WEST

Greenhays Farm

BUNNY

BROOK

Sewage Works

WYSALL LA

School

School

School

Recreation Ground

Pol Ho

BARROW SLADE

CEDAR DR

MAPLE DR

STANTON

WILLOW

GOLF

Sch

Co

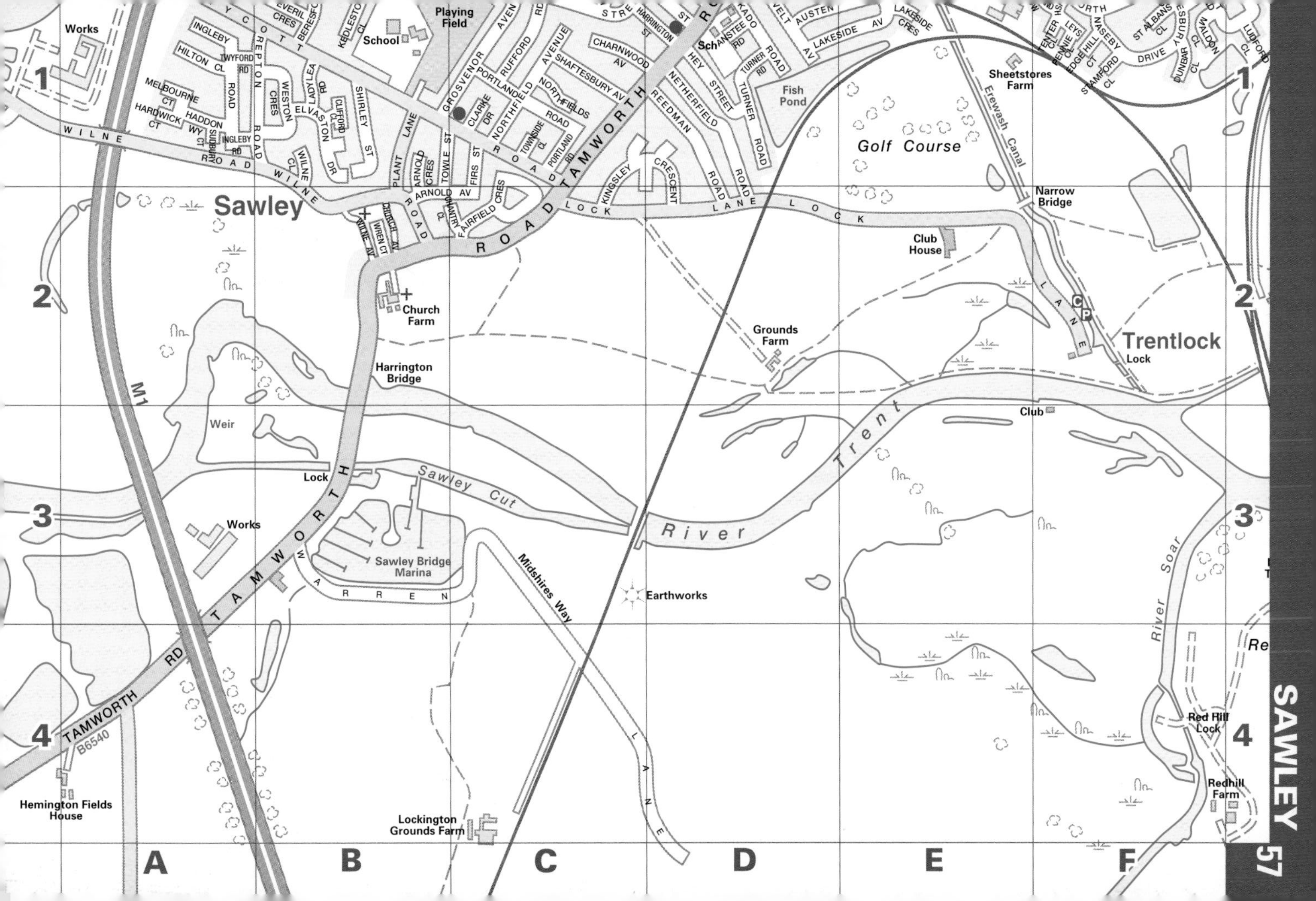

Trentlock

Lock

Red Hill
Lock

Redhill
Farm

River Soar

Sheetstores
Farm

Narrow
Bridge

Erewash Canal

Golf Course

Club

Club
House

Fish
Pond

TURNER   ROAD

HEY STREET

NETHERFIELD

REEDMAN

ROAD

CRESCENT

Grounds
Farm

Trent

River

Earthworks

Midshires Way

Sawley Cut

LANE

Lockington
Grounds Farm

Playing
Field

School

CHARNWOOD AV

SHAFTESBURY AV

RUFFORD

GROSVENOR

CLARKE DR

NORTHFIELD AV

NORTHTEY

TOWNSIDE

PORTLAND ROAD

FIRS ST

COVENTRY

TOWLE ST

ARNOLD CRES

Church
Farm

WREN CT

WILNE AV

Harrington
Bridge

Sawley Bridge
Marina

WARREN

School

SHIRLEY   ST

CLIFFORD
RD

ELVASTON
DR

WILNE
CL

WESTON
CRES

Lock

Sawley

REPTON   ROAD

INGLEBY

HILTON CL

MELBOURNE
CT

HARDWICK CT

HADDON

SUDBURY
CT

INGLEBY
RD

Weir

Works

TAMWORTH RD

M1

B6540

Works

WILNE

Hemington Fields
House

Red

A

B

C

D

E

F

1

2

3

4

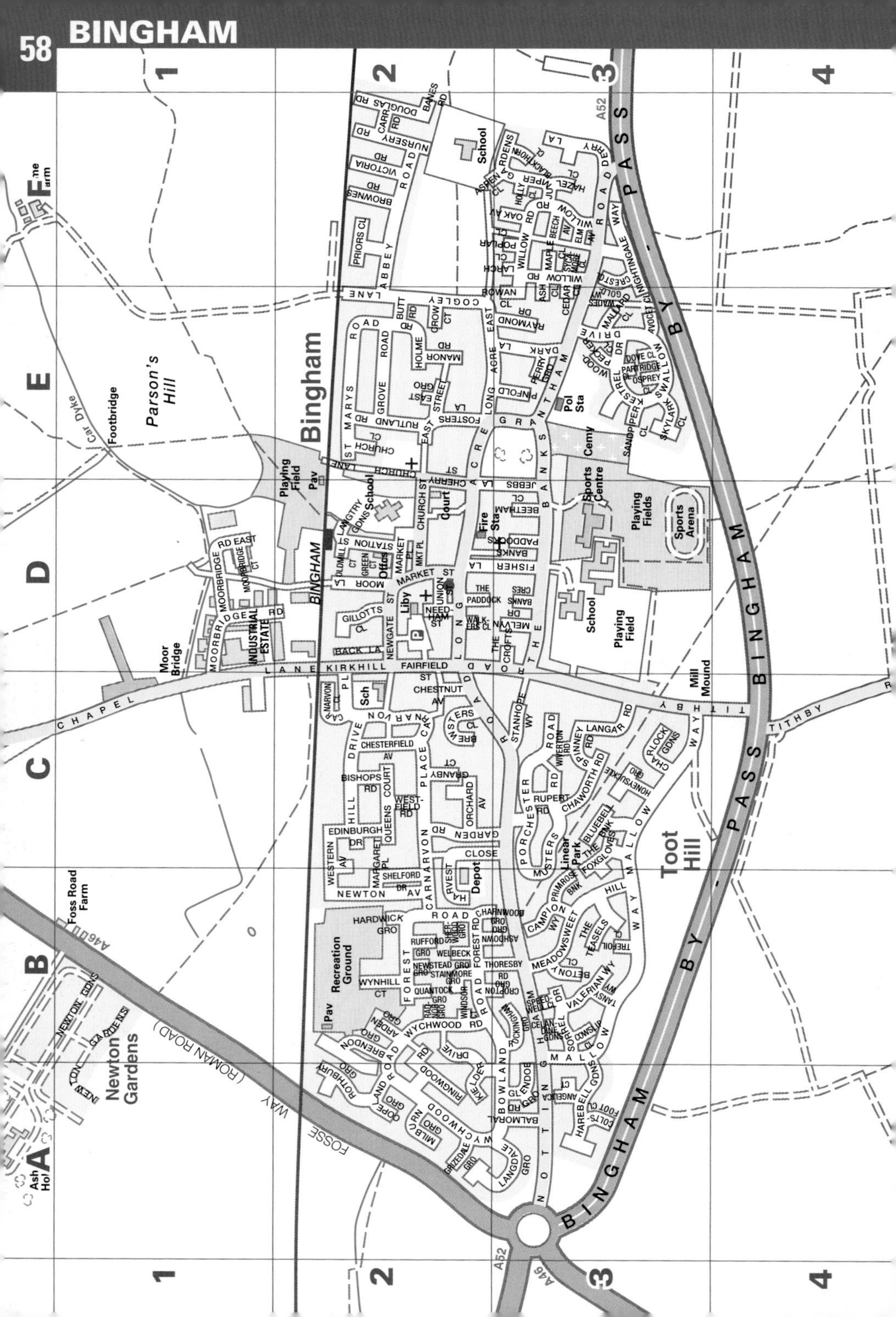
Bingham
Parson's Hill
Footbridge
Car Dyke
Playing Field
Pav
School
Moor Bridge
INDUSTRIAL ESTATE
MOORBRIDGE RD EAST
MOORBRIDGE CT
CHAPEL LANE
KIRKHILL
FAIRFIELD ST
Foss Road Farm
A46
FOSSE WAY (ROMAN ROAD)
Newton Gardens
NEWTON GDNS
Ash Hol
Recreation Ground
Toot Hill
Mill Mound
Linear Park
Depot
Sch
Liby
Offs
Court
Fire Sta
Pol Sta
Cemy
Sports Centre
Playing Fields
Sports Arena
Playing Field
BINGHAM BY-PASS
A52
TITHBY RD
NOTTINGHAM RD
GRANTHAM RD
LONG ACRE
LONG ACRE EAST
CHURCH ST
MARKET ST
MARKET PL
STATION ST
NEWGATE ST
UNION ST
NEEDHAM ST
CARNARVON PLACE
CARNARVON DRIVE
CHESTNUT AV
WESTERN AV
NEWTON AV
MARGARET PL
QUEENS COURT
EDINBURGH DR
HILL DRIVE
BISHOPS RD
CHESTERFIELD AV
GRANBY CT
ORCHARD AV
GARDEN RD
BREWSTERS CL
STANHOPE WY
PORCHESTER ROAD
RUPERT RD
CHAWORTH RD
WIVERTON RD
SPINNEY RD
LANGAR RD
CHARLOCK GDNS
HONEYSUCKLE GRO
BLUEBELL BNK
FOXGLOVES
PRIMROSE BNK
CAMPION WY
MEADOWSWEET HILL
THE TEASELS
TREFOIL CL
BETONY CL
VALERIAN WY
TANSY WAY
SORREL DR
COWSLIP CL
MALLOW WAY
ANGELICA CT
HAREBELL GDNS
COLTS-FOOT CL
BALMORAL RD
BOWLAND RD
GLENDOE GRO
LANGDALE GRO
GRIZEDALE GRO
WYCHWOOD DRIVE
WYCHWOOD RD
MILBURN GRO
COPELAND ROAD
ROTHBURY GRO
BRENDON GRO
ARDEN GRO
RINGWOOD
KIELDER DRIVE
WINDSOR CT
QUANTOCK GRO
FOREST ROAD
FOREST RD
WYNHILL CT
HARDWICK GRO
RUFFORD GRO
WELBECK GRO
NEWSTEAD GRO
STAINMORE GRO
THORESBY RD
CROPTON GRO
ASHDOWN GRO
CHARNWOOD GRO
HARVEST CLOSE
SHELFORD DR
WESTFIELD RD
THE CROFTS
MELVILLE CL
BANKS CRES
THE PADDOCK
FISHER LA
BANKS PADDOCK
BEETHAM CL
JEBBS LA
CHERRY ST
CHURCH LANE
CHURCH CL
ST MARYS ROAD
GROVE ROAD
RUTLAND RD
EAST STREET
EAST GRO
FOSTERS LA
HOLME RD
MANOR RD
CROW CT
BUTT RD
PINFOLD LA
PERRY GRO
DARK LA
RAYMOND DR
COGLEY LANE
ROWAN CL
ABBEY ROAD
PRIORS CL
BROWNES RD
VICTORIA RD
NURSERY RD
CARR RD
DOUGLAS RD
BANES RD
WILLOW RD
POPLAR CL
LARCH CL
OAK AV
HOLLY CL
JUNIPER CL
HAZEL CL
BLACKTHORN CL
ASPEN CL
GARDENS
MAPLE CL
BEECH AV
ELM AV
CEDAR CL
SYCAMORE CL
ASH CL
NIGHTINGALE WAY
CRESTA
GOLDCREST
AVOCET CL
MALLARD CL
WOODPECKER DRIVE
KESTREL DR
DOVE CL
PARTRIDGE CL
OSPREY
SWALLOW
SANDPIPER CL
SKYLARK CL
GILLOTTS CL
BACK LA
MOOR LA
OLDMILL CT
GREEN CT
LANGTRY GDNS
MKT PL
WALKERS CL
MUSTERS
THE BNK

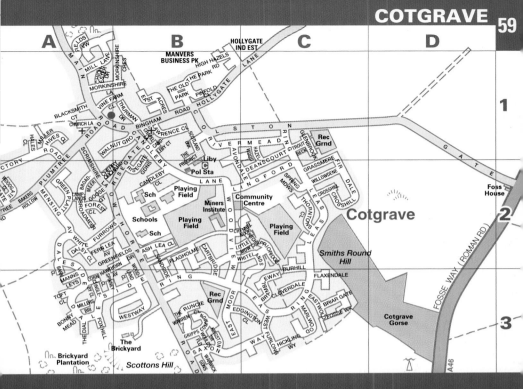

A - Z INDEX TO STREETS
with Postcodes

The Index includes some names for which there is insufficient space on the maps. These names are indicated by an * and are followed by the nearest adjoining thoroughfare.

A Rd NG7 44 B3
Aaron Cl NG11 45 G2
Abba Cl NG16 12 B4
Abbey Bri NG7 34 D5
Abbey Cl NG15 8 B2
Abbey Dr NG9 43 G2
Abbey Gro NG3 26 B6
Abbey Rd,
Beeston NG9 43 G2
Abbey Rd,
Bingham NG13 58 F2
Abbey Rd,
Eastwood NG16 7 F6
Abbey Rd,
West Bridgford NG2 46 C2
Abbey St,
Ilkeston DE7 20 D3
Abbey St,
Nottingham NG7 34 D6
Abbeyfield Rd NG7 45 E1
Abbot Cl NG2 56 A4
Abbot Rd DE7 30 A1
Abbot St NG16 21 F1
Abbots Cl NG5 15 H5
Abbots Dr NG15 8 C3
Abbots Rd NG15 8 C2
Abbots Walk NG15 8 C3
Abbots Way NG8 34 B3
Abbotsbury Cl NG5 14 C2
Abbotsford Dr NG3 26 A6
Abbotsford Mews DE7 20 B2

Abbott St NG10 49 H5
Abercarn Cl NG6 14 A3
Aberdeen St NG3 5 H3
Aberford Av NG8 24 C5
Abingdon Dr NG11 53 H3
Abingdon Gdns,
Beeston NG9 43 F5
Abingdon Gdns,
Woodthorpe NG5 16 D6
Abingdon Rd NG2 46 C2
Abingdon Sq NG8 24 B4
Ablard Gdns NG8 51 E1
Acacia Cl NG15 9 F4
Acacia Cres NG4 27 H5
Acacia Walk NG9 43 H3
Academy Cl NG6 24 D2
Acaster Cl NG9 44 B5
Acle Gdns NG6 14 A2
Acorn Av NG16 11 F3
Acorn Bank NG2 45 G5
Acorn Dr NG4 28 A2
Acorn Pk NG7 44 D1
Acourt St NG7 35 E1
Acton Av,
Long Eaton NG10 50 A6
Acton Av,
Nottingham NG6 24 C1
Acton Cl NG10 50 A6
Acton Gro NG10 50 A5
Acton Ind Est NG10 50 A5
Acton Rd, Arnold NG5 16 A3
Acton Rd,
Long Eaton NG10 50 A5
Acton St NG10 50 A5
Ada Pl NG15 19 G3
Adam St DE7 31 E1
Adams Ct DE7 20 C2
Adams Hill,
Keyworth NG12 56 B4
Adams Hill,
Nottingham NG7 34 A5

Adbolton Av NG4 27 G4
Adbolton Gro NG2 36 D6
Adbolton La NG2 36 D6
Adderley Cl NG5 15 F5
Addington Ct NG12 39 F4
Addington Rd NG7 35 E1
Addison Dr NG15 8 C1
Addison Rd NG4 26 D5
Addison St NG1 25 G6
Addison Villas NG16 10 C2
Adel Dr NG4 27 G3
Adelaide Cl NG9 32 A6
Adelaide Gro NG5 14 D3
Adenburgh Dr NG9 51 F2
Aerial Way NG15 8 D4
Agnes Villas NG3 26 A3
Aidan Gdns NG5 15 F1
Ainsdale Cres NG8 23 H2
Ainsley Rd NG8 34 C1
Ainsworth Dr NG2 35 F6
Aintree Cl NG16 12 A4
Aira Cl NG2 47 F3
Airedale Cl NG10 49 E5
Airedale Walk NG8 32 D4
Aitchison Av NG15 8 C5
Alandene Av NG16 12 C4
Albany Cl,
Arnold NG5 16 B4
Albany Cl,
Hucknall NG15 8 A4
Albany Ct NG9 32 A6
Albany Rd NG7 25 F5
Albany St DE7 31 E1
Albemarle Rd NG5 26 A1
Albert Av,
Carlton NG4 27 E6
Albert Av,
Nottingham NG8 24 C5
Albert Av,
Nuthall NG16 12 D4

Albert Av,
Stapleford NG9 41 G2
Albert Gro NG7 35 E2
Albert Rd,
Alexandra Park NG3 26 A4
Albert Rd,
Beeston NG9 44 A2
Albert Rd,
Breaston DE72 48 A4
Albert Rd,
Lenton NG7 34 D4
Albert Rd,
Long Eaton NG10 49 H4
Albert Rd,
Sandiacre NG10 41 F3
Albert Rd,
West Bridgford NG2 46 C2
Albert Sq*,
Church St NG7 34 D4
Albert St,
Eastwood NG16 6 D6
Albert St,
Gedling NG4 27 H4
Albert St,
Hucknall NG15 9 E2
Albert St, Ilkeston DE7 20 C5
Albert St,
Nottingham NG1 5 E4
Albert St,
Radcliffe NG12 39 F4
Albert St,
Stapleford NG9 41 H2
Alberta Ter NG7 25 F5
Albion Rd NG10 50 A3
Albion Rise NG5 16 C2
Albion St,
Beeston NG9 43 G2
Albion St,
Ilkeston DE7 20 D4
Albion St,
Nottingham NG1 4 D5

Albury Dr NG8 24 A
Alcester St NG7 44 B
Aldene Ct NG9 43 B
Alder Gdns NG6 13 B
Alder Way NG12 56 C
Aldercar By-Pass
NG16 6 A
Aldermens Cl NG2 35 C
Alderney St NG7 35 B
Alderton Rd NG5 15 C
Aldgate Cl NG6 14 A
Aldrin Cl NG6 13 C
Aldworth Cl NG5 15 C
Aldwych Cl,
Arnold NG5 15
Aldwych Cl,
Nuthall NG16 23
Alexander Cl NG15 19 C
Alexander Rd NG7 35
Alexandra Cres NG9 44 A
Alexandra Rd NG10 49 A
Alexandra St,
Eastwood NG16 10 A
Alexandra St,
Nottingham NG5 25
Alexandra St,
Stapleford NG9 41
Alford Cl NG9 44 A
Alford Rd NG2 46
Alfred Av NG3 26
Alfred Cl NG3 35
Alfred St Central NG3 35
Alfred St North NG3 35
Alfred St South NG3 35
Alfreton Rd NG7 4
Alison Av NG15 19
All Hallows Dr NG4 27
All Saints St NG7 4
All Saints Ter NG7 4
Allen St NG15 9
Allendale DE7 20

Allendale Av, Attenborough NG9 51 F2
Allendale Av, Nottingham NG8 23 H4
Allens Walk NG5 16 B2
Allington Av NG7 35 E4
Allison Gdns, Ilkeston DE7 21 E4
Allison Gdns, Nottingham NG9 43 E5
Allwood Dr NG4 27 G5
Allwood Gdns NG15 9 F3
Alma Cl NG4 28 A3
Alma Hill NG16 12 A3
Alma Rd NG3 36 C1
Alma St NG7 25 F4
Almond Cl, Hucknall NG15 9 E4
Almond Cl, Kimberley NG16 12 A4
Almond Walk NG4 28 A3
Alnwick Cl NG6 14 C5
Alpine Cres NG4 27 G5
Alpine St NG6 24 C2
Althorpe St NG7 35 E2
Alton Av NG11 45 F5
Alton Cl NG2 45 H6
Alton Dr NG16 11 F3
Alvenor St DE7 20 D4
Alverston Rd NG3 25 H4
Alwood Gro NG11 52 C1
Alwyn Ct NG9 43 G4
Alwyn Rd NG8 23 G3
Alyth Ct NG6 25 E2
Amber Hill NG5 15 G4
Ambergate Rd NG8 23 H6
Amberley Cl DE7 30 D1
Ambleside NG2 47 E2
Ambleside Dr NG16 6 B6
Ambleside Rd NG8 23 H4
Ambleside Way NG4 28 B5
Amersham Rise NG8 24 A4
Amesbury Circus NG8 23 H2
Amilda Av DE7 20 D5
Ampthill Rise NG5 25 G1
Ancaster Gdns NG8 34 A3
Anchor Cl NG8 24 A3
Anchor Ct*, Winterton Rise NG5 15 F4
Anchor Rd NG16 10 B1
Anchor Row DE7 20 D5
Anders Dr NG6 13 G6
Anderson Cres NG9 43 F1
Andover Cl NG8 34 A1
Andover Rd NG5 14 D5
Andrew Av, Ilkeston DE7 21 E5
Andrew Av, Nottingham NG3 26 D3
Anfield Cl NG9 50 C1
Anford Cl NG6 14 A6
Angel Alley NG1 5 F3
Angel Pl NG1 4 D3
Angel Row NG1 4 D3
Angela Cl NG5 16 B1
Angela Ct NG9 50 C2
Angelica Ct NG13 58 A3
Angell Grn NG11 52 B3
Angletarn Cl NG2 47 E3
Angrave Cl NG3 26 B6
Angus Cl NG5 16 D2
Anmer Cl NG2 35 F6
Annan Ct NG8 24 B5
Annes Cl NG3 26 D3
Annesley Gro NG1 35 G1
Annesley Rd, Hucknall NG15 8 D1
Annesley Rd, West Bridgford NG2 46 C3
Annies Cl NG15 8 D3
Anslow Av NG9 43 H1
Anson Walk DE7 20 D2
Anstee Rd NG10 57 D1
Anstey Rise NG3 36 B2
Antill St NG9 41 G4
Apollo Dr NG6 13 G6
Apple Tree Cl NG12 46 D6
Apple Tree La NG4 27 H3
Apple Walk NG3 26 D5
Appleby Cl DE7 30 D1
Appledore Av NG8 33 E5
Appledorne Way NG5 16 A2
Appleton Cl NG11 52 B3
Appleton Ct NG9 44 A5
Appleton Rd NG9 44 A5
Applewood Gro NG5 26 A2
Aragon Ct NG7 4 A1
Arboretum St NG1 35 F1
Arbrook Dr NG8 34 C1
Archdale Rd NG5 15 G5
Archer Cres NG8 33 G2
Archer Rd NG9 41 H4
Archer St DE7 20 C2
Archway Ct*, Peveril St NG7 35 E1
Arden Cl, Beeston NG9 43 H1
Arden Cl, Hucknall NG15 9 G4
Arden Gro NG13 58 B2
Ardleigh Cl NG5 14 C2
Ardmore Cl NG2 36 B4
Argyle Ct*, Argyle St NG7 35 E2
Argyle St, Langley Mill NG16 6 A5
Argyle St, Nottingham NG7 35 E2
Ariel Cl NG6 15 E6
Arkers Cl*, Lindum Rd NG6 24 C2
Arklow Cl NG8 24 A3
Arkwright St North NG2 35 H4
Arkwright St South NG2 36 A6
Arkwright Walk NG2 35 H5
Arleston Dr NG8 33 F4
Arlington Cl NG15 9 E4
Arlington Dr NG3 25 H4
Armadale Cl NG5 17 E3
Armfield Rd NG5 17 E5
Armitage Dr NG10 50 B4
Armstrong Rd NG6 13 G6
Arncliffe Cl NG8 32 D3
Arndale Rd NG5 15 H6
Arne Ct NG2 35 G6
Arnesby Rd NG7 34 C4
Arno Av NG7 25 F5
Arno Vale Gdns NG5 16 B6
Arno Vale Rd NG5 16 B6
Arnold Av NG10 57 B2
Arnold Cres NG10 57 B1
Arnold La NG4 17 E6
Arnold Rd NG5,NG6 24 D1
Arnos Gro NG16 23 F2
Arnot Hill Rd NG5 16 B4
Arnside NG9 41 H4
Arnside Cl NG5 15 F6
Arnside Rd NG5 15 F6
Arran Cl NG9 32 A5
Arthur Av, Nottingham NG7 35 E3
Arthur Av, Stapleford NG9 42 B1
Arthur Cres NG4 27 E6
Arthur Mee Rd NG9 42 A4
Arthur St, Netherfield NG4 38 A1
Arthur St, Nottingham NG7 35 F1
Artic Way NG16 11 H4
Arundel Cl NG10 41 F5
Arundel Dr NG9 32 D5
Arundel St NG7 35 E2
Ascot Av NG16 12 A4
Ascot Dr, Hucknall NG15 8 B4
Ascot Dr, Redhill NG5 16 A2
Ascot Pk Est NG10 41 F3
Ascot Pl DE7 30 A2
Ascot Rd NG8 24 C6
Ascott Gdns NG2 45 G4
Ash Cl, Bingham NG13 58 E3
Ash Cl, Burton Joyce NG14 29 E1
Ash Cl, Hucknall NG15 8 A3
Ash Cres NG16 12 C5
Ash Ct NG4 27 F6
Ash Gro, Keyworth NG12 56 C6
Ash Gro, Long Eaton NG10 49 G5
Ash Gro, Sandiacre NG10 41 E2
Ash Gro, Stapleford NG9 41 H4
Ash Lea Cl NG12 59 B2
Ash St DE7 20 C1
Ash Tree Sq NG9 42 D1
Ash Villas NG5 25 G4
Ashbourne Cl NG9 32 B6
Ashbourne Ct NG6 13 G5
Ashbourne St NG7 35 F2
Ashburnham Av NG7 35 E3
Ashchurch Dr NG8 33 E5
Ashdale Av NG15 8 D4
Ashdale Rd, Arnold NG5 16 D2
Ashdale Rd, Ilkeston DE7 31 E1
Ashdale Rd, Nottingham NG3 36 D1
Ashdown Cl NG11 45 G3
Ashdown Gro NG13 58 B3
Ashe Cl NG5 17 E4
Asher La NG11 53 F6
Ashfield Av NG9 44 A4
Ashfield Rd NG2 36 B3
Ashford Pl DE7 10 C6
Ashford Rise NG8 33 F5
Ashforth St NG3 35 H1
Ashington Dr NG5 16 C1
Ashley Cl NG9 43 E3
Ashley Cres NG12 56 B5
Ashley Gro NG15 8 C2
Ashley Rd NG12 56 B5
Ashley St NG3 5 H2
Ashling St NG2 36 A5
Ashness Cl NG2 47 F3
Ashover Cl NG3 26 B5
Ashpool Rd NG14 19 G6
Ashridge Way NG12 47 E5
Ashton Av NG5 16 C1
Ashton Ct NG8 23 E5
Ashurst Gro NG15 8 C5
Ashview Cl NG10 49 E3
Ashville Cl NG7 35 E6
Ashwater Dr NG3 17 F5
Ashwell Ct NG5 26 B1
Ashwell Gdns NG7 24 D5
Ashwell St NG4 28 A6
Ashwick Cl NG11 45 F4
Ashworth Av NG11 53 H3
Ashworth Cl NG3 37 E2
Ashworth Cres NG3 26 D3
Askeby Dr NG8 23 E4
Aslockton Dr NG8 24 C3
Aspen Cl NG13 58 F2
Aspen Rd NG6 13 G4
Asper St NG4 28 A6
Aspley La NG8 23 G4
Aspley Park Dr NG8 23 H5
Assarts Rd NG16 23 G1
Aster Rd NG3 26 A6
Astle Ct NG5 17 E5
Astley Dr NG3 26 B4
Aston Av NG9 33 H6
Aston Ct DE7 20 D4
Aston Dr NG6 14 B1
Aston Grn NG9 42 A6
Astral Gro NG15 8 B4
Astwood Cl NG8 23 F6
Atherfield Gdns NG16 6 D6
Atherton Rd DE7 20 A2
Atherton Rise NG8 24 A2
Athorpe Gro NG6 24 D2
Attenborough La NG9 51 E1
Attenborough La North NG9 43 E6
Attercliffe Ter NG2 35 H6
Attewell Rd NG16 11 F6
Aubrey Av NG2 36 B3
Aubrey Rd NG5 25 G4
Auckland Cl NG7 34 D2
Auckland Rd NG15 8 B4
Audley Cl DE7 20 B2
Audley Dr NG9 33 G6
Audon Av NG9 43 F4
Augustine Gdns NG5 15 F2
Austen Av, Long Eaton NG10 57 D1
Austen Av, Nottingham NG7 25 F6
Austin St NG6 14 B4
Austins Dr NG10 41 F5
Austrey Av NG9 43 H1
Avalon Cl NG6 14 D5
Avebury Cl NG11 52 C4
Aveline Cl NG5 15 E3
Avenue A NG1 5 G3
Avenue B NG1 5 G3
Avenue C NG1 5 G3
Avenue D NG1 5 G3
Averton Sq NG8 34 C4
Aviemore Cl NG5 17 E2
Avocet Cl NG13 58 E3
Avocet Wharf*, The Moorings NG7 35 E5
Avon Av NG15 8 C5
Avon Gdns NG2 46 B2
Avon Pl NG9 43 H2
Avon Rd, Gedling NG4 27 H3
Avon Rd, Nottingham NG3 37 E2
Avonbridge Cl NG5 17 E2
Avondale NG12 59 B1
Avondale Cl NG10 49 E5
Avondale Rd, Ilkeston DE7 30 A2
Avondale Rd, Nottingham NG4 37 F1
Avonlea Cl DE7 31 F1
Awsworth La, Cossall NG16 21 G3
Awsworth La, Kimberley NG16 11 G6
Awsworth Rd DE7 20 D3
Axford Cl NG4 27 H2
Aylesham Av NG5 16 B5
Aylestone Dr NG8 24 A5
Ayr St NG7 35 F1
Ayscough Av NG16 13 E5
Ayton Cl NG2 35 G5
Ayton Gdns NG9 50 D1
Azalea Ct NG16 11 G3

B Rd NG7 44 C3
Babbacombe Dr NG5 15 G5
Babbacombe Way NG15 8 B3
Babbington Cres NG4 27 G2
Babington Ct NG9 43 E4
Back La, Ilkeston DE7 20 C3
Back La, Keyworth NG12 56 C1
Back La, Nuthall NG16 13 E5
Bacon Cl NG16 11 E3
Bacton Av NG6 14 A2
Bacton Gdns NG6 14 A2
Baden Powell Rd NG2 36 C3
Bader Rd NG11 45 G2
Badger Cl, Carlton NG4 27 H5
Badger Cl, Hucknall NG15 8 A3
Bagnall Av NG5 15 H4
Bagnall Rd NG6 24 A1
Bagthorpe Cl NG5 25 E2
Baildon Cl NG8 34 B4
Bailey Brook Ind Est NG16 10 A1
Bailey Cl NG5 15 H4
Bailey Grove Rd NG16 10 B1
Bailey La NG12 39 E5
Bailey St, Netherfield NG4 28 A6
Bailey St, Nottingham NG6 24 D3
Bailey St, Stapleford NG9 41 G4
Bainton Gro NG11 53 E2
Baker Av NG5 16 C1
Baker Brook Ind Pk NG15 9 G3
Baker Rd NG16 11 G3
Baker St, Hucknall NG15 9 E1
Baker St, Ilkeston DE7 20 D4
Baker St, Nottingham NG1 25 G6
Bakerdale Rd NG3 36 D1
Bakers Cl NG7 34 D1
Bakers Hollow NG12 59 A2
Bakewell Av NG4 27 G4
Bakewell Dr NG5 14 D4
Bakewell Rd NG10 49 H6
Bala Dr NG5 15 F4
Baldwin St, Newthorpe NG16 11 G2
Baldwin St, Nottingham NG7 35 E2
Balfour Rd, Nottingham NG7 35 E2
Balfour Rd, Stapleford NG9 41 H3
Balfron Gdns NG2 35 G5
Ball St NG3 26 B6
Ballentrae Cl NG5 17 E2
Ballerat Cres NG5 14 D3
Balmoral Av NG2 46 A1
Balmoral Cl NG10 41 F6
Balmoral Cres NG8 33 E2
Balmoral Dr NG9 32 D5
Balmoral Gro NG15 9 F1
Balmoral Rd, Bingham NG13 58 A3
Balmoral Rd, Colwick NG4 37 H1
Balmoral Rd, Ilkeston DE7 30 B2
Balmoral Rd, Nottingham NG1 35 G1
Bamkin Cl NG15 9 F3
Bampton Ct NG2 47 F2
Banbury Av NG9 42 A6
Bancroft St NG6 14 B4
Banes Rd NG13 58 F2
Bank Pl NG1 5 E4
Bank St, Langley Mill NG16 6 A5
Bank St, Long Eaton NG10 50 A4
Bank Yd NG6 14 B4
Bankfield Dr, Ilkeston DE7 30 A1
Bankfield Dr, Nottingham NG9 33 E6
Banks Cl NG5 16 D5
Banks Cres NG13 58 D3
Banks Paddocks NG13 58 D3
Banks Rd NG9 50 A1
Bankwood Cl NG8 23 H4
Bannerman Rd NG6 14 B5
Bar La NG6 24 B3
Barbara Sq NG15 19 E3
Barber Cl DE7 20 C2
Barber St NG16 11 E1
Barbrook Cl NG8 34 A2
Barbury Dr NG11 52 C4
Barclay Ct DE7 20 B2
Barden Rd NG3 16 C6
Bardfield Gdns NG5 14 C1
Bardney Dr NG6 13 H3
Bardsey Gdns NG5 15 F4
Barent Cl NG5 15 E5
Barker Av East NG10 41 E3
Barker Av North NG10 41 E3
Barker Gate, Hucknall NG15 8 D1
Barker Gate, Ilkeston DE7 20 D3
Barker Gate, Nottingham NG1 5 F4
Barkers La NG9 43 G6
Barkla Cl NG11 52 B3
Barley Cft NG2 45 H5
Barleydale Dr NG9 31 H5
Barleylands NG11 53 H6
Barling Dr DE7 20 A3
Barlock Rd NG6 24 D1
Barlow Dr North NG16 11 F6
Barlow Dr South NG16 21 F1
Barn Cl NG12 59 A2
Barnby Walk NG5 15 H6
Barncroft NG9 42 C4
Barndale Cl NG2 45 H6
Barnes Rd NG5 14 D3
Barnet Rd NG3 26 D6
Barnett Ct NG12 56 B5
Barnfield NG11 45 F5
Barnsley Ter NG2 35 H6
Barnston Rd NG2 36 C2
Barnum Cl NG8 33 F2
Barra Mews NG2 35 G5
Barrack La NG7 35 E3
Barratt Cl NG9 51 E2
Barratt Cres NG9 51 E1
Barratt La NG9 51 E2
Barrhead Cl NG5 14 D2
Barrington Cl NG12 38 D5
Barrique Rd NG7 34 D6
Barrow Slade NG12 56 A6
Barry St NG6 14 A3
Barrydale Av NG9 43 G4
Bartlow Rd NG8 23 E6
Barton Cl NG11 53 G5
Barton La, Attenborough NG9 50 D2
Barton La, Barton in Fabis NG11 51 H6
Barton La, Clifton NG11 52 B3
Barton Rd NG10 50 B5
Barton St NG9 43 H4
Barton Way NG9 43 F5
Bartons Cl NG16 11 G1
Barwell Dr NG8 23 E4
Basa Cres NG5 15 E3
Basford Rd NG6 24 C4
Baskin La NG9 43 E6
Baslow Av NG4 27 G4
Baslow Cl NG10 49 E6
Baslow Dr NG9 33 H6
Bassett Cl, Ilkeston DE7 20 A2
Bassett Cl, Nottingham NG16 12 A3
Bassett Rd NG16 12 A3
Bassingfield La NG12 47 F3
Bastion St NG7 34 D2
Bateman Gdns NG7 25 E6
Bath St, Ilkeston DE7 20 D4
Bath St, Nottingham NG1 5 F2
Bathley St NG2 35 H6
Baths La NG15 9 F2
Bathurst Dr NG8 24 A6
Baulk La NG9 42 B1
Bawtry Walk NG3 36 C1
Bayard Ct NG8 34 B2
Bayliss Rd NG4 27 F2
Bayswater Rd NG16 12 B4
Baythorn Rd NG8 33 E1

Beacon Hill Dr NG15 8 A4
Beacon Hill Rise NG3 5 G2
Beacon Rd NG9 44 A3
Beaconsfield St, Long Eaton NG10 50 A4
Beaconsfield St, Nottingham NG7 25 E5
Bean Cl NG6 13 G6
Beardall St NG15 9 E2
Beardsley Gdns NG2 35 G5
Beardsmore Gro NG15 19 E2
Beastmarket Hill NG1 4 D3
Beatty Walk DE7 20 D2
Beauclerk Dr NG5 14 D3
Beaufort Ct NG2 53 H1
Beaufort Dr NG9 42 D4
Beaulieu Gdns NG2 45 G4
Beaumaris Dr, Beeston NG9 42 D5
Beaumaris Dr, Gedling NG4 28 B4
Beaumont Cl, Keyworth NG12 56 A4
Beaumont Cl, Stapleford NG9 32 A6
Beaumont Gdns NG2 45 H5
Beaumont St NG2 5 H4
Beauvale NG16 7 G6
Beauvale Cres NG15 8 B2
Beauvale Ct NG15 8 C3
Beauvale Dr DE7 10 C6
Beauvale Rd, Hucknall NG15 8 B2
Beauvale Rd, Nottingham NG2 35 H6
Beauvale Rise NG16 7 E6
Beck St, Carlton NG4 27 G5
Beck St, Nottingham NG1 5 F2
Beckenham Rd NG7 34 D1
Beckett Ct NG4 27 F2
Beckford Rd NG2 36 C4
Beckhampton Rd NG5 15 G2
Beckley Rd NG8 23 G3
Beckside NG2 47 E5
Bedale Ct NG9 42 C5
Bedale Rd NG5 15 H6
Bedarra Gro NG7 34 D3
Bede Cl NG5 15 E2
Bede Ling NG2 45 G3
Bedford Ct NG9 32 A6
Bedford Gro NG6 14 C6
Bedford Row NG1 5 G3
Bedlington Gdns NG3 26 B3
Beech Av, Beeston NG9 44 A4
Beech Av, Bingham NG13 58 F3
Beech Av, Derby DE72 48 D3
Beech Av, Hucknall NG15 8 D2
Beech Av, Keyworth NG12 56 C5
Beech Av, Long Eaton NG10 50 A3
Beech Av, Mapperley NG3 26 C1
Beech Av, Netherfield NG4 37 H1
Beech Av, New Basford NG7 25 E5
Beech Av, Nuthall NG16 12 C5
Beech Av, Sandiacre NG10 41 F2
Beech Cl, Edwalton NG12 46 D6
Beech Cl, Nottingham NG6 24 B1
Beech Cl, Radcliffe NG12 39 E5
Beecham Av NG3 36 C1
Beechdale Rd NG8 23 G4
Beechwood Rd NG5 16 D3
Beeston Ct NG6 14 C4
Beeston Fields Dr NG9 42 D1
Beeston La NG7 34 A6
Beeston Rd NG7 34 C6
Beetham Cl NG13 58 D3
Beggarlee Pk NG16 7 F4
Belconnen Rd NG5 15 E6
Belfield St DE7 20 D3
Belford Cl NG6 13 G3
Belfry Way NG12 47 E5
Belgrave Mews NG2 53 H1
Belgrave Rd NG6 14 A4
Belgrave Sq NG1 4 C2
Bell Isle Rd NG15 9 E2
Bell La NG11 45 F3
Bell St NG4 27 F5
Bell Ter NG6 24 D1
Bellar Gate NG1 5 G4
Belleville Dr NG5 15 F3
Bellevue Ct NG3 36 A1
Bellfield Gdns NG10 50 A4
Bellmore Gdns NG8 33 E2
Bells La NG8 23 H3
Belmont Av, Derby DE72 48 C3
Belmont Av, Nottingham NG6 14 B4
Belmont Cl, Beeston NG9 42 D5
Belmont Cl, Hucknall NG15 9 E4
Belper Av NG4 27 F4
Belper Cres NG4 27 G4
Belper Rd NG7 25 E6
Belper St DE7 20 D6
Belsay Rd NG5 15 F4
Belsford Ct NG16 12 B3
Belton Cl NG10 41 F5
Belton Dr NG2 45 G5
Belton St NG7 25 E5
Belvedere Av NG7 25 E5
Belvedere Cl NG12 56 A4
Belvoir Cl Derby DE72 48 B4
Belvoir Cl, Ilkeston DE7 30 B1
Belvoir Cl, Nottingham NG10 49 H6
Belvoir Hill NG2 36 B3
Belvoir Rd, Netherfield NG4 28 A6
Belvoir Rd, West Bridgford NG2 36 C6
Belvoir St, Hucknall NG15 8 D1
Belvoir St, Nottingham NG3 26 B3
Belward St NG1 5 F3
Belwood Cl NG11 53 E1
Bembridge Ct NG9 42 C1
Bembridge Dr, Nottingham NG5 15 G4
Bembridge Dr, Nottingham NG5 15 G5
Ben Mayo Ct*, Leroy Wallace Av NG7 35 E2
Ben St NG7 34 D1
Bendigo La NG2 36 D4
Benedict Ct NG5 15 F1
Benner Av DE7 31 E2
Bennerley Av DE7 20 D1
Bennerly Rd NG6 13 H3
Bennett Rd NG3 26 C2
Bennett St, Long Eaton NG10 41 G6
Bennett St, Nottingham NG3 26 B2
Bennett St, Sandiacre NG10 41 F4
Benneworth Cl NG15 8 D4
Bennington Dr NG8 32 D4
Bentinck Av NG12 55 F3
Bentinck Ct NG2 5 H4
Bentinck Rd NG4 27 E3
Bentinck St NG15 19 F3
Bentley Av NG3 36 D1
Bentwell Av NG5 16 C4
Bentwick Rd NG7 35 E1
Beresford Dr DE7 10 C6
Beresford Rd NG10 49 E6
Beresford St NG7 35 E2
Berkeley Av, Long Eaton NG10 49 F6
Berkeley Av, Nottingham NG3 25 G5
Bernard Av NG15 19 G3
Bernard St NG5 25 G4
Bernard Ter NG5 25 G4
Bernisdale Cl NG5 15 E1
Berridge Rd NG7 25 E5
Berridge Rd West NG7 24 D6
Berriedale Cl NG5 17 E2
Berryhill Gro NG4 27 H3
Berwick Cl NG5 15 G5
Berwin Cl NG10 49 E2
Beryldene Av NG16 12 C4
Besecar Av NG4 27 G3
Bessell La NG9 41 G4
Bestwick Cl DE7 31 E3
Bestwood Av NG5 16 B3
Bestwood Bsns Pk NG6 9 H5
Bestwood Cl NG5 16 B3
Bestwood Lodge Dr NG5 15 H2
Bestwood Park Dr NG5 15 F2
Bestwood Park Vw NG5 16 B2
Bestwood Pk Dr West NG5 14 C2
Bestwood Rd, Hucknall NG15 9 F3
Bestwood Rd, Nottingham NG6 14 B3
Bestwood Ter NG6 14 C3
Bethel Gdns NG15 8 A3
Bethnal Walk NG6 14 A4
Betony Cl NG13 58 B3
Betula Cl NG11 52 B2
Beverley Cl NG8 32 D3
Beverley Dr NG16 12 A4
Beverley Gdns NG4 27 H4
Bewcastle Rd NG5 15 F1
Bewick Dr NG3 37 F2
Bexleigh Gdns NG8 23 H5
Bexwell Cl NG11 52 D3
Biant Cl NG8 24 A2
Bidford Rd NG8 23 H4
Biggart Cl NG9 50 D1
Bilbie Walk NG1 4 C2
Bilborough Rd NG8 32 D2
Billesdon Dr NG5 25 E1
Bingham By-Pass NG13 58 A3
Bingham Rd, Bingham NG12 59 B1
Bingham Rd, Nottingham NG5 25 H3
Bingley Cl NG8 34 A1
Birch Av, Beeston NG9 44 A5
Birch Av, Carlton NG4 27 F6
Birch Av, Ilkeston DE7 21 E6
Birch Av, Nuthall NG16 12 C5
Birch Cl NG16 12 C5
Birch Lea NG5 16 A3
Birchdale Av NG15 9 E4
Birchfield Rd NG5 16 C2
Birchover Pl DE7 10 C6
Birchover Rd NG8 32 D2
Birchwood Av, Breaston DE72 49 E4
Birchwood Av, Long Eaton NG10 49 G6
Birchwood Rd NG8 32 D3
Birdcroft La DE7 30 D2
Birdsall Av NG8 33 F3
Birkdale Cl, Ilkeston DE7 20 B4
Birkdale Cl, Nottingham NG12 54 D1
Birkdale Way NG5 15 E3
Birkin Av, Beeston NG9 50 B2
Birkin Av, Nottingham NG7 25 E6
Birkin Av, Radcliffe NG12 39 F3
Birkin Av, Ruddington NG11 53 H3
Birkland Av, Mapperley NG3 26 C1
Birkland Av, Nottingham NG1 35 G1
Birley St NG9 41 H4
Birling Cl NG6 13 G3
Birrell Rd NG7 25 F5
Bisham Dr NG2 47 E2
Bishop St NG16 10 D1
Bishopdale Dr NG16 12 D4
Bishops Cl NG12 56 A4
Bishops Rd NG13 58 C2
Bishops Way NG15 19 G3
Bishopsdale Cl NG10 49 E6
Bispham Dr NG9 50 A1
Black Hills Dr DE7 30 D1
Black Swan Cl NG5 26 A1
Blackburn Pl DE7 20 C2
Blackfriars Cl NG16 23 F3
Blackhill Dr NG4 27 H5
Blackrod Cl NG9 50 B1
Blacksmith Ct NG12 59 A1
Blackstone Walk NG2 35 H5
Blackthorn Cl NG13 58 F3
Blackthorn Dr NG6 24 A1
Blackthorne Dr NG16 10 C1
Bladon Cl NG3 26 A3
Bladon Rd NG11 53 G5
Blair Ct NG2 35 G6
Blair Gro NG10 41 E5
Blaise Cl NG11 52 D3
Blake Cl NG5 16 C4
Blake Ct NG10 49 F6
Blake Rd, Stapleford NG9 42 A3
Blake Rd, West Bridgford NG2 46 C2
Blake St DE7 20 D4
Blakeney Rd NG12 39 G4
Blakeney Walk NG5 16 C5
Blandford Av NG10 49 F6
Blandford Rd NG9 42 D4
Blanford Gdns NG2 45 H4
Blankney St NG6 24 D1
Blantyre Av NG5 14 D2
Bleaberry Cl NG2 47 E5
Bleachers Yd NG7 24 D4
Bleasby St NG2 36 C3
Bleasdale Cl NG4 28 A3
Blencathra Cl NG2 47 E4
Blenheim Av NG3 27 E3
Blenheim Cl NG11 53 G4
Blenheim Ct NG10 41 F5
Blenheim Dr NG9 42 D5
Blenheim Ind Est NG6 13 G2
Blenheim La NG6 13 F1
Blidworth Cl NG8 23 F3
Blind La DE72 48 B4
Bloomsbury Ct NG1 5 F2
Bloomsbury Dr NG16 23 F2
Bloomsgrove Rd DE7 20 D3
Bloomsgrove St NG7 35 E2
Blue Bell Hill Rd NG3 36 B1
Bluebell Bank NG13 58 C3
Bluebell Cl NG15 8 A3
Bluebell Way DE75 10 A2
Bluecoat Cl NG1 4 D1
Bluecoat St NG1 4 D1
Blundell Cl NG3 26 B5
Blyth Gdns NG3 26 B3
Blyth St NG3 26 B4
Blyton Walk NG5 15 F4
Boatmans Cl DE7 20 D3
Boatswain Dr NG15 19 G3
Bobbers Mill Bri NG8 24 C6
Bobbers Mill Rd NG7 24 D6
Boden Dr NG16 13 E5
Boden St NG7 35 E2
Bodmin Av NG15 8 A3
Bodmin Dr NG8 24 B3
Bohem Rd NG10 41 F6
Bold Cl NG6 14 A3
Bolero Cl NG8 33 F2
Boleyn Ct NG7 4 A1
Bolingey Way NG15 8 A3
Bolsover Gdns NG5 25 F4
Bolsover Gdns East NG5 25 F4
Bolsover Gdns West NG5 25 F4
Bolsover St NG15 9 F2
Bolton Av NG9 42 D5
Bolton Cl NG2 46 D3
Bolton Ter NG12 39 F4
Bond St, Arnold NG5 16 B3
Bond St, Nottingham NG2 5 H3
Bonetti Cl NG5 17 E6
Boniface Gdns NG5 15 F1
Bonington Dr NG5 16 C3
Bonners Rd NG16 21 F1
Bonnington Cl NG6 13 H5
Bonnington Cres NG5 15 H6
Bonnington Rd NG3 26 C1
Bonny Mead NG12 59 A3
Bonsall Pl DE7 20 C4
Bonsall St NG10 50 A3
Bonser Cl NG4 27 G6
Bonvill St North NG7 35 E1
Bonvill St South NG7 35 E1
Booth Cl NG3 5 F1
Borlace Cres NG9 42 A4
Borman Cl NG6 13 G6
Borrowdale Cl NG2 47 F3
Borrowdale Dr NG10 49 E5
Boscawen Ct DE7 20 D1
Bosden Cl NG8 33 E1
Bosley Sq NG9 43 H1
Bostocks La NG10 40 D5
Boston St NG1 5 G3
Bosworth Dr NG16 7 F5
Bosworth Walk NG2 35 G6
Bosworth Way NG10 49 H6
Botany Av NG3 26 B5
Botany Dr DE7 10 D6
Bothe Cl NG10 49 G5
Bottle La NG1 5 E4
Boulevard Ind Pk NG9 44 A3
Boundary Cres NG9 33 G6
Boundary La NG16 6 A6
Boundary Rd, Beeston NG9 33 G6
Boundary Rd, West Bridgford NG2 46 B6
Bourne Cl NG9 33 E6
Bourne Mews NG4 38 A1
Bourne Sq DE72 48 C4
Bourne St NG4 38 A1
Bournmoor Av NG11 52 D2
Bowden Cl NG5 25
Bowden Dr NG9 44
Bowers Av NG3 25
Bowes Well Rd DE7 20
Bowland Cl NG3 26
Bowland Rd NG13 58
Bowling Cl DE7 40
Bowlwell Av NG5 15
Bowness Av NG6 24
Bowness Cl NG2 47
Bowscale Cl NG2 47
Boxley Dr NG2 45
Boyce Gdns NG3 26
Boycroft Av NG3 26
Boynton Dr NG3 26
Bracadale Rd NG5 15
Bracebridge Dr NG8 23
Bracey Rise NG2 46
Bracken Cl, Carlton NG4 27
Bracken Cl, Long Eaton NG10 49
Bracken Cl, Nottingham NG8 23
Bracken Rd NG10 49
Brackendale Av NG5 16
Brackenfield Dr NG16 11
Bracknell Cres NG8 24
Bracton Dr NG3 36
Bradbourne Av NG11 45
Bradbury St NG2 36
Braddock Cl NG7 34
Braddon Av NG9 32
Bradfield Rd NG8 23
Bradgate Cl NG10 41
Bradgate Rd NG7 25
Bradley St NG10 41
Bradley Walk NG11 53
Bradleys Yd NG12 55
Bradman Gdns NG5 16
Bradmore Av NG11 53
Bradmore La NG12 55
Bradmore Rise NG5 25 C
Bradshaw St NG10 57 D
Bradwell Dr NG5 15
Braefell Cl NG2 47
Braefield Cl DE7 30 A
Braemar Av NG16 10 D
Braemar Dr NG4 28 E
Braemar Rd NG6 14 E
Brailsford Rd NG7 34 D
Brailsford Way NG9 50 D
Bramber Gro NG11 52 D
Bramble Cl, Beeston NG9 51 F
Bramble Cl, Long Eaton NG10 49 E
Bramble Cl, Nottingham NG6 24 C
Bramble Dr NG3 26 D
Bramble Gdns NG8 24 A
Brambleway NG12 59 C
Bramcote Av NG9 43 E
Bramcote Dr, Beeston NG9 43 F
Bramcote Dr, Nottingham NG8 33 F
Bramcote Dr West NG9 43 F
Bramcote La, Beeston NG9 43 E
Bramcote La, Nottingham NG8 33 E
Bramcote Rd NG9 43 F
Bramcote St NG7 34 D
Bramcote Walk NG7 34 D
Bramerton Rd NG8 33 E
Bramhall Rd NG8 32 D
Bramley Rd NG8 23 F4
Brampton Dr NG9 42 A4
Brancaster Cl NG6 24 B1
Brand St NG2 36 B5
Brandish Cres NG11 52 C2
Brandreth Av NG3 26 B5
Brandreth Dr NG16 11 E3
Branklene Cl NG16 12 A4
Branksome Walk*, Strome Cl NG2 35 G5
Bransdale Cl NG10 49 F6
Bransdale Rd NG11 52 C2
Branston Gdns NG2 46 A6
Branston Walk NG5 25 H1
Brantford Av NG11 53 E2
Brassington Cl NG16 11 F4
Braunton Cl NG15 8 B3
Brayton Cres NG6 14 C6
Breadsall Ct DE7 20 D2
Breaston La DE72 40 B6
Brechin Cl NG5 17 E2
Breckhill Rd NG3,NG5 16 B6
Brecknock Dr NG10 49 E4
Breckswood Dr NG11 52 D4
Brecon Cl NG8 23 H1

Bredon Cl NG10 49 E3
Breedon St NG10 41 F6
Brendon Dr, Kimberley NG16 12 A4
Brendon Dr, Nottingham NG8 34 A2
Brendon Gdns NG8 33 H2
Brendon Gro NG13 58 B2
Brendon Rd NG8 33 H2
Brendon Way NG10 49 E2
Brentcliffe Av NG3 26 D6
Brentnall Cl NG10 49 E4
Bressingham Dr NG2 45 H6
Brett Cl NG15 8 C4
Brewery St NG16 12 B4
Brewhouse Yd NG1 4 C5
Brewsters Cl NG13 58 C2
Brewsters Rd NG3 26 B5
Briar Av NG10 49 E1
Briar Cl, Beeston NG9 33 F6
Briar Cl, Hucknall NG15 8 B4
Briar Cl, Keyworth NG12 56 B4
Briar Ct NG2 35 G6
Briar Gate, Cotgrave NG12 59 C3
Briar Gate, Long Eaton NG10 49 E1
Briar Rd NG16 11 E3
Briarbank Av NG3 26 D5
Briarbank Walk NG3 26 D6
Briarwood Av NG3 26 C6
Brickyard Dr NG15 9 G3
Brickyard La NG12 39 G4
Bridge Av NG9 43 F4
Bridge Ct, Bulwell NG6 14 C1
Bridge Ct, Hucknall NG15 9 E3
Bridge Farm La NG11 52 D2
Bridge Fld DE72 48 A4
Bridge Gro NG2 46 B1
Bridge Rd NG8 33 F2
Bridge St, Ilkeston DE7 10 D6
Bridge St, Langley Mill NG16 6 A6
Bridge St, Long Eaton NG10 49 H2
Bridge St, Sandiacre NG10 41 F4
Bridgend Cl NG9 41 G4
Bridgford Rd NG2 46 B1
Bridgnorth Dr NG11 52 D1
Bridgnorth Way NG9 42 A6
Bridle Rd, Beeston NG9 42 D1
Bridle Rd, Burton Joyce NG14 18 D5
Bridlesmith Gate NG1 5 E4
Bridlington St NG7 24 D6
Bridport Av NG8 34 C2
Brielen Ct NG12 39 F4
Brielen Rd NG12 39 F4
Brierfield Av NG11 45 G5
Brierley Grn NG4 28 A6
Brierley St NG2 35 G5
Bright St, Ilkeston DE7 20 C1
Bright St, Nottingham NG7 34 D2
Brightmoor St NG1 5 F3
Brindley Rd NG8 32 D2
Brinkhill Cres NG11 44 D6
Brinsley Cl NG8 23 H4
Brisbane Dr, Nottingham NG5 14 D3
Brisbane Dr, Stapleford NG9 32 A6
Bristol Rd DE7 20 C4
Britannia Av NG6 14 D6
Britannia Cl NG16 12 C3
Britannia Rd NG10 49 H2
Britten Gdns NG3 36 C1
Brixham Rd NG15 8 B4
Brixton Rd NG7 34 D2
Broad Eadow Rd NG6 13 G4
Broad La NG16 6 C1
Broad Oak Cl NG3 26 A6
Broad Oak Dr NG9 41 G3
Broad St, Long Eaton NG10 49 H4
Broad St, Nottingham NG1 5 F3
Broad Walk NG6 24 B2
Broadgate NG9 43 H2
Broadgate Av NG9 43 H2
Broadholme St NG7 35 E4
Broadhurst Av NG6 24 C3
Broadlands NG10 41 F6
Broadleigh Cl NG2 45 G6
Broadmarsh NG1 5 E5
Broadmead NG14 19 F6
Broadmeer NG12 59 A2
Broadstairs Rd NG9 50 B1
Broadstone Cl NG2 45 G4
Broadway, Ilkeston DE7 20 C2
Broadway, Nottingham NG1 5 F4
Broadway East NG4 37 F1
Broadwood Rd NG5 15 G3
Brockdale Gdns NG12 56 B4
Brockenhurst Gdns NG3 36 C1
Brockhole Cl NG2 47 F4
Brockley Rd NG2 46 D2
Brockwood Cres NG12 56 B4
Bromfield Cl NG3 27 E6
Bromley Cl NG6 14 A5
Bromley Pl NG1 4 C4
Bromley Rd NG2 46 B3
Brompton Cl NG5 15 F1
Brompton Way NG2 53 H1
Bronte Cl NG10 49 E5
Brook Av NG5 16 D3
Brook Cl, Bulwell NG6 14 A5
Brook Cl, Long Eaton NG10 50 A6
Brook Cl, Newthorpe NG16 11 F2
Brook Gdns NG5 16 D3
Brook Rd NG9 43 G1
Brook St, Hucknall NG15 8 D1
Brook St, Nottingham NG1 5 F2
Brook Vale Rd NG16 10 A1
Brook View Ct NG12 56 A6
Brook View Dr NG12 56 A6
Brookdale Ct NG5 16 A5
Brooke St, Ilkeston DE7 31 F1
Brooke St, Nottingham NG10 41 F4
Brookfield Av NG15 8 D4
Brookfield Cl NG12 39 F4
Brookfield Ct NG2 35 H5
Brookfield Gdns NG5 16 C4
Brookfield Rd NG5 16 C4
Brookfield Way DE75 10 A2
Brookhill Cres NG8 33 F4
Brookhill Dr NG8 33 F4
Brookhill Leys Rd NG16 10 C2
Brookhill St NG9 41 G4
Brookland Dr NG9 43 F4
Brooklands Cres NG4 28 A4
Brooklands Dr NG4 28 A4
Brooklands Rd NG3 26 D6
Brooklyn Cl NG6 14 C6
Brooklyn Rd NG6 14 C5
Brooksby La NG11 45 E6
Brookside, Eastwood NG16 6 D5
Brookside, Hucknall NG15 9 F3
Brookside Av NG8 33 E5
Brookside Cl NG10 49 F4
Brookside Gdns NG11 53 G3
Brookside Rd NG11 53 G3
Brookthorpe Way NG11 45 F5
Brookwood Cres NG4 27 F6
Broom Hill Rd NG16 12 C5
Broom Walk NG3 26 D5
Broomfield Cl NG10 41 E4
Broomhill Av DE7 31 E1
Broomhill Park Vw NG15 9 G4
Broomhill Rd, Hucknall NG15 9 E4
Broomhill Rd, Nottingham NG6 14 B5
Brora Rd NG6 14 C4
Broughton Cl DE7 20 C2
Broughton Dr NG8 34 B4
Broughton St NG9 43 G2
Brown St NG7 25 E6
Brownes Rd NG13 58 F2
Browning Cl NG5 16 A4
Brownlow Dr NG5 14 C2
Browns Cft NG6 24 C2
Browns Flat NG16 12 B4
Browns St NG10 50 A4
Broxtowe Av, Kimberley NG16 11 H4
Broxtowe Av, Nottingham NG8 24 B2
Broxtowe Dr NG15 19 F3
Broxtowe Hall Cl NG8 23 H3
Broxtowe La NG8 23 G4
Broxtowe Rise NG8 24 A1
Broxtowe St NG5 25 H3
Bruce Cl NG2 35 H5
Bruce Dr NG2 46 A2
Brunel Av NG16 7 E5
Brunswick Dr NG9 42 A4
Brushfield St NG7 24 D6
Brusty Pl NG14 19 E6
Brynsmoor Rd NG16 6 C1
Buckfast Way NG2 46 C3
Buckingham Av NG15 9 F1
Buckingham Rd, Sandiacre NG10 41 E6
Buckingham Rd, Woodthorpe NG5 16 A6
Buckingham Way NG16 12 D4
Bucklow Cl NG8 24 C4
Buckminster Rd DE7 30 B3
Budby Rise NG15 9 E1
Bulcote Dr NG14 28 D2
Bulcote Rd NG11 53 E1
Bull Close Rd NG7 44 D1
Bullace Rd NG3 26 B6
Buller St DE7 31 E1
Buller Ter NG5 25 H2
Bullfinch Rd NG6 24 C1
Bullins Cl NG5 15 H2
Bullivant St NG3 35 H1
Bulwell Bsns Centre NG6 13 H4
Bulwell High Rd NG6 14 B5
Bulwell La NG6 24 C1
Bulwer Rd NG7 35 E2
Bunbury St NG2 36 A6
Bunny La NG12 56 A6
Bunting Cl DE7 30 A1
Bunting St NG7 34 D6
Buntings La NG4 27 F6
Burford Rd NG7 25 E5
Burford St NG5 16 B3
Burgass Rd NG3 26 C6
Burge Cl NG2 35 H5
Burgh Hall Cl NG9 51 E1
Burhill NG12 59 C3
Burleigh Cl NG4 27 H6
Burleigh Rd NG2 46 C3
Burleigh Sq NG9 43 E5
Burleigh St*, Stamford St DE7 20 D4
Burlington Cl DE72 48 B3
Burlington Rd, Carlton NG4 27 H5
Burlington Rd, Nottingham NG5 25 G2
Burnaby St NG6 24 C1
Burnbank Cl NG2 47 F4
Burnbreck Gdns NG8 33 F3
Burndale Walk NG5 14 D3
Burnham Av NG9 43 G6
Burnham St NG5 25 H3
Burnham Way NG2 35 H4
Burns Av NG7 35 F1
Burns St, Ilkeston DE7 20 C5
Burns St, Nottingham NG7 35 F1
Burnside Dr NG9 33 E5
Burnside Grn NG8 33 E1
Burnside Gro NG12 55 F2
Burnside Rd, Nottingham NG8 33 E1
Burnside Rd, West Bridgford NG2 46 A4
Burnt Oak Cl NG16 23 F2
Burnwood Dr NG8 33 E2
Burr La DE7 20 D4
Burrows Av NG9 43 G1
Burrows Cres NG9 33 G6
Burrows Ct NG3 36 C2
Burtness Rd NG11 52 C2
Burton Av NG4 27 E5
Burton Cl NG4 28 A4
Burton Dr NG9 42 D5
Burton Rd NG4 27 G6
Burton St NG1 4 D2
Bush Cl NG5 15 E3
Bushy Cl NG10 49 E5
Bute Av NG7 35 E3
Butlers Cl NG15 9 G3
Butt Rd NG13 58 E2
Butt St NG10 41 F4
Butterfield Ct NG16 12 C4
Buttermead Cl NG9 31 H5
Buttermere Cl, Gamston NG2 47 F2
Buttermere Cl, Long Eaton NG10 49 E1
Buttermere Ct NG5 25 H3
Buttermere Dr NG9 43 E1
Butterton Cl DE7 21 E6
Buttery Gdns NG11 53 G5
Butts Cl DE7 31 E3
Buxton Av NG4 27 F5
Byard La NG1 5 E4
Bye-Pass Rd NG9 43 E6
Byfield Cl NG7 35 E1
Byford Cl NG3 26 A3
Byley Rd NG8 32 D2
Byrne Ct NG5 17 E6
Byron Av NG10 49 F1
Byron Cres NG16 11 G6
Byron Ct NG9 32 A6
Byron Gro NG5 25 H2
Byron Rd NG2 46 B2
Byron St, Daybrook NG5 15 H4
Byron St, Hucknall NG15 9 E3
Byron St, Ilkeston DE7 20 D4

Caddaw Av NG15 9 E3
Cadlan Cl NG5 15 F4
Cadlan Ct NG5 15 F4
Caernarvon Pl NG9 42 D5
Caincross Rd NG8 23 F6
Cairngorm Dr NG5 15 G1
Cairns Cl NG5 15 E6
Cairns St NG1 5 E1
Cairnsmore Cl NG10 49 E2
Cairo St NG7 25 E4
Caister Rd NG11 52 D3
Caldbeck Cl NG2 47 E2
Caldbeck Ct NG9 42 C5
Caldbeck Walk NG5 15 F4
Calder Walk NG6 14 A4
Calderdale NG8 32 D4
Calderdale Dr NG10 49 E5
Calderhall Gdns NG5 15 H3
Caldon Grn NG6 14 B1
Caledon Rd NG5 25 G2
Calladine Ct NG6 13 H5
Callaway Cl NG8 33 F2
Calstock Rd NG5 16 A6
Calveley Rd NG8 23 F5
Calver Cl NG8 34 B3
Calverton Av NG4 26 D4
Calverton Cl NG9 50 C1
Calverton Dr NG8 23 F3
Calverton Rd NG5 16 B2
Camberley Ct NG6 13 H3
Camberley Rd NG6 13 H3
Camborne Dr NG8 24 B3
Cambria Mews NG3 25 H6
Cambridge Cres NG9 31 H5
Cambridge Ct NG2 46 A1
Cambridge Gdns NG5 16 D6
Cambridge Rd, Nottingham NG8 33 H3
Cambridge Rd, West Bridgford NG2 46 C3
Cambridge St NG4 27 G4
Camdale Cl NG9 42 D4
Camden Cl NG2 5 H4
Camelia Av NG11 52 B2
Camelot Av NG5 25 F3
Camelot Cres NG11 53 G4
Camelot St NG11 53 G3
Cameo Cl NG4 37 H1
Cameron St NG5 25 G3
Camomile Cl NG5 14 D4
Camomile Gdns NG7 24 D6
Campbell Dr NG4 27 F5
Campbell Gdns NG5 17 E2
Campbell Gro NG3 5 G2
Campbell St, Langley Mill NG16 6 A5
Campbell St, Nottingham NG3 5 G2
Campden Grn NG11 52 D2
Campion St NG5 16 B2
Campion Way NG13 58 B3
Camrose Cl NG8 23 G5
Canal Side NG9 44 A6
Canal St, Ilkeston DE7 21 E4
Canal St, Long Eaton NG10 49 F2
Canal St, Nottingham NG1 4 D6
Canal St, Sandiacre NG10 41 F4
Canberra Cl NG9 32 A6
Canberra Cres NG2 46 A6
Canberra Gdns NG2 46 A6
Candle Mdw NG2 37 F3
Candleby Cl NG12 59 B2
Candleby Ct NG12 59 B1
Candleby La NG12 59 B1
Canning Circus NG7 4 A2
Cannock Way NG10 50 B4
Cannon St NG5 25 H2
Canon Cl DE7 10 D6
Canonbie Cl NG5 17 E2
Cantabury Av NG7 25 E5
Cantelupe Gdns NG16 11 G2
Cantelupe Rd DE7 20 D5
Canterbury Cl NG16 23 F1
Canterbury Rd NG8 34 C2
Cantley Av NG4 27 G3
Cantrell Rd NG6 14 B5
Canver Cl NG8 33 E1
Canwick Cl NG8 33 E2
Capenwray Gdns NG5 15 H3
Caporn Cl NG6 14 B6
Cardale Rd NG3 36 C1
Cardiff St NG3 36 B2
Cardinal Cl NG3 36 B1
Cardington Cl NG5 14 D2
Cardwell St NG7 25 E5
Carew Rd NG11 52 D1
Carey Rd NG6 14 B3
Carisbrooke Av, Beeston NG9 43 H1
Carisbrooke Av, Gedling NG4 28 B4
Carisbrooke Av, Nottingham NG3 25 H4
Carisbrooke Dr NG3 25 H4
Carlile Rd NG4 27 H5
Carlin Cl DE72 48 C3
Carlin St NG6 14 A4
Carlingford Rd NG15 9 E1
Carlisle Av NG6 14 B4
Carlton Hill NG4 26 D6
Carlton Mews NG4 27 E6
Carlton Rd, Long Eaton NG10 49 F6
Carlton Rd, Nottingham NG3 5 H3
Carlton St NG1 5 F3
Carlyle Rd NG2 46 A3
Carman Cl NG16 12 B3
Carmel Gdns NG5 16 B4
Carnarvon Cl NG13 58 C2
Carnarvon Gro, Carlton NG4 27 F5
Carnarvon Gro, Gedling NG4 27 H4
Carnarvon Pl NG13 58 B2
Carnarvon Rd NG2 46 C3
Carnarvon St NG4 38 A1
Carnforth Cl NG9 41 H4
Carnforth Ct*, Calderhall Gdns NG5 15 H3
Carnwood Rd NG5 15 F5
Caroline Ct DE7 31 E1
Carr Rd NG13 58 F2
Carradale Cl NG5 17 E3
Carrfield Av, Beeston NG9 50 B2
Carrfield Av, Long Eaton NG10 50 B3
Carrington Ct*, Watcombe Rd NG5 25 G4
Carrington St NG1 5 E5
Carroll Gdns NG2 35 G6
Cartbridge NG12 59 B2
Carter Av, Radcliffe NG12 39 G4
Carter Av, Ruddington NG11 53 H5
Carter Cl NG10 49 F5
Carter Rd NG9 50 B1
Carter Yd NG10 41 F3
Carterswood Dr NG16 23 G2
Carver St NG7 25 E5
Carwood Rd NG9 33 E6
Castellon Rise NG5 15 H3
Castle Blvd NG7 4 A6
Castle Bridge Rd NG7 35 E4
Castle Gate NG1 4 D5
Castle Gdns NG7 35 E4
Castle Gro NG7 4 C5
Castle Marina Pk NG7 35 F5
Castle Marina Rd NG7 35 F5
Castle Mdw Retail Pk NG7 35 F4
Castle Meadow Rd NG2 35 G4
Castle Pl NG1 4 C5
Castle Quay NG7 4 B6
Castle Rd NG1 4 C5
Castle Retail Pk NG7 34 D1
Castle St, Eastwood NG16 11 E2
Castle St, Nottingham NG2 36 B3
Castle Wharf NG2 4 D6
Castlefields NG2 35 G5
Castlerigg Cl NG2 47 F4
Castleton Av, Arnold NG5 16 B4
Castleton Av, Carlton NG4 27 G4

Castleton Av, Ilkeston DE7 10 C6
Castleton Cl, Hucknall NG15 8 B3
Castleton Cl, Nottingham NG2 35 G6
Castleton Ct NG6 13 G5
Castleview NG2 46 A3
Caterham Cl NG8 23 E6
Catfoot La NG4 17 F3
Catherine Av DE7 30 D1
Catherine Cl NG6 13 H4
Catherine St NG6 14 A3
Catkin Dr NG16 11 G3
Cator Cl NG4 27 F2
Cator La NG9 43 E3
Cator La North NG9 43 E3
Catriona Cres NG5 16 D1
Catterley Hill Rd NG3 36 D1
Cattle Market Rd NG2 36 A5
Catton Rd NG5 16 C3
Caulton St NG7 35 E1
Caunton Av NG3 26 A4
Causeway Mews NG2 35 G6
Cavan Ct NG2 35 G6
Cavell Cl NG11 52 C1
Cavell Ct NG7 34 C5
Cavendish Av, Carlton NG4 27 F3
Cavendish Av, Nottingham NG5 26 A2
Cavendish Cl NG15 9 F3
Cavendish Cres, Carlton NG4 27 E3
Cavendish Cres, Stapleford NG9 31 H5
Cavendish Cres North NG7 4 A3
Cavendish Cres South NG7 4 A5
Cavendish Dr NG4 27 G5
Cavendish Pl NG9 43 G3
Cavendish Rd, Carlton NG4 27 E3
Cavendish Rd, Ilkeston DE7 30 D1
Cavendish Rd, Long Eaton NG10 49 G2
Cavendish Rd East NG7 4 A4
Cavendish Rd West NG7 35 E3
Cavendish St, Arnold NG5 16 B3
Cavendish St, Nottingham NG7 34 D6
Cavendish Vale NG5 26 A2
Cawdron Walk NG11 52 D1
Cawston Gdns NG6 14 A3
Caxmere Dr NG8 33 H2
Caxton Cl NG4 28 A6
Caythorpe Cres NG5 25 H1
Caythorpe Rise NG5 25 G1
Cecil St NG7 35 E4
Cedar Av, Beeston NG9 43 H2
Cedar Av, Long Eaton NG10 49 G6
Cedar Av, Nuthall NG16 23 G1
Cedar Cl NG13 58 E3
Cedar Ct NG9 43 H2
Cedar Dr NG12 56 B6
Cedar Gro, Arnold NG5 16 D2
Cedar Gro, Hucknall NG15 9 F4
Cedar Gro, Nottingham NG8 33 G3
Cedar Pk DE7 20 C5
Cedar Rd, Beeston NG9 43 F4
Cedar Rd, Nottingham NG7 25 F5
Cedar Tree Rd NG5 15 G2
Cedarland Cres NG16 23 H1
Celandine Cl NG5 14 D4
Celandine Gdns NG13 58 B3
Celia Dr NG4 27 F6
Cemetery Rd NG9 42 A2
Cemetery Walk NG16 10 C2
Central Av, Arnold NG5 16 B4
Central Av, Beeston NG9 33 G6
Central Av, Chilwell NG9 43 F3
Central Av, Hucknall NG15 9 E3
Central Av, Mapperley NG3 26 D1
Central Av, New Basford NG7 25 F4
Central Av, Sandiacre NG10 41 F3
Central Av, Stapleford NG9 42 A1
Central Av, West Bridgford NG2 46 B1
Central Av South NG5 16 B4
Central Ct NG7 35 E6
Central St NG3 36 B1
Centre Way NG12 39 E3
Centurion Way NG2 45 F2
Century Ct NG1 25 G6
Cernan Ct NG6 13 G6
Cerne Cl NG11 52 D3
Chaceley Way NG11 45 F6
Chad Gdns NG5 15 E1
Chadwick Rd NG7 24 D6
Chalfield Cl NG11 52 C2
Chalfont Dr NG8 34 B1
Challons Way DE7 20 D4
Chalons Cl DE7 20 D4
Chamberlain Cl NG11 52 B2
Chambers Av DE7 21 F5
Champion Av DE7 20 A2
Chancery Ct NG11 45 F3
Chandos Av NG4 28 A5
Chandos St, Netherfield NG4 28 A6
Chandos St, Nottingham NG3 26 B6
Chantrey Cl NG9 43 E5
Chantrey Rd NG2 46 A2
Chantry Cl, Kimberley NG16 12 B6
Chantry Cl, Long Eaton NG10 57 B2
Chapel Bar NG1 4 C3
Chapel La, Arnold NG5 16 B3
Chapel La, Bingham NG13 58 C1
Chapel La, Cotgrave NG12 59 B1
Chapel La, Lambley NG4 18 B4
Chapel St, Beeston NG9 42 C1
Chapel St, Eastwood NG16 10 D2
Chapel St, Hucknall NG15 9 E2
Chapel St, Ilkeston DE7 20 D4
Chapel St, Kimberley NG16 12 B5
Chapel St, Long Eaton NG10 50 A4
Chapel St, Nottingham NG7 35 F2
Chapel St, Ruddington NG11 53 G5
Chapman Ct NG8 24 A6
Chapter Dr NG16 12 B6
Chard St NG7 25 E3
Charlbury Ct NG9 32 C3
Charlbury Rd NG8 33 H1
Charlcot Park Dr NG2 45 G5
Charlecote Dr NG8 33 E4
Charles Av, Beeston NG9 33 H6
Charles Av, Chilwell NG9 43 E6
Charles Av, Eastwood NG16 11 F1
Charles Av, Sandiacre NG10 41 F3
Charles Av, Stapleford NG9 42 B1
Charles Cl, Ilkeston DE7 31 F1
Charles Cl, Nottingham NG4 27 H3
Charles St, Arnold NG5 16 B4
Charles St, Hucknall NG15 9 E2
Charles St, Long Eaton NG10 49 H5
Charles St, Ruddington NG11 53 H5
Charles Way NG6 14 B6
Charlesworth Av NG7 24 D5
Charlock Cl NG5 14 D4
Charlock Gdns NG13 58 C3
Charlotte Cl NG5 16 B1
Charlotte Gro NG9 33 F6
Charlotte St DE7 20 C2
Charlton Av NG10 50 B3
Charlton Gro NG9 43 G5
Charnock Av NG8 34 C4
Charnwood Av, Beeston NG9 43 F3
Charnwood Av, Keyworth NG12 56 A5
Charnwood Av, Long Eaton NG10 57 C1
Charnwood Av, Sandiacre NG10 41 E5
Charnwood Gro, Bingham NG13 58 B2
Charnwood Gro, Hucknall NG15 8 B2
Charnwood Gro, West Bridgford NG2 46 A2
Charnwood La NG5 16 C5
Charter Pk DE7 20 C6
Chartwell Av NG11 53 G4
Chartwell Gro NG3 17 E6
Chase Pk Ind Est NG2 36 C4
Chats Worth Cl NG10 41 F5
Chatsworth Av, Beeston NG9 51 E1
Chatsworth Av, Carlton NG4 27 H5
Chatsworth Av, Long Eaton NG10 50 B5
Chatsworth Av, Nottingham NG7 25 E3
Chatsworth Av, Radcliffe NG12 39 G3
Chatsworth Cl NG15 9 E3
Chatsworth Dr NG15 9 E3
Chatsworth Pl DE7 30 A2
Chatsworth Rd NG2 46 D1
Chaucer St, Ilkeston DE7 20 D4
Chaucer St, Nottingham NG1 4 B2
Chaworth Av NG16 12 B2
Chaworth Rd, Bingham NG13 58 C3
Chaworth Rd, Colwick NG4 37 H1
Chaworth Rd, West Bridgford NG2 46 A3
Cheadle Cl, Bilborough NG8 23 E5
Cheadle Cl, Mapperley NG3 26 D3
Cheapside NG1 5 E3
Cheddar Rd NG11 52 D4
Chedington Av NG3 17 F5
Chediston Vale NG5 15 G3
Chedworth Cl NG3 36 B2
Chelmsford Rd NG7 25 E3
Chelsbury Ct NG5 16 B4
Chelsea Cl NG16 23 F1
Chelsea St NG7 25 E4
Cheltenham Cl NG9 50 A2
Cheltenham St NG6 24 D1
Chennel Nook NG12 59 B2
Chepstow Rd NG11 52 D3
Cherhill Cl NG11 52 C4
Cheriton Dr DE7 20 A2
Cherry Av NG15 9 E4
Cherry Cl, Derby DE72 48 C3
Cherry Cl, Nottingham NG5 16 B2
Cherry Hill NG12 56 B5
Cherry Orchard NG12 59 A2
Cherry Orchard Mt NG5 15 G4
Cherry St NG13 58 E2
Cherry Tree Cl, Radcliffe NG12 39 F5
Cherry Tree Cl, Sandiacre NG10 40 D5
Cherry Tree La NG12 46 D6
Cherry Wood Dr NG8 24 B6
Cherrytree Cl DE7 30 B1
Cherrywood Gdns NG3 26 C5
Chertsey Cl NG3 26 B4
Cherwell Ct NG6 13 G5
Chesham Dr, Beeston NG9 32 D4
Chesham Dr, Nottingham NG5 25 G3
Cheshire Ct NG2 45 H4
Chesil Av NG8 34 C2
Cheslyn Dr NG8 24 B5
Chester Rd, Nottingham NG3 37 E2
Chester Rd, Porchester NG3 26 C2
Chesterfield Av, Bingham NG13 58 C2
Chesterfield Av, Gedling NG4 27 F2
Chesterfield Av, Long Eaton NG10 50 A4
Chesterfield Ct NG4 27 F2
Chesterfield Dr NG14 19 F6
Chesterfield St NG4 27 G6
Chesterman Cl NG16 21 F1
Chestnut Av, Bingham NG13 58 C2
Chestnut Av, Nottingham NG3 27 E3
Chestnut Dr NG16 12 C4
Chestnut Gro, Arnold NG5 16 D2
Chestnut Gro, Burton Joyce NG14 29 F1
Chestnut Gro, Gedling NG4 27 H4
Chestnut Gro, Hucknall NG15 9 F4
Chestnut Gro, Nottingham NG3 25 G6
Chestnut Gro, Radcliffe NG12 39 F3
Chestnut Gro, Sandiacre NG10 41 E2
Chestnut Gro, West Bridgford NG2 46 A2
Chettles Ind Est NG7 34 C2
Chetwin Rd NG8 33 E2
Chetwynd Rd NG9 42 C6
Chevin Gdns NG5 15 F2
Cheviot Cl NG5 15 F1
Cheviot Ct NG9 43 E6
Cheviot Dr NG6 13 G3
Cheviot Rd NG10 49 E2
Chewton Av NG16 11 E2
Chewton St NG16 10 D2
Cheyne Walk NG15 9 E1
Cheyny Cl NG2 35 G6
Chichester Cl, Ilkeston DE7 21 E5
Chichester Cl, Nottingham NG5 14 D4
Chichester Dr NG12 59 A1
Chidlow Rd NG8 23 E6
Chigwell Cl NG16 23 F2
Chillon Way NG15 8 B3
Chiltern Cl NG5 15 G1
Chiltern Gdns NG10 49 E2
Chiltern Way NG5 15 G4
Chilton Dr NG16 12 B4
Chilvers Cl NG5 15 F4
Chilwell Ct NG6 14 C4
Chilwell La NG9 42 D2
Chilwell Rd NG9 43 G4
Chilwell Retail Pk NG9 50 D2
Chilwell St NG7 35 E4
Chine Gdns NG2 45 H4
Chingford Rd NG8 23 F5
Chippendale St NG7 35 E4
Chippenham Rd NG5 15 G5
Chisbury Grn NG11 52 C4
Chisholm Way NG5 15 F5
Christchurch Rd NG15 8 B4
Christina Av NG6 24 B1
Christina Cres NG6 24 B1
Christine Cl NG15 19 H2
Christopher Cl NG8 33 G1
Chrysalis Way NG16 6 B5
Church Av, Daybrook NG5 16 B4
Church Av, Nottingham NG7 34 D4
Church Av, Sawley NG10 57 B2
Church Cft NG2 46 B2
Church Cl, Bingham NG13 58 E2
Church Cl, Daybrook NG5 16 A4
Church Cl, Nottingham NG3 35 H1
Church Cl, Trowell NG9 31 G3
Church Cres, Beeston NG9 42 B6
Church Cres, Daybrook NG5 16 A4
Church Dr, Daybrook NG5 16 A4
Church Dr, Hucknall NG15 9 E1
Church Dr, Ilkeston DE7 10 B6
Church Dr, Keyworth NG12 56 B5
Church Dr, Nottingham NG5 25 G4
Church Dr, Sandiacre NG10 41 F2
Church Dr, West Bridgford NG2 46 B2
Church Dr East NG5 16 A4
Church Gro NG7 34 D4
Church Hill, Kimberley NG16 12
Church Hill, Plumtree NG12 55
Church La, Arnold NG5 16
Church La, Attenborough NG9 51
Church La, Bingham NG13 58
Church La, Brinsley NG16 6
Church La, Bulwell NG6 14
Church La, Cossall NG16 21
Church La, Cotgrave NG12 59
Church La, Linby NG15 19
Church La, Plumtree NG12 55
Church La, Stapleford NG9 41
Church Mews NG2 35
Church Rd, Bestwood Village NG6 9
Church Rd, Burton Joyce NG14 19
Church Rd, Moorgreen NG16 7
Church St, Arnold NG5 16
Church St, Beeston NG9 43
Church St, Bingham NG13 58
Church St, Browncote NG9 42
Church St, Carlton NG4 27 C
Church St, Eastwood NG16 10 D
Church St, Ilkeston DE7 20 E
Church St, Lambley NG4 18 C
Church St, Lenton NG7 34 D
Church St, Old Basford NG6 24 D
Church St, Radcliffe NG12 39 E
Church St, Ruddington NG11 53 H
Church St, Sandiacre NG10 41 F
Church St, Shelford NG12 29 H
Church St, Stapleford NG9 41 H
Church View Cl NG5 15 F
Church Vw, Derby DE72 48 C
Church Vw, Ilkeston DE7 20 C
Church Vw, Nottingham NG4 27 H
Church Walk, Brinsley NG16 6 C
Church Walk, Stapleford NG9 41 H
Church Way DE7 20 C
Churchdale Av NG9 32 A
Churchfield Ct*, Lockwood Cl NG5 15 F
Churchfield La NG7 24 D
Churchfield Way NG5 15 F
Churchill Cl, Derby DE72 48 B
Churchill Cl, Nottingham NG5 16 C4
Churchill Dr, Ruddington NG11 53 G5
Churchill Dr, Stapleford NG9 42 A1
Churchill Pk NG4 37 H2
Churchmoor La NG5 16 B2
Churchside Gdns NG7 24 D5
Churnet Cl NG11 44 D5
Cinderhill Gro NG4 27 G2
Cinderhill Rd NG6 14 A6
Cinderhill Walk NG6 14 A5
Citadel St NG7 34 D2
City Link NG2 5 G5
City Rd, Beeston NG9 43 H2
City Rd, Nottingham NG7 34 C6
City Vw NG3 26 C3
Clandon Dr NG5 25 G3
Clanfield Rd NG8 23 G6
Clapham St NG7 34 D2
Clarborough Dr NG5 16 C5

Clare Cl NG6 24 D1
Clare St NG1 5 E2
Clare Valley NG7 4 B4
Clarehaven NG9 42 A4
Claremont Av,
Beeston NG9 42 D1
Claremont Av,
Hucknall NG15 8 D4
Claremont Dr NG2 45 G6
Claremont Gdns NG5 25 G4
Claremont Rd NG5 25 F4
Clarence Rd,
Beeston NG9 51 E1
Clarence Rd,
Long Eaton NG10 49 G6
Clarence St NG3 5 H2
Clarendon Pk NG5 25 G5
Clarendon St NG1 4 B1
Clarewood Gro NG11 52 D4
Clarges St NG6 14 B5
Clarke Av NG5 16 C2
Clarke Dr NG10 57 C1
Clarke Rd NG2 36 A5
Clarkes La NG9 43 F5
Claude St NG7 34 D6
Clay Av NG3 26 D2
Claye St NG10 50 A4
Clayfield Cl NG6 14 A5
Claygate NG3 26 D6
Claypole Rd NG7 25 E6
Claytons Wharf NG7 34 D5
Cleeves Ct NG7 4 A1
Clether Rd NG8 33 F1
Cleve Av NG9 42 A6
Cleveland Av NG10 50 B3
Cleveland Cl NG7 34 D2
Cleveleys Rd NG9 42 A6
Clevely Way NG11 52 D1
Cliff Blvd NG16 12 A4
Cliff Cres NG12 39 F3
Cliff Dr NG12 39 F2
Cliff Rd, Carlton NG4 37 F1
Cliff Rd,
Nottingham NG1 5 E5
Cliff Rd,
Radcliffe NG12 39 E3
Cliff Way NG12 39 F3
Cliffe Hill Av NG9 41 H2
Cliffgrove Av NG9 43 E3
Cliffmere Walk NG11 52 C2
Clifford Av NG9 43 G1
Clifford Cl,
Keyworth NG12 56 B4
Clifford Cl,
Long Eaton NG10 57 B1
Clifford Ct*,
Argyle St NG7 35 E2
Clifford St,
Long Eaton NG10 50 A4
Clifford St,
Nottingham NG7 35 E1
Clifton Av,
Long Eaton NG10 50 B5
Clifton Av,
Ruddington NG11 53 G4
Clifton Blvd NG7 34 C5
Clifton Bri NG7 45 F3
Clifton Cres NG9 43 G6
Clifton Gro NG4 27 G3
Clifton La,
Nottingham NG11 44 D6
Clifton La,
Ruddington NG11 53 F3
Clifton Rd NG11 53 G4
Clifton St NG9 43 H3
Clifton Ter NG7 4 A6
Clinton Av NG5 25 G5
Clinton St,
Arnold NG5 16 A4
Clinton St,
Beeston NG9 43 G2
Clinton St East NG1 5 E3
Clinton St West NG1 5 E3
Clipston La NG12 55 H4
Clipstone Av,
Mapperley NG3 26 C1
Clipstone Av,
Nottingham NG1 35 G1
Clipstone Cl NG8 23 E3
Clive Cres NG16 12 B6
Cliveden Grn NG11 52 C2
Cloister Sq NG7 34 D5
Cloister St NG7 34 D5
Close Quarters NG9 42 D1
Cloud Av NG9 42 B2
Clouds Hill NG11 52 D3
Cloudside Rd NG10 41 E2
Clough Ct NG8 24 A6
Clover Grn NG6 24 C2
Clover Rise NG16 11 F2
Cloverdale NG12 59 C3
Cloverlands NG2 53 H1
Cloverlands Dr NG16 12 B4
Clumber Av,
Beeston NG9 43 E4
Clumber Av,
Mapperley NG3 26 C1
Clumber Av,
Netherfield NG4 28 A6
Clumber Av,
Nottingham NG5 25 G5
Clumber Cres North
NG7 4 A4
Clumber Cres South
NG7 4 A5
Clumber Ct DE7 10 D6
Clumber Dr NG12 39 G2
Clumber Rd NG2 46 B3
Clumber Rd East NG7 4 A4
Clumber Rd West NG7 35 F3
Clumber St,
Hucknall NG15 9 F3
Clumber St,
Long Eaton NG10 49 H5
Clumber St,
Nottingham NG1 5 E3
Coach Dr NG16 6 D5
Coachmans Cft NG8 33 H2
Coates Av NG15 19 E2
Coatsby Rd NG16 12 B4
Cobden St,
Long Eaton NG10 49 H5
Cobden St,
Nottingham NG7 34 D2
Cockayne Cl NG10 49 F1
Cocker Beck NG4 18 C4
Cockerhouse Rd NG16 6 C4
Cockington Rd NG8 32 D2
Cockleys NG10 49 G6
Codrington Gdns
NG5 15 H3
Cogenhoe Walk NG5 16 C1
Cogley La NG13 58 E2
Cohen Cl NG5 17 E5
Cokefield Av NG16 23 G2
Colborn St NG3 26 B6
Colchester Rd NG8 23 F4
Coleby Av NG7 34 D5
Coleby Rd NG8 23 G3
Coledale NG2 47 E3
Coleridge Cres NG5 15 H4
Coleridge St NG7 35 E1
Colesbourne Rd NG11 53 E1
Colin Broughton Ct
NG6 14 C4
Colindale Gdns NG16 23 F2
Colinwood Av NG5 14 D2
College Dr NG11 52 C1
College Rd NG9 43 F4
College St,
Long Eaton NG10 41 F6
College St,
Nottingham NG1 4 B3
Colley Moor Leys La
NG11 53 E1
Colliers Way NG8 24 A1
Colliery Cl NG2 35 G6
Collin Av NG10 41 F6
Collin Grn NG5 25 H1
Collin St,
Beeston NG9 43 G3
Collin St,
Nottingham NG1 5 E5
Collington St NG9 43 G3
Collington Way NG2 46 A4
Collingwood Cl NG11 44 D5
Collingwood Rd
NG10 49 H5
Collins Cl NG6 13 G6
Collison St NG7 35 E1
Colly Gate NG16 12 B6
Collygate Rd NG2 35 H6
Colmon Cl NG5 15 E4
Colonsay Cl NG9 31 H4
Colston Cres NG2 46 A5
Colston Gate NG12 59 B1
Colston Rd NG6 14 C3
Coltsfoot Cl NG13 58 A3
Colville St NG1 25 G6
Colwick Bsns Pk
NG4 37 H2
Colwick Loop Rd NG4 37 G2
Colwick Manor Fm
NG4 37 H2
Colwick Park Cl NG4 37 G2
Colwick Rd,
Nottingham NG2 36 C4
Colwick Rd,
West Bridgford NG2 36 B6
Colwick Woods Ct
NG2 36 D3
Comery Av NG3 36 D1
Comet Dr NG16 7 E6
Comfrey Cl NG5 14 D4
Commerce Sq NG1 5 F4
Commercial Av NG9 43 G3
Commercial Rd,
Keyworth NG12 56 A6
Commercial Rd,
Nottingham NG6 14 A4
Commodore Gdns
NG8 24 B3
Common La,
Beeston NG9 42 C3
Common La,
Hucknall NG15 8 A3
Common La,
Kimberley NG16 12 C4
Commons Cl NG16 11 E3
Compton Acres NG2 45 G3
Compton Acres
Shopping Centre
NG2 45 G5
Compton Rd NG5 25 G2
Comyn Gdns NG3 5 F1
Condor Rd DE7 30 D3
Conduit Cl NG2 35 H5
Coney Walk NG5 15 E3
Conifer Cres NG11 52 D4
Conifer Walk NG3 26 D6
Coningsby Gdns East
NG5 26 C1
Coningsby Rd NG5 16 B6
Coningswath Rd NG4 27 E3
Conisborough Av
NG4 28 B4
Conisborough Ter
NG2 35 H6
Coniston Av NG6 24 B3
Coniston Cl NG2 47 F2
Coniston Dr DE7 30 B2
Coniston Rd,
Beeston NG9 43 F1
Coniston Rd,
Hucknall NG15 8 D1
Coniston Rd,
Long Eaton NG10 49 E1
Connelly Cl NG5 17 E5
Connery Mews NG9 50 C2
Constance St NG7 25 E4
Convent St NG1 5 F2
Conway Av NG4 28 A6
Conway Cl NG3 25 H6
Conway Cres NG4 28 A5
Conway Gdns NG5 16 B5
Conway Rd,
Carlton NG4 28 A6
Conway Rd,
Hucknall NG15 8 B6
Conway St NG10 50 A3
Cook Dr DE7 31 E1
Cooke Cl NG10 49 F5
Cookson Av NG4 27 F3
Coombe Cl NG8 34 B4
Coombe Rd NG16 7 F5
Cooper Cl,
Arnold NG5 17 E4
Cooper Cl,
Nottingham NG6 13 H5
Cooper St NG4 38 A1
Co-Operative Av NG15 9 E1
Co-Operative St NG10 50 A5
Coopers Grn NG8 33 F5
Cope St NG7 35 E1
Copeland Av NG9 42 A2
Copeland Gro NG13 58 A2
Copeland Rd NG15 9 F1
Copestake Cl NG10 49 E5
Coppice Av DE7 10 B6
Coppice Cl NG15 8 C4
Coppice Dr NG16 6 C6
Coppice Gate NG5 16 C3
Coppice Gro NG3 26 B3
Coppice Rd NG5 16 B3
Copplestone Dr NG3 17 F5
Copse Cl NG14 19 E6
Copseside Cl NG10 49 E4
Copsey Croft Ct NG10 50 B4
Corben Gdns NG6 13 G3
Corbiere Av NG16 12 C4
Corby Rd NG3 26 A4
Cordy La NG16 6 C1
Coriander Dr NG6 24 C2
Corinth Rd NG11 52 D1
Corn Cft NG11 53 E2
Corn Cl NG12 59 A3
Corncrake Av NG6 24 C1
Corncrake Dr NG5 17 E4
Cornell Dr NG5 17 E3
Cornfield Rd NG16 12 A4
Cornhill Rd NG4 27 E5
Cornwall Av,
Beeston NG9 44 B5
Cornwall Av,
Long Eaton NG10 50 B3
Cornwall Rd NG5 15 H4
Cornwallis Cl NG10 49 H6
Coronation Av,
Nottingham NG11 45 G1
Coronation Av,
Sandiacre NG10 41 E2
Coronation Rd,
Bestwood Village NG6 9 H4
Coronation Rd,
Cossall NG16 21 F3
Coronation Rd,
Hucknall NG15 19 E3
Coronation Rd,
Ilkeston DE7 21 E3
Coronation Rd,
Nottingham NG3 26 C2
Coronation Rd,
Nuthall NG16 12 D5
Coronation St DE7 20 D5
Coronation Walk NG4 28 A4
Corporation Cotts
NG14 19 H5
Corporation Oaks
NG3 25 H6
Corporation Rd DE7 31 E3
Corsham Gdns NG3 26 C6
Corve Dale Walk NG2 46 C4
Cosby Rd NG2 36 C4
Cossall Rd NG9 31 G1
Costock Av NG5 25 F
Cotgrave Av NG4 27 H3
Cotgrave Cl NG8 23 F3
Cotgrave La NG12 47 H6
Cotgrave Rd NG12 55 H4
Cotmanhay Rd DE7 20 D2
Coton Cl NG11 45 F6
Cotswold Cl NG10 49 F3
Cotswold Rd NG8 23 F4
Cottage Cl DE7 20 B2
Cottage Mdw NG4 37 H3
Cottage Ter NG1 4 B3
Cottam Dr NG5 15 E3
Cottam Gdns NG5 15 E3
Cottesmore Rd NG7 35 E3
County Bsns Pk
NG2 36 A4
County Rd,
Gedling NG4 27 F2
County Rd,
Nottingham NG2 36 A5
Court Cres NG8 33 G3
Court Gdns NG2 45 G5
Court St NG7 25 E6
Court Yd NG9 42 D1
Courtenay Gdns NG3 25 H6
Courtfleet Way NG6 14 A5
Courtney Cl NG8 33 F2
Covedale Rd NG5 15 G6
Coventry Ct NG6 14 B5
Coventry La NG9 32 B6
Coventry Rd,
Beeston NG9 43 H2
Coventry Rd,
Nottingham NG6 14 A4
Coventry Rd,
Nottingham NG6 14 B5
Covert Cl,
Burton Joyce NG14 19 E6
Covert Cl,
Hucknall NG15 9 G3
Covert Cl,
Keyworth NG12 56 C4
Covert Cres NG12 39 H4
Covert Rd NG2 46 D3
Cow La NG9 42 D2
Cowan St NG1 5 F2
Cowdrey Gdns NG5 16 D5
Cowlars NG5 14 D4
Cowley St NG6 24 C2
Cowper Rd,
Newthorpe NG16 11 E3
Cowper Rd,
Woodthorpe NG5 26 B1
Cowslip Cl NG13 58 B3
Coxmoor Cl NG12 47 F5
Crabtree Fld NG2 37 F3
Crabtree Rd NG6 14 A5
Cragdale Rd NG5 15 H6
Cragmoor Rd NG14 29 E2
Craig St NG10 50 A4
Crammond Cl NG2 35 F5
Crampton Ct NG5 15 F2
Cramworth Gro NG5 25 H2
Cranberry Cl NG2 45 G4
Cranborne Cl NG9 31 H5
Cranbourne Gro
NG15 8 C1
Cranbrook St NG1 5 F3
Cranfleet Way NG10 49 E4
Cranford Gdns NG2 45 H5
Cranmer Gro NG3 25 H6
Cranmer St,
Ilkeston DE7 20 D4
Cranmer St,
Long Eaton NG10 49 H3
Cranmer St,
Nottingham NG3 25 H6
Cranmore Cl NG5 16 C1
Cransley Av NG8 33 E5
Cranston Av NG5 16 B2
Cranston Rd NG9 33 E6
Cranthorne Dr NG3 37 E1
Crantock Gdns NG12 56 B5
Cranwell Ct NG6 13 G5
Cranwell Rd NG8 23 E4
Craster Dr,
Arnold NG5 16 C1
Craster Dr,
Nottingham NG6 13 G3
Craven Rd NG7 24 D6
Crawford Av NG9 41 H1
Crawford Cl NG8 33 F1
Crawford Rise NG5 17 E3
Cresswell Rd NG9 42 D4
Cressy Rd NG11 53 E1
Cresta Gdns NG3 26 A3
Crewe Cl NG7 35 E1
Cribb Cl NG11 45 G2
Crich Vw NG5 25 H3
Cricketers Ct NG2 36 B6
Criftin Rd NG14 19 G6
Cripps Hill NG7 34 B5
Critchley St DE7 20 D4
Critchs Flat NG16 12 B4
Crocus Pl NG2 35 H4
Crocus St NG2 35 H5
Croft Av NG15 9 E3
Croft Cres NG16 11 G6
Croft Rd, Arnold NG5 16 B3
Croft Rd,
Edwalton NG12 46 C5
Croft Rd,
Keyworth NG12 56 A5
Crofton Cl,
Beeston NG9 51 E1
Crofton Cl,
Nottingham NG8 34 A1
Crofton Rd NG9 51 E1
Cromdale Cl NG5 17 E2
Cromer Rd NG3 26 B6
Cromford Av NG4 27 G5
Cromford Cl NG10 49 E6
Cromford Rd,
Langley Mill NG16 6 A4
Cromford Rd,
West Bridgford NG2 46 B3
Crompton Rd DE7 31 F4
Cromwell Av DE7 31 E2
Cromwell Cres NG4 18 B4
Cromwell Rd NG9 43 F3
Cromwell St,
Carlton NG4 27 G6
Cromwell St,
Giltbrook NG16 11 F2
Cromwell St,
Nottingham NG7 4 A2
Cropston Cl NG2 46 A5
Cropton Cres NG8 34 A1
Cropton Gro NG13 58 B3
Cropwell Gdns NG12 39 F5
Cropwell Grn NG3 36 B1
Cropwell Rd NG12 39 F4
Crosby Rd NG2 46 B1
Cross Hill Dr DE7 30 A2
Cross St, Arnold NG5 16 A3
Cross St,
Beeston NG9 43 G3
Cross St, Carlton NG4 27 F5
Cross St,
Eastwood NG16 11 E1
Cross St,
Long Eaton NG10 50 A4
Cross St,
Netherfield NG4 28 A6
Cross St,
Sandiacre NG10 41 G4
Crossdale Dr NG12 56 B4
Crossdale Walk NG5 14 D3
Crossfield Dr NG5 15 F2
Crossgate Dr NG2 35 F6
Crosshill NG12 59 C2
Crosslands Mdw NG4 37 H2
Crossley St NG5 25 G3
Crossman St NG5 25 G3
Crow Ct NG13 58 E2
Crow Park Dr NG14 28 D2
Crowborough Av
NG8 33 F6
Crowcroft Way NG10 49 F1
Crowhill Rd NG4 27 H6
Crowley Cl NG8 33 E1
Crown Cl NG10 49 E4
Crowthorne Cl NG5 14 D2
Crowthorne Gdns
NG5 14 D2
Croxall Cl NG11 44 D5
Croxley Gdns NG16 23 F2
Croydon Rd NG7 34 D2
Crummock Cl NG9 43 E1
Cudworth Dr NG3 26 B3

Cuillin Cl, Long Eaton NG10 49 E3
Cuillin Cl, Nottingham NG5 15 E1
Cumberland Av NG9 43 F3
Cumberland Cl NG11 53 H4
Cumberland Pl NG1 4 C4
Cumbria Grange NG2 47 F2
Curie Ct NG7 34 D5
Curlew Cl NG3 37 E2
Curlew Wharf*, The Moorings NG7 35 E5
Cursley Way NG9 50 D1
Curtis St NG15 9 E2
Curzon Av NG4 27 E6
Curzon Ct NG3 36 A1
Curzon Gdns NG3 36 A1
Curzon Pl NG3 5 F2
Curzon St, Long Eaton NG10 49 F1
Curzon St, Netherfield NG4 28 A6
Curzon St, Nottingham NG3 5 F1
Cutthrough La NG7 44 A1
Cuxton Cl NG8 23 F4
Cycle Rd NG7 34 D3
Cypress Ct NG15 8 A4
Cyprus Av NG9 43 G2
Cyprus Dr NG9 43 G2
Cyprus Rd NG3 25 H5
Cyril Av, Beeston NG9 43 F2
Cyril Av, Nottingham NG8 24 C5
Cyril Av, Stapleford NG9 41 H2
Cyril Rd NG2 46 D2

Dabell Av NG6 13 F3
Dagmar Gro, Beeston NG9 43 H3
Dagmar Gro, Nottingham NG3 26 A4
Daisy Cl NG12 59 A2
Daisy Farm Rd NG16 11 E2
Daisy Rd NG3 26 C4
Dakeyne St NG3 5 H3
Dalbeattie Cl NG5 17 E2
Dalby Sq NG8 34 B4
Dale Av, Carlton NG4 27 E6
Dale Av, Long Eaton NG10 49 H2
Dale Av, Mapperley NG3 26 D3
Dale Cl, Derby DE72 48 C3
Dale Cl, Hucknall NG15 8 A3
Dale Cl, West Bridgford NG2 46 D2
Dale Farm Av NG3 36 C2
Dale Gro NG2 36 B3
Dale La NG9 43 F4
Dale Rd, Carlton NG4 27 E6
Dale Rd, Ilkeston DE7 30 A6
Dale Rd, Keyworth NG12 56 A4
Dale Rd, Kimberley NG16 12 B5
Dale St, Ilkeston DE7 20 D6
Dale St, Nottingham NG2 36 B3
Dale View Rd NG3 26 D6
Dale Vw DE7 20 C6
Dalebrook Cres NG15 8 A3
Dalehead Rd NG11 52 C2
Dalemoor Gdns NG8 24 A5
Daleside NG12 59 A2
Daleside Rd NG2 36 B4
Daleside Rd East NG2 36 D4
Daleview DE7 30 C1
Dalkeith Ter NG7 25 E6
Dallas York Rd NG9 44 A3
Dalley Cl NG9 42 A2
Dallimore Rd DE7 30 B3
Dalton Cl NG9 41 H4
Damson Walk NG3 26 D5
Danbury Mt NG5 25 H3
Dane Cl NG3 36 A1
Danes Cl NG5 16 A3
Danethorpe Vale NG5 25 H1
Daniels Way NG15 8 C5
Dark La NG13 58 E3
Darkey La NG9 42 A4
Darley Av, Beeston NG9 42 A6
Darley Av, Carlton NG4 27 G4
Darley Av, Nottingham NG7 24 D6
Darley Dr NG10 57 C1
Darley Rd NG7 24 D6
Darley Sq DE7 10 C6
Darlton Dr NG5 16 D4
Darnall Cl NG5 14 D4
Darnhall Cres NG8 23 E6
Daron Gdns NG5 15 F4
Dartmeet Ct NG7 24 C6
Darvel Cl NG8 34 A1
Darwin Av DE7 20 C6
Darwin Cl NG5 14 D3
Darwin Rd NG10 49 F6
David Gro NG9 33 F6
David La NG6 24 C2
Davidson Cl NG5 17 E4
Davies Rd NG2 46 C2
Davy Cl NG15 19 G2
Dawlish Cl NG15 8 B3
Dawlish Ct NG16 6 C6
Dawlish Dr NG5 15 G5
Dawn Cl NG15 19 G2
Dawson Cl NG16 11 E2
Dawver Rd NG16 12 B5
Daybrook Av NG5 25 G2
Daybrook St NG5 25 H2
De Vere Gdns NG5 16 C6
Deabill St NG4 38 A1
Deakins Pl NG7 34 D2
Deal Gdns NG6 13 H4
Dean Av NG3 26 D2
Dean Cl NG8 33 F2
Dean Rd NG5 16 A6
Dean St, Langley Mill NG16 6 A6
Dean St, Nottingham NG1 5 G4
Deans Cft NG9 32 D6
Deanscourt NG12 59 C2
Debdale La NG12 56 A4
Deddington La NG9 33 E5
Deeley Av NG7 35 F5
Deep Furrow Av NG4 27 G5
Deepdale Av NG9 41 H3
Deepdale Cl NG2 47 E2
Deepdale Rd, Long Eaton NG10 49 E6
Deepdale Rd, Nottingham NG8 33 F3
Deepdene Cl NG8 23 H3
Deepdene Way NG8 23 H3
Deer Park Dr NG5 15 G3
Deer Pk NG8 33 F3
Deerleap Dr NG5 15 H4
Delamere Cl DE72 48 B3
Delia Av NG15 19 H2
Dell Way NG11 53 E2
Dellwood Cl NG4 27 E3
Delta Ct NG1 35 G1
Delta St NG7 25 E4
Deltic Cl NG16 12 C4
Delville Av NG12 56 A4
Denacre Av NG10 50 B2
Denehurst Av NG8 24 B4
Denewood Av NG9 33 E5
Denewood Cres NG8 23 G5
Denholme Rd NG8 33 E2
Denison Ct*, Denison St NG7 35 E1
Denison St, Beeston NG9 43 F3
Denison St, Nottingham NG7 35 E1
Denman St Central NG7 35 E2
Denman St East NG7 35 E2
Denman St West NG7 34 D2
Denmark Gro NG3 26 A4
Dennett Cl NG3 5 H1
Dennis Av NG9 43 F1
Dennis St NG4 28 A6
Denstone Rd NG3 36 B2
Dentdale Dr NG8 32 D3
Denton Av NG10 41 E4
Denton Dr NG2 46 A5
Denton Grn NG8 23 G3
Denver Ct NG9 32 A6
Depedale Av DE7 30 B2
Deptford Cres NG6 14 B5
Derby Gro NG7 35 E2
Derby Rd, Beeston NG9 32 D6
Derby Rd, Bramcote NG9 42 B1
Derby Rd, Derby DE72 40 B5
Derby Rd, Eastwood NG16 6 A6
Derby Rd, Ilkeston DE7 20 A5
Derby Rd, Long Eaton NG10 49 F3
Derby Rd, Nottingham NG7 4 A3
Derby Rd, Sandiacre NG10 41 E5
Derby Rd, Stapleford NG9 41 G4
Derby St, Arnold NG5 16 B4
Derby St, Beeston NG9 43 H2
Derby St, Ilkeston DE7 20 D5
Derby St, Nottingham NG1 4 B3
Derbyshire Av NG9 31 G3
Derbyshire Cres NG8 34 A2
Derbyshire Dr DE7 30 C1
Derbyshire La NG15 9 E2
Dereham Dr NG5 16 C5
Derry Dr NG5 16 B1
Derry Hill Rd NG5 16 B1
Derry La NG13 58 F3
Derwent Av DE7 20 C3
Derwent Cl, Attenborough NG9 43 F6
Derwent Cl, Gamston NG2 47 F2
Derwent Cres NG5 16 D5
Derwent Dr NG15 9 E4
Derwent St NG10 49 F6
Derwent Way NG7 34 C3
Desford Cl NG5 25 F1
Devitt Dr NG15 19 H3
Devon Circus NG5 16 A2
Devon Cl, Newthorpe NG16 11 F1
Devon Cl, Sandiacre NG10 41 F5
Devon Dr, Nottingham NG5 25 G3
Devon Dr, Ruddington NG11 54 A3
Devon St, Ilkeston DE7 31 E2
Devon St, Nottingham NG3 36 B2
Devonshire Av, Beeston NG9 43 G3
Devonshire Av, Long Eaton NG10 50 B3
Devonshire Cl DE7 10 C6
Devonshire Cres NG5 25 G3
Devonshire Dr, Eastwood NG16 6 D6
Devonshire Dr, Stapleford NG9 31 H5
Devonshire Prom NG7 34 D4
Devonshire Rd, Nottingham NG5 25 G3
Devonshire Rd, West Bridgford NG2 46 B3
Dewberry La NG12 39 G5
Dickens Ct NG16 7 E5
Dickson Dr NG11 53 H6
Didcot Dr NG8 24 C4
Digby Av NG3 26 D2
Digby Hall Dr NG3 27 F2
Digby St, Ilkeston DE7 21 E4
Digby St, Nottingham NG16 11 H4
Distillery St NG11 53 G5
Dockholm Rd NG10 49 G1
Dogwood Av NG6 13 H4
Donbas Cl NG6 24 A1
Doncaster Av NG10 41 E4
Doncaster Gro NG10 50 A2
Doncaster Ter NG2 35 H6
Donington Rd NG11 52 D2
Donner Cres DE7 10 C6
Dooland Dr NG3 26 C4
Dorchester Gdns NG2 46 B6
Dorchester Rd NG16 12 B4
Doris Ct NG9 50 C2
Doris Rd DE7 21 E6
Dorket Cl NG5 16 C2
Dorket Dr NG8 34 C4
Dorking Rd NG7 34 D1
Dormy Cl, Beeston NG9 42 D2
Dormy Cl, Radcliffe NG12 39 H4
Dormy Ct NG6 14 C4
Dornoch Av NG5 26 A3
Dorothy Av, Hucknall NG15 19 G2
Dorothy Av, Newthorpe NG16 7 E6
Dorothy Av, Sandiacre NG10 41 F4
Dorothy Gro NG8 34 C1
Dorset Gdns NG2 45 H4
Dorset St NG8 34 C2
Dorterry Cres DE7 31 E2
Douglas Av, Awsworth NG16 11 G6
Douglas Av, Carlton NG4 37 G1
Douglas Cl NG12 39 E5
Douglas Cres NG4 37 G1
Douglas Ct, Beeston NG9 50 C2
Douglas Ct, Carlton NG4 37 G1
Douglas Rd, Bingham NG13 58 F2
Douglas Rd, Long Eaton NG10 49 F2
Douglas Rd, Nottingham NG7 35 E2
Douro Dr NG5 16 D2
Dove Cl NG13 58 E3
Dove La NG10 49 G3
Dove St NG6 14 A4
Dovecote Dr NG8 33 F3
Dovecote La NG9 43 G3
Dovecote Rd NG16 7 F6
Dovedale Av NG10 49 E5
Dovedale Circle DE7 10 C6
Dovedale Ct NG10 49 F5
Dovedale Rd, Nottingham NG3 37 F1
Dovedale Rd, West Bridgford NG2 46 C4
Dovenby Rd NG11 53 E1
Doveridge Av NG4 28 A5
Doveridge Rd NG4 28 A5
Downes Cl NG6 13 H4
Downham Cl NG5 16 C5
Downing Gdns NG6 14 A3
Downing St NG6 14 A3
Dowson Cl NG12 39 H3
Dowson St NG3 36 B1
Doyne Ct NG2 35 G6
Drake Rd NG4 38 B1
Drakemyre Cl NG5 17 E2
Draycott Ct DE7 20 D2
Draycott Rd, Derby DE72 48 A4
Draycott Rd, Nottingham NG10 57 A1
Draymans Ct NG7 25 E4
Drayton St NG5 25 H3
Dronfield Pl DE7 10 C6
Drummond Av NG4 28 B6
Drummond Dr NG16 23 F1
Drummond Rd DE7 20 C4
Dryden St NG1 4 C1
Drysdale Cl NG6 14 A6
Duchess Gdns NG6 14 A3
Duchess St NG6 14 A3
Dudley Ct NG9 42 C1
Duffield Cl NG10 49 E6
Duke Cres NG16 11 G2
Duke St, Arnold NG5 16 A3
Duke St, Bulwell NG6 14 B4
Duke St, Hucknall NG15 9 E2
Duke St, Ilkeston DE7 20 D2
Duke St, Nottingham NG7 25 E5
Duke St East NG15 9 E2
Duke William Mt NG7 4 A4
Dukes Pl, Ilkeston DE7 10 C6
Dukes Pl, Nottingham NG1 5 F4
Dulverton Vale NG8 24 A2
Dulwich Rd NG7 34 D2
Dumbles Cl DE7 30 A1
Dunbar Cl NG10 57 F1
Dunblane Rd NG11 53 H5
Duncan Ct NG2 46 C1
Duncombe Cl NG3 26 A6
Duncroft Av NG4 27 H4
Dungannon Rd NG11 52 D3
Dunholme Cl NG6 14 A3
Dunkery Rd NG11 53 E3
Dunkirk Rd NG7 34 D6
Dunlin Wharf*, The Moorings NG7 35 E5
Dunlop Av NG7 34 D3
Dunoon Cl NG5 14 D1
Dunsby Cl NG11 52 D2
Dunsford Dr NG3 17 F5
Dunsil Dr NG2 45 F1
Dunsil Rd NG16 7 F5
Dunsmore Cl NG9 44 A5
Dunstan St NG4 28 A6
Dunster Rd, Newthorpe NG16 11 F1
Dunster Rd, West Bridgford NG2 46 C3
Dunston Cl NG10 50 B4
Dunvegan Dr NG5 15 E1
Durham Av NG2 36 C3
Durham Cl NG2 36 C3
Durham Cres NG6 14 B5
Durlston Cl NG2 45 G4
Durnford St NG7 25 E3
Dursley Cl NG6 14 A6
Dylan Mews NG8 23 F5

Eagle Cl, Arnold NG5 16 C4
Eagle Cl, Beeston NG9 43 F1
Eagle Ct NG6 14 C4
Eagle Rd DE7 30 D2
Ealing Av NG6 24 C1
Eardley Rd NG5 14 D5
Earl Cres NG4 27 H2
Earl Dr NG16 11 G2
Earlham Cl DE7 30 B1
Earls Cl NG8 33 E2
Earlsfield Dr NG5 14 C2
Earlswood Cl DE72 48 B4
Earlswood Rd NG12 46 D6
Easedale Cl NG2 47 E3
East Acres NG12 59 B1
East Circus St NG1 4 C3
East Cl NG12 56 A5
East Cres NG9 44 A5
East Dr NG7 34 B6
East Gro, Bingham NG13 58 E2
East Gro, Nottingham NG7 25 F5
East Moor NG12 59 B3
East St, Bingham NG13 58 E2
East St, Ilkeston DE7 20 D5
East St, Long Eaton NG10 50 A4
East St, Nottingham NG1 5 F3
East Vw NG2 46 A3
Eastcliffe Av NG4 27 G2
Eastcote Av NG9 32 D5
Eastdale Rd NG3 37 E1
Eastglade Rd NG5 15 E4
Eastham Cl NG3 5 H1
Eastham Rd NG5 17 E4
Eastholme Cft NG2 37 G2
Easthorpe St NG11 53 H4
Eastmoor Dr NG4 28 A5
Eastwell St NG15 8 D1
Eastwold NG12 59 C3
Eastwood Cl NG15 8 C5
Eastwood Rd, Kimberley NG16 11 H4
Eastwood Rd, Radcliffe NG12 39 F4
Eastwood St NG6 14 B6
Eaton Av, Ilkeston DE7 30 C1
Eaton Av, Nottingham NG5 16 C4
Eaton Cl NG9 44 A3
Eaton Grange D NG10 49 E4
Eaton St NG3 26 B2
Eaton Ter NG3 26 B3
Eatons Rd NG9 41 H3
Ebenezer St DE7 20 D2
Ebers Gro NG3 25 H5
Ebers Rd NG3 25 G4
Ebony Walk NG3 26 D5
Ebury Rd NG5 25 F4
Eckington Ter NG2 35 H6
Ecton Cl NG5 15 E2
Edale Cl, Hucknall NG15 8 A3
Edale Cl, Long Eaton NG10 49 F6
Edale Rd NG2 36 C2
Edale Rise NG9 42 A6
Edale Sq DE7 10 C5
Eddleston Dr NG11 53 E2
Eden Cl NG5 16 C5
Edenbridge Ct NG8 33 F5
Edenhall Gdns NG11 53 E1
Edern Cl NG5 15 E4
Edgbaston Gdns NG8 24 C5
Edge Hill Ct NG10 57 F1
Edge Way NG8 23 E4
Edgewood Dr NG15 8 B4
Edgewood Rd NG16 12 B5
Edgington Cl NG12 59 B3
Edginton St NG3 26 B6
Edgware Rd NG6 14 C4
Edinbane Cl NG5 15 E1
Edinburgh Dr NG13 58 C2
Edingdale Ct NG9 32 C3
Edingley Av NG5 25 G1
Edingley Sq NG5 25 G1
Edlington Dr NG8 33 E4
Edmond Gro NG15 9 G1
Edmonds Cl NG5 15 F1
Edmonton Ct NG2 46 A3
Ednaston Rd NG7 34 C6
Edwald Rd NG12 47 E6
Edwalton Av NG2 46 B2
Edwalton Cl NG12 46 D6
Edwalton Ct NG6 14 D5
Edwalton Lodge Cl NG12 46 C6
Edward Av NG8 24 C5

Edward Cl NG15 8 B4
Edward Rd, Eastwood NG16 11 E1
Edward Rd, Long Eaton NG10 49 H4
Edward Rd, Nuthall NG16 12 D6
Edward Rd, West Bridgford NG2 36 B6
Edward St NG9 41 H2
Edwards La NG5 15 G5
Edwin St NG5 16 A5
Edwinstowe Av NG2 46 C3
Edwinstowe Dr NG5 25 H1
Eelwood Rd NG15 8 B5
Egerton Ct*, Black Swan Cl NG5 26 A1
Egerton Dr NG9 31 H5
Egerton Rd NG5 16 A6
Egling Cft NG4 37 H3
Egmont Ct NG2 35 G6
Egypt Rd NG7 25 E4
Eighth Av NG7 44 C4
Eisele Cl NG6 13 H5
Ekowe St NG7 25 E3
Eland St NG7 25 E4
Elder Cl NG5 16 D2
Elder Gdns NG5 15 E3
Elder Gro NG15 9 E4
Eldon Rd NG9 51 E2
Eleanor Av DE7 31 E2
Eleanor Cres NG9 42 B2
Electric Av NG2 45 F2
Eley Cl DE7 20 B3
Elford Rise NG3 36 B3
Elgar Dr NG10 49 F6
Elgar Gdns NG3 26 C6
Eliot Cl NG10 49 F6
Eliot Dr DE7 30 B2
Elizabeth Cl NG15 8 C4
Elizabeth Gro NG4 27 G3
Ella Rd NG2 36 B6
Ellastone Av NG5 15 H3
Ellen Ter NG7 34 D1
Ellerby Av NG11 52 D1
Ellerslie Gro NG10 41 E4
Ellesmere Cl NG5 17 E4
Ellesmere Dr NG9 31 G2
Ellesmere Rd NG2 46 B5
Ellington Rd NG5 16 C1
Elliott St NG7 4 A2
Ellis Av NG15 9 F3
Ellis Cl NG10 49 F5
Ellis Ct NG3 36 A1
Ellis Gro NG9 43 G4
Ellsworth Rise NG5 15 E5
Elm Av, Attenborough NG9 51 E1
Elm Av, Beeston NG9 43 G3
Elm Av, Bingham NG13 58 F3
Elm Av, Carlton NG4 27 H6
Elm Av, Hucknall NG15 8 C4
Elm Av, Keyworth NG12 56 B6
Elm Av, Long Eaton NG10 49 G3
Elm Av, Nottingham NG3 25 G6
Elm Av, Nuthall NG16 12 C4
Elm Av, Sandiacre NG10 41 F2
Elm Bank NG3 25 H5
Elm Bank Dr NG3 25 H5
Elm Cl, Keyworth NG12 56 B6
Elm Cl, Nottingham NG3 25 H6
Elm Dr NG4 28 A5
Elm Gro NG5 16 D2
Elm Tree Av NG2 46 A2
Elmbridge NG5 15 G4
Elmdale Gdns NG8 24 A5
Elmhurst Av NG3 27 E3
Elmore Ct NG7 35 E1
Elms Cl NG11 53 H5
Elms Gdns NG11 53 H5
Elms Pk NG11 53 H5
Elmsdale Gdns NG14 29 E1
Elmsham Av NG5 14 C2
Elmstorpe Av NG7 34 D3
Elmswood Gdns NG5 25 H2
Elnor St NG16 6 A6
Elson St NG7 25 E5
Elston Gdns NG11 44 D6
Elston Mews NG3 26 D5
Elstree Dr NG8 33 H1
Elswick Cl NG5 15 F3
Elswick Dr NG9 44 B5
Elterwater Dr NG2 47 E2
Eltham Cl NG8 23 H2
Eltham Dr NG8 23 H2
Eltham Rd NG2 46 C2
Elton Cl NG9 41 H1
Elton Rd North NG5 25 F4
Elvaston Ct NG5 15 E6
Elvaston Dr NG10 57 B1
Elvaston Rd NG8 33 H2
Elveden Dr DE7 20 A1
Emerys Rd NG4 28 B5
Emmanuel Av, Arnold NG5 15 F2
Emmanuel Av, Nottingham NG3 26 C4
Emneth Cl NG3 26 C5
Empingham Cl NG9 50 C1
Emsworth Cl DE7 20 B2
Ena Av NG2 36 C2
Enderby Gdns NG5 16 A2
Enderby Sq NG9 43 H1
Endersleigh Gdns NG9 43 H2
Endsleigh Gdns NG12 46 C5
Enfield St NG9 43 F3
Engine La NG16 7 F5
Ennerdale Cl NG2 47 E2
Ennerdale Rd, Long Eaton NG10 49 F2
Ennerdale Rd, Nottingham NG5 15 H5
Ennismore Gdns NG8 34 B1
Ennismore Mews NG2 53 H1
Enthorpe St NG8 34 A1
Epperstone Ct NG2 46 B1
Epperstone Rd NG2 46 B1
Epsom Rd NG9 42 A6
Erdington Way NG9 50 A1
Erewash Dr DE7 21 E6
Erewash Gdns NG5 15 F2
Erewash Gro NG9 50 B2
Erewash Sq DE7 31 E1
Eric Av NG15 19 E2
Ernest Rd NG4 26 D5
Erskine Rd NG5 25 G4
Esher Gro NG3 25 H4
Esk Hause Cl NG2 47 F5
Eskdale Cl NG10 49 F6
Eskdale Ct NG2 47 F2
Eskdale Dr, Beeston NG9 42 C5
Eskdale Dr, Nottingham NG8 24 A5
Essex St NG16 11 E1
Estwic Av NG16 6 D6
Ethel Av, Hucknall NG15 19 G3
Ethel Av, Nottingham NG3 26 C3
Ethel Rd NG2 46 C3
Ethel Ter NG7 25 E4
Eton Gro NG8 34 A3
Eton Rd NG2 46 B4
Eucalyptus Av NG11 52 B2
Eugene Gdns NG2 36 A5
Eugene St NG2 36 A4
Europa Way NG2 45 H6
Evans Rd NG6 24 C2
Evelyn St NG9 44 A3
Eversley Walk NG5 15 G3
Evesham Ct NG9 50 C2
Ewart Rd NG7 25 E5
Ewe Lamb Cl NG9 32 B6
Ewe Lamb La NG9 32 B6
Ewell Rd NG8 33 F2
Exbourne Rd NG8 23 H4
Exbury Gdns NG2 45 G5
Exchange Arc NG1 5 E3
Exchange Rd NG2 46 C2
Exchange Walk NG1 4 D4
Exeter Cl NG4 27 H3
Exeter Rd, Nottingham NG7 25 F5
Exeter Rd, West Bridgford NG2 46 B3
Exton Rd NG5 25 F2
Eyre St NG2 5 H4
Eyres Gdns DE7 20 D3

Fabis Dr NG11 44 D5
Factory La, Ilkeston DE7 20 C3
Factory La, Nottingham NG9 43 G4
Failsworth Cl NG11 44 D6
Fair Lea Cl NG10 49 H5
Fairbank Cres NG5 25 H3
Fairburn Cl, Beeston NG9 42 D2
Fairburn Cl, Nottingham NG8 33 E3
Fairburn Way NG16 12 B4
Faircroft Av NG10 41 F4
Fairdale Dr NG16 11 F1
Fairfax Cl NG5 25 E3
Fairfield Cl NG11 45 F4
Fairfield Cres NG10 57 C2
Fairfield St NG13 58 D2
Fairham Cl NG11 53 G3
Fairham Dr NG8 34 C4
Fairham Rd NG12 56 A5
Fairisle Cl NG11 53 E2
Fairland Cres NG2 46 A5
Fairlawn Pl NG5 26 A3
Fairlight Way NG5 15 G4
Fairmead Cl NG3 26 C5
Fairmead Gro NG11 52 D1
Fairnley Rd NG8 23 E5
Fairview Rd NG5 26 B1
Fairway NG12 56 C5
Fairway Dr, Beeston NG9 43 E3
Fairway Dr, Nottingham NG6 14 C4
Falcon Cl NG7 34 D3
Falcon Gro NG7 25 F4
Falcon St NG7 25 F4
Falconers Walk NG5 15 H3
Falconwood Gdns NG11 52 B2
Fallow Cl NG11 52 D1
Falston Rd NG8 24 A6
Far Cft DE72 48 B4
Far New Cl NG10 41 F5
Far Pastures Cl NG12 56 A6
Far Rye NG8 33 G1
Faraday Rd NG7 34 D2
Farfield Av NG9 43 F1
Farfield Gro NG9 43 G1
Farfield Rd DE7 21 E4
Farley St NG6 14 A4
Farleys La NG15 9 E3
Farm Av NG15 8 B5
Farm Cl, Ilkeston DE7 21 E5
Farm Cl, Long Eaton NG10 57 F1
Farm Cl, Nottingham NG11 52 D1
Farm Rd, Arnold NG5 16 D4
Farm Rd, Beeston NG9 43 E5
Farnborough Rd NG11 45 E6
Farndale Cl NG10 49 E6
Farndale Dr NG8 32 D3
Farndon Dr NG9 42 B6
Farndon Grn NG8 34 B3
Farndon Mews NG3 26 D5
Farnsfield Av NG14 19 F6
Farnsworth Cl NG16 12 B2
Farriers Cft DE7 20 A2
Farriers Grn NG11 52 B1
Farringdon Cl NG16 23 E2
Farrington Way NG16 10 C1
Farthing Ct NG10 49 F4
Farwells Cl NG6 24 B2
Faulconbridge Cl NG6 14 A5
Fearn Chase NG4 27 G6
Fearn Cl DE72 49 E4
Fearnleigh Dr NG6 24 C3
Featherstone Cl NG4 27 F1
Feignies Ct NG12 56 B4
Felen Cl NG5 15 E4
Fellbarrow Cl NG2 47 E4
Felley Cl NG15 8 C3
Fellows Rd NG9 43 F2
Fellside NG5 16 D6
Fellside Cl NG2 47 E3
Felstead Ct NG9 33 E6
Felstead Rd NG8 34 A1
Felton Cl NG9 42 C4
Felton Rd NG2 45 H1
Fenchurch Cl NG5 15 F1
Fenroth Cl NG6 13 G3
Fenton Ct NG5 25 E1
Fenton Dr NG6 14 B1
Fenton Rd NG5 25 E1
Fenwick Cl NG8 23 G3
Fenwick Rd NG8 23 G3
Fergus Cl NG11 53 E3
Ferguson Cl NG9 50 D1
Fern Av NG5 25 G4
Fern Cl NG9 42 D2
Fern Cres NG16 6 C6
Fern Lea Av NG12 59 A2
Ferndale Cl NG9 51 F1
Ferndale Gro NG3 37 E1
Ferndale Rd NG3 37 E1
Ferndene Dr NG10 49 E4
Ferngill Cl NG2 35 G6
Fernleigh Av NG3 26 D3
Fernwood Cres NG8 33 E3
Fernwood Dr NG12 39 E3
Ferny Hollow Cl NG5 14 D3
Ferrers Walk NG3 5 H1
Ferriby Ter NG2 35 H6
Festival Av DE72 48 A4
Festival Rd DE7 30 B2
Festus St NG4 28 A6
Field Av NG15 8 B4
Field Cl, Derby DE72 48 D4
Field Cl, Nottingham NG9 42 C6
Field Farm Rd NG10 50 A6
Field La NG9 42 C5
Field Maple Dr NG7 24 D5
Field Rd DE7 20 D6
Fieldbrook Ho NG12 39 H3
Fields Av NG11 53 H6
Fields Farm Rd NG10 49 G6
Fieldway NG11 45 F5
Fiennes Cres NG7 4 A6
Fifth Av NG7 44 B4
Filey St NG6 14 B3
Finch Cl NG7 35 E6
Finchley Cl NG11 52 B2
Findern Grn NG3 36 D1
Fingal Cl NG11 53 E2
Finsbury Av NG2 36 B3
Finsbury Park Cl NG2 45 H4
Finsbury Rd, Arnold NG5 15 F1
Finsbury Rd, Beeston NG9 32 D4
Fir Cl, Bulwell NG6 13 H4
Fir Cl, Hucknall NG15 9 F5
Fir Dale NG12 59 C2
Fir Walk NG3 26 D6
Firbank Ct NG9 42 C5
Firbeck Rd, Arnold NG5 16 D3
Firbeck Rd, Nottingham NG8 32 D3
Fircroft Av NG8 23 G5
Fircroft Dr NG15 8 A4
Firecrest Way NG6 24 C1
Firfield Av DE72 48 C4
Firs Av NG9 43 G2
Firs Rd NG12 46 D4
Firs St NG10 57 C1
Firsby Rd NG8 23 G3
First Av, Beeston NG9 43 F1
First Av, Carlton NG4 27 E5
First Av, Colwick NG4 37 G2
First Av, Gedling NG4 27 H4
First Av, Greasley St NG6 14 A4
First Av, Humber Rd South NG7 44 B3
First Av, Ilkeston DE7 20 D6
First Av, Nottingham NG7 25 F5
First Av, Sandiacre NG10 40 D5
Firth Cl NG5 17 E2
Firth Dr NG9 50 D1
Firth Way NG6 13 H3
Fisher Av NG5 16 B5
Fisher Gate NG1 5 G4
Fisher La NG13 58 D3
Fisher St NG7 25 E5
Fishpond Dr NG7 4 A6
Five Acres NG11 45 F5
Flagholme NG12 59 B2
Flamingo Ct*, The Moorings NG7 35 E5
Flamstead Av NG4 18 B4
Flamstead Rd DE7 20 D4
Flamsteed Rd NG8 23 E4
Flawborough Rise NG2 45 G6
Flawforth Av NG11 54 A5
Flawforth La NG11 54 A5
Flaxendale NG12 59 C3
Flaxton Way NG5 14 D4
Fleam Rd NG11 44 D5
Fleeman Gro NG2 36 C6
Fleet Cl NG7 34 C1
Fleetwith Cl*, Skiddaw Cl NG2 47 F4
Fleming Cl NG16 12 B3
Fleming Dr NG4 27 F6
Fleming Gdns NG11 52 C3
Fletcher Ct*, Querneby Av NG3 26 A3
Fletcher Gate NG1 5 E4
Fletcher Rd NG9 44 A2
Fletcher St NG10 49 H3
Flewitt Gdns NG3 5 H1
Flintham Dr NG5 25 G1
Flixton Rd NG16 12 B4
Florence Av NG10 50 A2
Florence Boot Cl NG7 44 A1
Florence Cres NG4 28 B4
Florence Ct DE7 20 D4
Florence Gro NG3 26 D6
Florence Nightingale Cl NG7 34 A6
Florence Rd, Gedling NG4 28 B4
Florence Rd, Nottingham NG3 26 C4
Florence Rd, West Bridgford NG2 46 C1
Florence St NG15 9 E4
Florin Gdns NG10 49 E4
Flowers Cl NG5 16 D5
Flying Horse Walk NG1 5 E4
Foljambe Ter NG3 5 G1
Folkton Gdns NG3 26 C4
Forbes Cl NG10 50 A6
Ford St NG7 25 E4
Ford St North NG7 25 F4
Fordham Grn NG11 52 D3
Forest Cl NG12 59 A2
Forest Gro NG1 25 G6
Forest Rd NG13 58 B2
Forest Rd East NG1 25 F6
Forest Rd West NG7 35 E1
Forest View Dr NG15 8 C2
Forester Cl NG9 43 E6
Forester Gro NG4 27 F6
Forester Rd NG3 26 C5
Forester St NG4 28 A6
Forge Hill NG9 43 E5
Forge Mill Gro NG15 9 G4
Forman St NG1 4 D2
Forster St NG7 34 D1
Forsythia Gdns NG7 34 D5
Fosbrooke Dr NG10 49 H6
Fosse Walk NG12 59 C3
Foster Av NG9 43 G3
Foster Dr NG5 16 A6
Fosters La NG13 58 E2
Fountains Cl NG2 47 E3
Fourth Av, Carlton NG4 27 E5
Fourth Av, Humber Rd South NG7 44 B4
Fourth Av, Nottingham NG7 25 F5
Fowler St NG3 25 H5
Fox Cl NG10 57 E1
Fox Covert NG4 37 H3
Fox Covert La NG11 52 A3
Fox Gro NG5 24 D2
Fox Grove Ct NG5 24 D2
Fox Hill NG12 59 A3
Fox Mdw NG15 8 D3
Fox Rd NG2 36 B6
Foxearth Av NG11 53 E1
Foxes Cl NG7 4 A6
Foxglove Rd NG16 11 F3
Foxhall Rd NG7 25 F5
Foxhill Rd, Burton Joyce NG14 19 E6
Foxhill Rd, Carlton NG4 27 F5
Foxhill Rd Central NG4 27 E5
Foxhill Rd East NG4 27 F5
Foxhill Rd West NG4 26 D5
Foxhollies Gro NG5 25 G2
Foxton Cl, Ilkeston DE7 20 B2
Foxton Cl, Nottingham NG6 13 G3
Foxton Gdns NG8 24 A6
Fradley Cl NG6 14 B1
Frampton Rd NG8 24 A6
Frances Gro NG15 19 G2
Francis Gro NG6 24 D2
Francis Rd NG4 27 H5
Francis St NG7 4 A1
Franklin Cl NG5 15 G2
Franklin Dr NG12 55 G
Franklyn Gdns, Keyworth NG12 56 B
Franklyn Gdns, Nottingham NG8 34 B
Fraser Cres NG4 27 E
Fraser Rd, Carlton NG4 26 D
Fraser Rd, Nottingham NG2 36 A
Fraser Sq NG4 27 E
Frearson Farm Ct NG16 10 D
Freckingham St NG1 5 G
Freda Av NG4 27 F
Freda Cl NG4 27 F
Frederick Av, Ilkeston DE7 31 E
Frederick Av, Nottingham NG4 27 E
Frederick Gro NG7 35 E
Frederick Rd NG9 41 H
Frederick St NG10 50 E
Freeland Cl NG9 50 A

Freemans Ter NG4 28 A5
Freemantle Walk NG5 14 D3
Freeston Dr NG6 13 G2
Freeth St NG2 36 B5
Freiston St NG7 24 D6
Fremount Dr NG8 23 H6
French St DE7 31 E1
Fretwell St NG7 24 D6
Friar La NG1 4 C4
Friar St, Long Eaton NG10 49 H5
Friar St, Nottingham NG7 34 D5
Friars Ct, Ilkeston DE7 30 A1
Friars Ct, Nottingham NG7 4 A6
Friday La NG4 27 H3
Friesland Dr NG10 41 E4
Frinton Rd NG8 23 G4
Frisby Av NG10 50 A5
Front St NG5 16 B4
Fryar Rd NG16 6 D5
Fulforth St NG1 35 H1
Fuller St NG11 53 H5
Fullwood Av DE7 20 C4
Fullwood St DE7 20 C4
Fulwood Cl NG9 43 E5
Fulwood Cres NG8 24 A4
Fulwood Dr NG10 49 E5
Furlong Av NG5 16 A3
Furlong Cl NG9 41 H1
Furlong Ct NG5 16 B3
Furlong St NG5 16 B4
Furnace Rd DE7 21 F6
Furness Cl NG2 46 D3
Furze Gdns NG3 26 A6
Furzebrook Rd NG4 37 G1
Fylde Cl NG9 50 A1
Fylingdale Way NG8 32 D4

Gabor Cl NG11 52 C3
Gabor Ct NG11 52 B3
Gabrielle Cl NG6 14 C6
Gadd St NG7 35 E1
Gadsby Cl DE7 31 E3
Gadwall Cres NG7 35 E5
Gainsborough Cl, Long Eaton NG10 50 A6
Gainsborough Cl, Stapleford NG9 42 A3
Gainsford Cl NG5 15 E6
Gainsford Cres NG5 15 E6
Gala Way NG5 14 D5
Gale Cl NG9 44 A3
Galena Dr NG3 26 C6
Gallows Inn Cl DE7 31 E2
Gallows Inn Ind Est DE7 21 F6
Galway Rd, Arnold NG5 16 A3
Galway Rd, Nottingham NG7 35 E4
Gamble St NG7 4 A1
Gamston Cres NG5 25 G2
Gamston Lings Bar Rd NG2 47 F2
Ganton Cl NG3 26 C4
Garden Av DE7 30 D2
Garden City NG4 27 G5
Garden Rd, Bingham NG13 58 C3
Garden Rd, Eastwood NG16 7 E6
Garden Rd, Hucknall NG15 8 C2
Garden St NG7 35 E2
Gardendale Av NG11 52 C3
Gardenia Cl NG9 50 C1
Gardenia Cres NG3 27 E3
Gardenia Gro NG3 26 D3
Gardens Ct NG2 46 D2
Gardens Walk NG5 15 E6
Garfield Cl NG9 31 H6
Garfield Rd NG7 34 D1
Garforth Cl NG8 24 D5
Garners Hill NG1 5 E5
Garnet St NG4 28 A6
Garrett Gro NG11 52 B1
Garsdale Cl NG2 47 E3
Garsdale Dr NG11 45 F6
Garton Cl, Beeston NG9 42 C4
Garton Cl, Nottingham NG6 14 A6
Gas St NG10 41 G3
Gatcombe Cl NG12 39 F4
Gatcombe Gro NG10 41 E6
Gateford Cl NG9 32 D5
Gateside Rd NG2 35 F6
Gaul St NG6 14 A3
Gauntley St NG7 24 D5
Gautries Cl NG5 15 E2
Gavin Mews NG7 25 E5
Gawthorne St NG7 25 E4
Gayhurst Rd NG6 14 D6
Gayrigg Ct NG9 42 C5
Gayton Cl NG8 23 E5
Gaywood Cl NG11 53 E3
Gedling Gro, Arnold NG5 16 C4
Gedling Gro, Nottingham NG7 35 F1
Gedling Rd, Arnold NG5 16 B4
Gedling Rd, Carlton NG4 27 H5
Gedling St NG1 5 G3
Gedney Av NG3 26 B5
Gell Rd NG9 42 B6
George Av, Beeston NG9 43 G5
George Av, Long Eaton NG10 50 A3
George Rd, Carlton NG4 27 H6
George Rd, West Bridgford NG2 46 A2
George St, Arnold NG5 16 B4
George St, Hucknall NG15 8 D1
George St, Nottingham NG1 5 E3
Georgia Dr NG5 16 B1
Georgina Rd NG9 43 G4
Gerrard Cl NG5 15 F1
Gertrude Rd NG2 36 D6
Gervase Gdns NG11 52 C1
Ghost House La NG9 42 C5
Gibb St NG10 50 A4
Gibbons Av NG9 41 H3
Gibbons St NG7 44 D1
Gibson Rd NG7 25 F5
Gifford Gdns NG2 35 G5
Gilbert Gdns NG3 36 C1
Gilbert St NG15 9 E2
Gilead St NG6 14 A4
Giles Av NG2 46 A3
Giles Ct NG2 46 B2
Gill St NG1 4 C1
Gillercomb Cl NG2 47 F5
Gillotts Cl NG13 58 D2
Gilpet Av NG3 26 B5
Gilt Hill NG16 11 H4
Giltbrook Cres NG16 11 G3
Giltway NG16 11 G3
Gimson Cl DE7 20 A1
Gipsy La NG11 52 B2
Girton Rd NG5 25 F2
Gisburn Cl NG11 45 F5
Glade Av NG8 34 B2
Gladehill Rd NG5 15 H4
Gladstone St, Beeston NG9 43 G4
Gladstone St, Carlton NG4 27 G6
Gladstone St, Ilkeston DE7 20 D6
Gladstone St, Langley Mill NG16 6 A5
Gladstone St, Long Eaton NG10 49 H5
Gladstone St, Nottingham NG7 25 E5
Gladstone St East DE7 20 D6
Gladys St NG7 25 F4
Glaisdale Dr East NG8 33 F1
Glaisdale Dr West NG8 33 E2
Glaisdale Park Way NG8 33 E2
Glaisdale Pk Ind Est NG8 33 E1
Glamis Rd NG5 25 E3
Glanton Way NG5 16 C1
Glapton La NG11 52 C1
Glapton Rd NG2 35 H6
Glaramara Cl NG2 35 G6
Glasshouse St NG1 5 E1
Glebe Cotts NG11 45 G1
Glebe Cres DE7 21 E6
Glebe Dr NG14 28 D2
Glebe Farm Cl NG2 45 H6
Glebe Farm Vw NG4 27 H2
Glebe La NG12 39 F4
Glebe Rd, Carlton NG4 27 E3
Glebe Rd, Nuthall NG16 12 D5
Glebe Rd, West Bridgford NG2 46 B2
Glebe St, Beeston NG9 43 G3
Glebe St, Hucknall NG15 19 F3
Glen Av NG16 11 F1
Glen Helen NG4 37 H1
Glen Parva Av NG5 16 A2
Glen Rd NG14 18 D6
Glenbrook NG12 59 C1
Glenbrook Cres NG8 23 H6
Glencairn Dr NG8 23 H4
Glencairn Mews*, Glencairn Dr NG8 23 H4
Glencoe Rd NG11 53 E3
Glencoyne Rd NG11 52 D3
Glendale Cl NG4 27 F3
Glendale Ct NG9 43 G6
Glendale Gdns NG5 16 C4
Glendoe Gro NG13 58 A3
Glendon Ct NG5 25 F2
Glendon Dr, Hucknall NG15 9 E4
Glendon Dr, Nottingham NG5 25 F2
Glendon Rd DE7 30 A3
Gleneagles Ct NG12 47 E6
Gleneagles Dr NG5 17 E2
Glenfield Av NG16 11 H4
Glenfield Rd NG10 49 G6
Glenlivet Gdns NG11 53 E2
Glenloch Dr NG11 53 E4
Glenmore Rd NG2 46 D4
Glenorchy Cres NG5 14 D3
Glenridding Cl NG2 47 F4
Glensford Gdns NG5 14 D1
Glenside NG5 16 D6
Glenside Rd NG9 32 D5
Glentworth Rd NG7 34 D1
Glenwood Av NG8 33 F3
Glins Rd NG5 15 E2
Gloucester Av, Beeston NG9 43 G5
Gloucester Av, Nottingham NG7 34 D3
Gloucester Av, Nuthall NG16 23 G1
Gloucester Av, Sandiacre NG10 41 E5
Glover Av NG8 33 F3
Goathland Cl NG5 15 G3
Godber Rd NG15 8 C4
Godfrey Dr DE7 30 A2
Godfrey St NG4 38 A1
Godwin St NG7 35 F1
Goldcrest Cl NG13 58 E3
Goldcrest Rd NG6 24 A1
Goldham Rd NG8 23 E5
Goldsmith Sq NG1 4 C1
Goldsmith St NG1 4 C1
Goldswong Ter NG3 25 H6
Golf Club Rd DE7 31 E6
Golf Course Rd NG12 56 D6
Golf Rd NG12 39 G4
Goodall Cres NG15 9 F3
Goodall St NG7 25 E6
Goodliffe St NG7 25 E5
Goodman Cl NG16 11 G3
Goodwin Cl NG10 41 E3
Goodwin Dr NG16 11 H5
Goodwood Av NG5 16 A3
Goodwood Cres DE7 30 B3
Goodwood Dr NG9 50 A2
Goodwood Rd NG8 33 F3
Goole Av DE7 30 B2
Goose Gate, Cotgrave NG12 59 A2
Goose Gate, Nottingham NG1 5 F3
Gordon Cl NG9 51 F1
Gordon Rd, Burton Joyce NG14 19 G6
Gordon Rd, Nottingham NG3 26 B6
Gordon Rd, West Bridgford NG2 46 C2
Gordon Rise NG3 26 A3
Gordon Sq NG2 46 C2
Gordon St, Ilkeston DE7 21 E4
Gordon St, Nottingham NG6 24 C1
Gorman Ct NG5 17 E4
Gorse Cl, Long Eaton NG10 49 F1
Gorse Cl, Newthorpe NG16 11 F2
Gorse Ct NG6 14 D6
Gorse Rd NG12 56 A5
Gorse Walk NG3 26 D6
Gorsey Rd NG3 25 H6
Gosforth Ct*, Radcliffe St NG2 36 A6
Goshawk Rd DE7 31 E4
Gothic Cl NG6 24 D1
Goverton Sq NG6 14 C6
Gowan Cl NG9 50 D2
Goyden Cl NG5 15 E3
Grace Dr NG8 24 C5
Grafton Av NG5 16 A6
Graham St, Ilkeston DE7 20 D6
Graham St, Nottingham NG7 34 D2
Grainger Av NG2 46 B6
Grainger St NG2 36 B5
Grampian Dr NG5 15 F1
Grampian Way NG10 49 E3
Granby Ct NG13 58 C2
Granby St DE7 20 D3
Grandfield Av NG12 39 F3
Grandfield Cres NG12 39 F3
Grange Av, Beeston NG9 43 G3
Grange Av, Derby DE72 48 B3
Grange Av, Ruddington NG11 53 G4
Grange Cl, Lambley NG4 18 C4
Grange Cl, Nottingham NG11 45 G2
Grange Cres NG4 28 A2
Grange Ct NG11 53 G2
Grange Dr NG10 50 B3
Grange Farm Cl NG9 50 C2
Grange Pk NG2 47 E4
Grange Rd, Edwalton NG12 46 C5
Grange Rd, Long Eaton NG10 50 B3
Grange Rd, Stockhill NG6 24 C2
Grange Rd, Woodthorpe NG5 16 B6
Grange View Rd NG4 28 A3
Grange Vw NG16 6 D6
Grangelea Gdns NG9 42 D2
Grangewood Av DE7 20 D6
Grangewood Rd NG8 32 D4
Grannis Dr NG8 24 A5
Grant St NG7 35 E2
Grantham Cl NG16 11 F3
Grantham Rd, Bingham NG13 58 E3
Grantham Rd, Radcliffe NG12 38 D5
Grantleigh Cl NG8 33 G2
Granton Av NG11 53 E3
Granville Av NG10 49 G2
Granville Cres NG12 39 E5
Grasby Walk NG11 52 C1
Grasmere Av NG8 24 B3
Grasmere Cl NG15 8 D1
Grasmere Ct NG10 49 F1
Grasmere Rd, Beeston NG9 43 F1
Grasmere Rd, Long Eaton NG10 49 F1
Grasmere St NG10 41 F4
Grass St DE7 20 C2
Grassingdale Cl NG4 27 F3
Grassington Rd NG8 24 C6
Grassmere NG12 59 C2
Grassy La NG9 44 A5
Graveney Gdns NG5 17 E5
Graylands Rd NG8 33 F1
Graystones Cl NG2 47 E4
Grazingfield NG11 45 F5
Greasley St NG6 14 A4
Great Freeman St NG3 5 E1
Great Hoggett Dr NG9 42 C4
Great Northern Rd NG16 10 B1
Great Northern Way NG4 28 B6
Greaves Cl, Arnold NG5 16 D5
Greaves Cl, Nottingham NG8 23 F4
Greek St NG7 35 F2
Green Acre NG8 32 D2
Green Av NG4 28 A6
Green Cl, Hucknall NG15 9 G3
Green Cl, Keyworth NG12 56 B3
Green Ct NG13 58 D2
Green La, Ilkeston DE7 21 E6
Green La, Lambley NG4 18 B3
Green La, Nottingham NG11 52 C1
Green Leys NG2 45 H5
Green Platt NG12 59 A2
Green St, Barton in Fabis NG11 51 G6
Green St, Nottingham NG2 36 A6
Greenacre NG12 46 D6
Greenacres Cl NG16 11 G1
Greenbank NG4 37 F1
Greenbank Ct NG5 25 H3
Greenburn Cl NG2 47 F3
Greencroft NG11 45 E6
Greendale Gdns NG8 24 A5
Greendale Rd, Arnold NG5 16 C5
Greendale Rd, Nottingham NG3 37 E1
Greenfield Gro NG4 27 E5
Greenfield St NG7 34 C6
Greenfields Dr NG12 59 A2
Greenford Cl NG16 23 F2
Greengates Av NG3 26 C2
Greenhill Cres NG4 37 G1
Greenhill Rd NG4 37 G1
Greenhill Rise NG4 27 G6
Greenhills Av NG16 7 E6
Greenhills Rd NG16 6 D5
Greenland Cres NG9 42 D6
Greens Farm La NG4 28 A3
Greens La NG16 12 B5
Greenside Cl NG10 50 A4
Greenside Walk NG3 27 E6
Greenway Cl NG12 38 D4
Greenwich Av NG6 24 B1
Greenwich Park Cl NG2 45 H4
Greenwood Av, Hucknall NG15 8 D1
Greenwood Av, Ilkeston DE7 21 E6
Greenwood Av, Nottingham NG3 37 F2
Greenwood Cres NG4 37 G1
Greenwood Gdns NG11 53 H5
Greenwood Rd NG3 36 D2
Greenwood Vale NG15 8 C1
Greet Ct NG7 24 C6
Greetwell Cl NG8 33 H1
Gregory Av, Derby DE72 48 A4
Gregory Av, Lenton NG7 35 E4
Gregory Av, Mapperley NG3 26 D3
Gregory Blvd NG7 25 E6
Gregory Cl NG9 42 B1
Gregory Ct NG9 42 C5
Gregory St, Ilkeston DE7 20 C4
Gregory St, Nottingham NG7 34 D4
Gregson Gdns NG9 50 C2
Grenville Dr NG9 42 A1
Grenville Rd, Ilkeston DE7 20 D2
Grenville Rd, Nottingham NG9 44 A5
Grenville Rise NG5 16 C2
Gresham Cl NG2 45 H3
Gresham Gdns, West Bridgford NG2 45 H2
Gresham Gdns, Woodthorpe NG5 16 C6
Gresley Dr NG2 36 B4
Gresley Rd DE7 20 D4
Gretton Rd NG3 26 C1
Grey St NG16 11 E2
Greyfriar Gate NG1 4 D5
Greyhound St NG1 4 D3
Greys Rd NG5 26 B1
Greystoke Dr NG8 22 D6
Greythorn Dr NG2 45 H5
Grierson Av NG5 15 F3
Griffon Rd DE7 30 D3
Griffs Hollow NG4 27 G6
Grimston Rd NG7 34 D1
Grindon Cres NG6 14 B1
Grinsbrook NG7 34 D3
Gripps Common NG12 59 B3
Grisedale Ct NG9 42 C5
Gritley Mews NG2 35 G5
Grizedale Gro NG13 58 A2
Grosvenor Av, Derby DE72 48 D3
Grosvenor Av, Long Eaton NG10 57 B1
Grosvenor Av, Nottingham NG3 25 H4
Grosvenor Rd NG16 6 D6
Grouville Dr NG5 16 D6
Grove Av, Beeston NG9 43 F3
Grove Av, Nottingham NG7 35 E1
Grove Cl NG14 19 E6

ve Mews NG16 10 C2
ve Rd, gham NG13 58 E2
ve Rd, ttingham NG7 35 E5
ve St NG9 43 H4
ve Ter DE7 21 E4
ver Av NG3 26 D2
veside Cres NG11 52 B1
ndy St NG7 24 D6
nea Cl NG10 49 E4
n Cl NG6 13 H4
nnersbury Way G16 23 E2
nthorpe Cl NG5 25 G2
nthorpe Dr NG5 25 G2
nthorpe Rd NG4 27 F2
y Cl NG9 42 A3
enbrook Av NG9 43 F4
enbrook Rd NG9 43 F4
ckworth Cl NG16 7 F6
dbury Rd NG5 25 E2
dden Ct NG8 33 E2
ddon Cl, arlton NG4 27 F3
ddon Cl, ucknall NG15 9 E3
ddon Cres NG9 51 E1
ddon Nurseries E7 20 C2
ddon Rd NG2 46 B3
ddon St, keston DE7 20 C2
ddon St, ottingham NG5 25 G3
ddon Way, ong Eaton NG10 57 A1
ddon Way, adcliffe NG12 39 G3
dleigh Cl NG9 50 A1
dley St DE7 31 E2
drian Gdns NG5 15 E1
dstock Cl NG10 41 F5
gley Cl NG3 36 D1
aileybury Cres NG2 46 B5
aileybury Rd NG2 46 B4
aise Ct NG6 13 G6
alberton Dr NG2 45 H5
alcroft Rd DE7 20 D5
ales Cl NG12 59 A1
alifax Ct NG8 23 E3
alifax Pl NG1 5 F4
all Cft NG9 43 G4
all Cl NG12 39 E4
all Dr, Beeston NG9 43 E4
all Dr, Nottingham NG8 33 F4
all Dr, Sandiacre NG10 41 F4
all Farm Cl NG12 55 G2
all Farm Ct NG2 47 F2
all Gdns NG9 42 D2
all La NG16 6 B2
all Rd NG16 6 A5
all St NG5 25 H2
all View Dr NG8 33 F1
Hallam Ct DE7 20 D2
Hallam Fields Rd DE7 31 E3
Hallam Rd, Beeston NG9 43 H3
Hallam Rd, Nottingham NG3 26 C3
Hallams La, Arnold NG5 16 B4
Hallams La, Beeston NG9 43 E5
Hallfields NG12 47 E6
Hallowell Dr NG8 33 H2
Halls La NG16 11 E2
Halls Rd NG9 41 G3
Halstead Cl, Beeston NG9 42 D5
Halstead Cl, Nottingham NG8 24 A2
Haltham Walk NG11 52 C4
Hambledon Dr NG8 34 A2
Hambleton Cl NG10 49 E3
Hambling Cl NG6 13 H4
Hamilton Cl, Arnold NG5 17 E2
Hamilton Cl, Beeston NG9 50 B2
Hamilton Ct NG7 4 B6
Hamilton Dr, Nottingham NG7 4 B6
Hamilton Dr, Radcliffe NG12 39 F3
Hamilton Rd, Long Eaton NG10 49 H3
Hamilton Rd, Nottingham NG5 25 G5
Hammersmith Cl NG16 23 F1
Hampden Gro NG9 43 F3
Hampden St, Guiltbrook NG16 11 F2
Hampden St, Nottingham NG1 4 C1
Hampshire Dr NG10 41 F4
Hampstead Rd NG3 26 A4
Hampton Cl NG9 41 H6
Hampton Rd NG2 46 B3
Handel St NG3 5 G2
Hankin St NG15 9 F3
Hanley Av NG9 42 D1
Hanley St NG1 4 C2
Hannah Cres NG11 45 G2
Hanslope Cres NG8 23 E6
Hanson Cres NG15 9 E2
Hanworth Gdns NG5 15 H3
Harberton Cl NG5 16 A2
Harby Dr NG8 34 C3
Harcourt Cl DE7 20 B4
Harcourt Cres NG16 23 G2
Harcourt Rd NG7 25 F5
Harcourt St NG9 43 G3
Harcourt Ter NG3 5 G1
Hard Wood Cl NG6 13 H4
Hardstaff Rd NG2 36 C2
Hardwick Ct NG10 57 A1
Hardwick Gro, Bingham NG13 58 B2
Hardwick Gro, Nottingham NG7 35 E3
Hardwick Gro, West Bridgford NG2 36 C6
Hardwick Pl DE7 30 A2
Hardwick Rd, Sherwood NG5 25 H2
Hardwick Rd, The Park NG7 35 F4
Hardwicke Rd NG9 51 E1
Hardy Cl NG10 49 H6
Hardy St, Kimberley NG16 12 A4
Hardy St, Nottingham NG7 35 F1
Hardys Dr NG4 27 H4
Harebell Gdns NG13 58 A3
Harewood Av NG6 14 C6
Harewood Cl, Radcliffe NG12 39 G4
Harewood Cl, Sandiacre NG10 41 F5
Harkstead Rd NG5 15 F2
Harlaxton Dr, Long Eaton NG10 50 B3
Harlaxton Dr, Nottingham NG7 35 E3
Harlech Cl DE7 20 A2
Harlech Rise NG9 42 D5
Harlequin Cl NG12 39 H4
Harley St NG7 35 E4
Harlow Gro NG4 27 H3
Harmston Rise NG5 25 E1
Harold St NG2 36 B3
Harpenden Sq NG8 24 A2
Harpole Walk NG5 16 C1
Harrier Gro NG15 8 B5
Harriett St NG9 41 H2
Harrimans Dr DE72 48 D4
Harrimans La NG7 44 C1
Harrington Cl NG4 28 B4
Harrington Dr NG7 35 E3
Harrington St NG10 57 C1
Harris Cl NG8 33 G2
Harris Rd NG9 43 E4
Harrison Rd NG9 41 H1
Harrogate Rd NG3 37 E1
Harrogate St NG4 27 H6
Harrow Dr DE7 31 E3
Harrow Gdns NG8 34 B3
Harrow Rd, Hucknall NG15 8 B4
Harrow Rd, Nottingham NG8 33 H3
Harrow Rd, West Bridgford NG2 46 B4
Harrowby Rd NG7 35 E3
Harston Gdns NG2 45 G6
Hart Av NG10 41 E3
Hart St NG7 35 E4
Hartcroft Rd NG5 15 F5
Hartford Cl NG2 36 A5
Harthill Cl NG9 51 E2
Hartington Av, Carlton NG4 27 G4
Hartington Av, Hucknall NG15 8 A3
Hartington Pl DE7 10 C6
Hartington Rd NG5 25 G2
Hartley Ct NG7 35 E1
Hartley Dr NG9 44 A3
Hartley Rd NG7 34 D1
Hartness Rd NG11 52 B2
Hartside Cl NG2 47 E2
Hartside Gdns NG10 49 E3
Hartside Way DE75 10 A1
Hartwell St NG3 35 H1
Hartwood Dr NG9 31 H6
Harvest Cl, Bingham NG13 58 B2
Harvest Cl, Nottingham NG5 15 E3
Harvey Cft NG9 31 G3
Harvey Cl NG11 53 H6
Harvey Ct NG7 34 D5
Harwich Cl NG6 13 H3
Harwill Cres NG8 24 A3
Harwood Cl NG5 16 D3
Haslam St NG7 4 C6
Haslemere Rd, Long Eaton NG10 49 F3
Haslemere Rd, Nottingham NG8 24 C5
Hassock La South DE75 10 A4
Hassocks La NG9 44 A2
Hastings St NG4 27 E6
Haswell Rd NG6 14 A5
Hatfield Av NG10 41 F5
Hatfield Dr NG2 45 G5
Hatfield Rd NG3 25 H3
Hatherleigh Cl NG3 17 F5
Hathern Cl NG10 49 H6
Hathern Grn NG9 43 H1
Hathersage Av NG10 48 D6
Hatley Cl NG2 35 G6
Hatton Cl NG5 15 F1
Hatton Crofts NG10 49 G5
Hatton Gdns NG16 23 F2
Havelock St DE7 20 D6
Haven Cl NG2 46 A4
Havenwood Rise NG11 52 C3
Haverhill Cres NG5 14 C1
Haversham Cl NG6 24 C3
Hawkhurst Dr NG8 33 F5
Hawkins Ct DE7 20 D1
Hawkridge Gdns NG3 5 G1
Hawkshead Cl NG2 47 F4
Hawksley Gdns NG11 52 B2
Hawksley Rd NG7 25 E6
Hawkswood Cl NG9 42 D5
Hawksworth Rd NG2 36 B6
Hawksworth St NG3 5 H2
Hawthorn Av, Cotgrave NG12 59 A3
Hawthorn Av, Derby DE72 48 D3
Hawthorn Av, Hucknall NG15 8 D2
Hawthorn Cl, Gamston NG12 47 E5
Hawthorn Cl, Keyworth NG12 56 A6
Hawthorn Cl, Nottingham NG2 35 G6
Hawthorn Cres NG5 16 D2
Hawthorn Walk, Meadows NG2 35 G5
Hawthorn Walk, Nottingham NG3 26 D5
Hawthorne Av, Long Eaton NG10 49 G5
Hawthorne Av, Stapleford NG9 41 H3
Hawthorne Rise NG16 11 F6
Hawton Cres NG8 34 B3
Hawton Spinney NG8 34 B3
Hayden La NG15 19 G1
Haydn Av NG5 25 G3
Haydn Rd NG5 25 F3
Haydock Cl NG16 12 A4
Hayes Av DE72 48 A4
Hayes Rd NG12 56 A5
Hayles Cl NG5 15 F5
Hayley Cl NG16 11 H5
Hayling Cl DE7 20 B2
Hayling Dr NG8 24 C3
Haynes Av NG9 31 G3
Haynes Cl NG11 53 E1
Hays Cl DE7 20 B3
Haywood Rd NG3 26 C3
Haywood St NG2 5 H4
Hayworth Rd NG10 41 F4
Hazel Cl NG13 58 F3
Hazel Dr NG16 12 D5
Hazel Gro, Hucknall NG15 8 D4
Hazel Gro, Mapperley NG3 26 D1
Hazel Hill Cres NG5 15 F3
Hazel Mdws NG15 9 E4
Hazel St NG6 14 A3
Hazel Way NG15 19 G2
Hazelbank Av NG3 26 B4
Hazelhurst Gdns NG6 14 B3
Hazelmere Gro NG7 34 D3
Hazelwood NG12 59 C1
Hazelwood Cl NG16 11 F1
Hazelwood Dr NG15 8 A3
Hazelwood Rd NG7 24 D6
Headingley Gdns NG8 24 C5
Healey Cl NG2 35 H5
Heanor Rd DE7 10 B6
Heath Gdns DE72 49 E3
Heathcoat St NG1 5 F3
Heathcot St NG1 35 H3
Heather Cft NG2 45 H5
Heather Cl, Newthorpe NG16 11 F1
Heather Cl, Nottingham NG3 26 A6
Heather Cres DE72 48 D4
Heather Rd NG4 27 F4
Heather Rise NG9 33 F6
Heatherington Gdns NG5 15 E2
Heatherley Dr NG6 25 E1
Heathervale NG2 45 G3
Heathfield Av DE7 21 E5
Heathfield Gro NG9 43 E6
Heathfield Rd NG5 25 E1
Heaton Cl NG3 26 C4
Heckington Dr NG8 34 A2
Heddington Gdns NG5 15 H3
Hedges Dr DE7 31 E2
Hedley St NG7 25 F5
Helen Cl NG9 43 E3
Hellebore Cl NG5 14 D4
Helm Cl NG6 13 G4
Helmsdale Cl NG5 17 E2
Helmsley Dr NG16 6 B6
Helston Dr NG8 23 F4
Helvellyn Cl NG2 35 G5
Helvellyn Way NG10 49 F2
Hemingway Cl, Carlton NG4 27 F6
Hemingway Cl, Newthorpe NG16 11 G2
Hemlock Av, Long Eaton NG10 49 H2
Hemlock Av, Stapleford NG9 42 A2
Hemlock Gdns NG6 13 G4
Hemlock La DE7 30 B2
Hempshill La, Nottingham NG6 13 G5
Hempshill La, Nottingham NG6 14 A5
Hemsby Gdns NG6 14 A3
Hemscott Cl NG6 13 G3
Hemswell Cl NG3 36 D2
Hendon Rise NG3 26 B5
Henley Cl NG4 28 B6
Henley Gdns NG9 32 A6
Henley Rise NG5 25 F2
Henning Gdns NG5 15 F3
Henrietta St NG6 14 B5
Henry Ct NG2 35 G5
Henry Rd, Beeston NG9 43 H3
Henry Rd, Nottingham NG7 34 D4
Henry Rd, West Bridgford NG2 46 B1
Henry St, Hucknall NG15 9 F3
Henry St, Nottingham NG2 5 H3
Henry St, Redhill NG5 16 A1
Henshaw Av DE7 30 B2
Henshaw Pl DE7 10 C6
Henson Sq NG9 42 D1
Hepple Dr NG6 13 G4
Herald Cl NG9 44 A2
Herbert Rd NG5 25 F4
Hereford Rd, Gedling NG4 27 H3
Hereford Rd, Nottingham NG3 36 D2
Hereford Rd, Woodthorpe NG5 16 B6
Hermitage Sq NG2 36 B4
Hermitage Walk, Ilkeston DE7 30 D2
Hermitage Walk, Nottingham NG7 4 A6
Hermon St NG7 4 A2
Heron Dr NG7 34 D3
Heron Wharf*, The Moorings NG7 35 E5
Herons Ct NG2 47 E5
Hervey Grn NG11 52 D1
Heskey Cl NG3 35 H1
Heslington Av NG8 24 D5
Hethbeth Ct NG2 35 G5
Hethersett Gdns NG6 14 A2
Hetley Rd NG9 43 G2
Hexham Av DE7 31 E3
Hexham Cl NG2 46 D3
Hexham Gdns NG5 15 E1
Hey St NG10 57 D1
Hickings La NG9 32 A6
Hickling Rd NG3 26 C3
Hickling Way NG12 59 C3
Hickton Dr NG9 50 D2
High Church St NG7 25 E4
High Croft Cl NG10 50 A6
High Cross St NG1 5 F3
High Hazels Rd NG12 59 B1
High Hazles Cl NG4 27 G2
High Holborn DE7 20 C2
High Leys Rd NG15 8 D3
High Mdw NG12 55 G2
High Pavement NG1 5 E4
High Rd, Beeston NG9 43 H2
High Rd, Chilwell NG9 43 E5
High Rd, Nottingham NG9 50 C2
High Spannia NG16 12 B3
High St, Arnold NG5 16 B4
High St, Hucknall NG15 9 E2
High St, Ilkeston DE7 20 D5
High St, Kimberley NG16 12 B5
High St, Long Eaton NG10 50 A4
High St, Nottingham NG1 5 E3
High St, Ruddington NG11 53 H5
High St, Stapleford NG9 41 H2
High Street Av NG5 16 B3
High Street Pl NG1 5 E3
High View Av NG12 56 C5
Highbank Dr NG11 52 D4
Highbury Av NG6 14 C6
Highbury Cl NG16 23 F2
Highbury Rd, Keyworth NG12 56 A4
Highbury Rd, Nottingham NG6 14 B4
Highclere Dr NG4 27 H5
Highcliffe Rd NG3 36 C2
Highcroft NG3 26 C1
Highcroft Dr NG8 32 D2
Highfield Dr, Carlton NG4 27 E5
Highfield Dr, Ilkeston DE7 30 A2
Highfield Dr, Nuthall NG16 23 G1
Highfield Gro NG2 46 B2
Highfield Rd, Beeston NG9 42 C6
Highfield Rd, Keyworth NG12 56 A4
Highfield Rd, Nottingham NG7 34 C6
Highfield Rd, Nuthall NG16 23 F1
Highfield Rd, West Bridgford NG2 46 B2
Highfield Science Pk NG7 34 C6
Highfield St NG10 49 G2
Highgate Cl NG4 27 E3
Highgate Dr DE7 20 B2
Highgrove Av NG9 43 F3
Highgrove Gdns NG12 46 C6
Highhurst St NG7 35 E2
Highwood Av NG8 23 G5
Highwray Gro NG11 52 C3
Hilary Cl NG8 33 E4
Hilcot Dr NG8 24 A4
Hill Cl, Newthorpe NG16 11 G2
Hill Cl, West Bridgford NG2 46 D4
Hill Dr NG13 58 C2
Hill Rd, Beeston NG9 50 D1
Hill Rd, Bestwood Village NG6 9 H4
Hill Rise NG9 31 G3
Hill Side NG7 34 C4
Hill View Rd NG9 50 C1
Hillary Pl DE7 30 A2
Hillbeck Cres NG8 33 E3
Hillcrest Cl NG16 12 B4
Hillcrest Dr NG15 8 B3
Hillcrest Gdns NG14 19 E6
Hillcrest Gro NG5 25 G
Hillcrest Rd NG12 56 A4

Hillcrest Vw NG4 26 D4
Hillfield Gdns NG5 14 D1
Hillfield Rd NG9 42 A1
Hillingdon Av NG16 23 E2
Hillington Rise NG5 15 H4
Hills Rd, Derby DE72 48 A4
Hills Rd, Nottingham NG5 26 B1
Hillsford Cl NG8 34 A2
Hillside Av NG3 26 D1
Hillside Cres NG9 43 F1
Hillside Dr, Burton Joyce NG14 19 F6
Hillside Dr, Long Eaton NG10 49 F3
Hillside Gro NG10 41 E3
Hillside Rd, Beeston NG9 42 C6
Hillside Rd, Beeston NG9 43 E1
Hillside Rd, Radcliffe NG12 39 G4
Hillview Rd NG4 26 C4
Hilton Cl NG10 57 A1
Hilton Cres NG2 47 E4
Hilton Ct NG2 47 E4
Hilton Rd NG3 26 C3
Hinchin Brook NG7 34 D3
Hind Av DE72 48 A4
Hinshelwood Ct NG11 52 B3
Hinsley Cl NG5 17 E3
Hirst Cres NG8 33 G3
Hoare Rd NG9 50 D1
Hobart Cl NG2 35 H6
Hobart Dr NG9 32 A6
Hobsic Cl NG16 6 B1
Hobson Dr DE7 30 C1
Hockley NG1 5 G3
Hodgkin Cl NG11 52 B3
Hodgkinson St NG4 38 A1
Hoe Hill Vw NG12 55 G2
Hoefield Cres NG6 13 H5
Hoewood Rd NG6 13 H4
Hogan Gdns NG5 15 F2
Hogarth Cl NG9 42 A3
Hogarth St NG3 36 B1
Hogg La NG12 39 E4
Hoggett Cl NG9 42 C4
Holbeck Rd, Hucknall NG15 19 G3
Holbeck Rd, Nottingham NG8 34 C1
Holborn Av NG2 36 C2
Holborn Cl NG16 23 E2
Holborn Pl NG6 14 B4
Holby Cl NG5 15 E3
Holcombe Cl NG8 24 A3
Holdale Rd NG3 37 E1
Holden Cres NG16 13 E4
Holden Gdns NG9 42 A3
Holden Rd NG9 43 F2
Holden St NG7 4 A2
Holgate NG11 52 B1
Holgate Rd NG2 35 H6
Holgate Walk NG15 8 C3
Holkham Av NG9 42 D4
Holkham Cl, Ilkeston DE7 20 B2
Holkham Cl, Nottingham NG5 16 C5
Holland Mdw NG10 57 F1
Holland St NG7 25 E6
Hollben Ct NG6 24 C3
Holles Cres NG7 4 A5
Hollies Dr NG12 46 D5
Hollington Rd NG8 34 A1
Hollingwell Ct NG12 47 E6
Hollingworth Av NG10 41 F6
Hollinwell Av NG8 34 A2
Hollis St NG7 25 F4
Hollowstone NG1 5 F4
Holly Av, Carlton NG4 27 F6
Holly Av, Derby DE72 48 D2
Holly Av, Thorneywood NG3 26 C6
Holly Av, Wilford NG11 45 G1
Holly Cl, Bingham NG13 58 F3
Holly Cl, Hucknall NG15 9 F4
Holly Ct NG9 42 D1
Holly Gdns NG3 26 C6
Holly La NG9 43 G4
Holly Rd NG16 12 B3
Hollybrook Gro NG16 12 D4
Hollycroft NG2 46 C5
Hollydale Rd NG3 37 E1
Hollydene Cl NG15 8 A3
Hollydene Cres NG6 24 A1
Hollygate La NG12 59 B1
Hollythorpe Pl NG15 8 A4
Holme Cl DE7 20 B3
Holme Gro NG2 36 D5
Holme La NG12 38 B4
Holme Rd, Bingham NG13 58 E2
Holme Rd, West Bridgford NG2 36 C6
Holme St NG2 36 B5
Holmefield Cres DE7 21 E5
Holmefield Rd NG9 42 D6
Holmes Rd DE72 48 B3
Holmewood Cres NG5 15 F5
Holmewood Dr NG16 11 F3
Holmsfield NG12 56 A6
Holroyd Av NG2 36 B3
Holwood Ct NG6 13 H5
Holyoake Dr NG10 50 B5
Holyoake Rd NG3 27 E2
Holyrood Ct NG9 32 D6
Holywell Rd DE7 20 A2
Home Cl NG5 16 A3
Homefield Av NG5 16 D1
Homefield Rd NG8 24 C6
Homewell Walk NG11 45 E6
Honeysuckle Cl NG8 23 F4
Honeysuckle Gro, Bingham NG13 58 C3
Honeysuckle Gro, Nottingham NG6 24 A1
Honeywood Ct NG3 26 D6
Honeywood Dr NG3 26 D6
Honingham Cl NG5 16 C5
Honingham Rd DE7 20 A2
Honister Cl, Gamston NG2 47 E2
Honister Cl, Nottingham NG11 52 C4
Honiton Cl NG9 50 B1
Honiton Rd NG8 23 F4
Hood St NG5 25 H3
Hook Cl NG9 51 E1
Hooley Cl NG10 49 F5
Hooley Pl NG5 25 H2
Hoopers Walk NG2 35 H5
Hooton Rd NG4 27 E6
Hooton St NG3 36 C2
Hope Cl NG2 35 G5
Hope Dr NG7 4 C6
Hope St, Ilkeston DE7 20 D6
Hope St, Nottingham NG9 43 F2
Hopedale Cl NG7 34 D2
Hopewell Cl NG12 39 F3
Hopewell Walk DE7 10 D6
Hopkins Ct NG16 6 D6
Horace Av NG9 41 G3
Hornbeam Cl DE7 21 E6
Hornbeam Gdns NG6 13 H4
Hornchurch Rd NG8 23 E5
Hornsby Walk NG5 14 C3
Horsecroft Cl DE7 20 B3
Horsendale Av NG16 23 G1
Horsham Dr NG5 15 E3
Hoselett Field Rd NG10 57 F1
Hoskinson St NG1 4 D1
Hoten Rd NG2 36 C4
Hotspur Cl NG6 14 D6
Hotspur Dr NG4 37 G1
Houghton Av DE7 20 B2
Houghton Cl NG16 23 G1
Houldsworth Rise NG5 16 B1
Hound Rd NG2 46 B1
Hounds Gate NG1 4 C5
Houseman Gdns NG2 35 H5
Houston Cl NG5 14 D2
Hove Rd NG5 14 D5
Hovendon Gdns NG7 24 D6
Howard Cl NG10 49 H3
Howard Ct NG7 4 A1
Howard St NG1 5 E2
Howarth Cl NG10 49 E4
Howbeck Rd NG5 16 D3
Howden Rd NG6 14 B1
Howell Jones Rd NG9 42 D6
Howells Cl NG5 15 G3
Howick Dr NG6 13 G3
Howitt St, Long Eaton NG10 50 A4
Howitt St, Nottingham NG7 24 D5
Hoylake Cres NG8 23 E6
Hoyland Av NG7 34 D5
Huckerby Rd DE7 20 B3
Huckerbys Fld NG4 27 E4
Hucknall By-Pass NG15 8 C1
Hucknall Cl NG8 23 F3
Hucknall Cres NG4 27 G3
Hucknall Ind Pk NG15 8 C5
Hucknall La NG6 14 B3
Hucknall Rd NG5 14 C2
Hudson St NG3 36 B1
Hudson Way NG12 39 H3
Hugessen Av NG15 9 G1
Huggett Gdns NG5 15 F2
Humber Cl NG2 35 H5
Humber Rd, Beeston NG9 43 H2
Humber Rd, Long Eaton NG10 49 G2
Humber Rd South NG9 44 A3
Humberston Rd NG8 33 E4
Hunger Hill Yd DE7 31 E1
Hungerhill Rd NG3 26 A5
Hungerton St NG7 35 E4
Hunston Cl NG8 23 H6
Hunt Cl NG12 39 E4
Hunter Rd NG5 17 E5
Hunters Cl NG11 45 F3
Huntingdon Dr NG7 4 B4
Huntingdon St NG1 5 E1
Huntingdon Walk NG10 41 F4
Huntingdon Way NG9 50 B1
Huntly Cl NG11 53 E2
Hunts Hill NG16 7 F2
Hurcomb St NG3 26 B6
Hurst Ct*, Blackhill Dr NG4 27 H5
Hurts Cft NG9 43 E5
Hurts Yd NG1 4 D3
Huss's St NG10 50 A4
Hutton Cl NG9 33 E6
Hutton St NG2 36 C4
Huxley Cl NG8 23 E6
Hyde Cl NG11 45 E5
Hyde Pk Cl NG2 45 H4
Hyson St NG7 25 E6
Ian Gro NG4 27 H5
Ikea Way NG10 49 F4
Ilam Sq DE7 10 C6
Ilford Cl DE7 20 B2
Ilkeston Rd, Ilkeston DE7 30 D4
Ilkeston Rd, Nottingham NG7 4 A2
Ilkeston Rd, Stapleford NG10 41 G2
Ilkeston Rd, Trowell NG9 31 F2
Imperial Av, Beeston NG9 43 G3
Imperial Av, Gedling NG4 27 G4
Imperial Rd, Beeston NG9 43 F3
Imperial Rd, Nottingham NG6 14 C4
Inchwood Cl NG9 50 B2
Incinerator Rd NG2 36 A5
Independent St NG7 35 E1
Ingham Gro NG7 34 D4
Ingham Rd NG10 49 G1
Ingleborough Gdns NG10 49 E3
Ingleby Cl, Cotgrave NG12 59 A3
Ingleby Cl, Nottingham NG8 32 D4
Ingleby Rd NG10 57 A1
Inglefield Rd DE7 30 D1
Inglewood Rd NG11 52 D3
Ingram Rd NG6 14 C5
Ingram Ter NG6 14 B5
Inham Circus NG9 42 D4
Inham Cl NG9 42 C4
Inham Rd NG9 42 C5
Innes Cl NG4 27 F6
Instow Rise NG3 36 A1
Intake Rd NG12 56 A5
Interchange 25 Bsns Pk NG10 41 E5
Iona Dr NG9 31 H4
Iona Gdns NG5 15 F2
Ipswich Circus NG3 36 D2
Ireland Av NG9 43 H4
Ireland Cl NG9 43 H4
Iremonger Rd NG2 36 A5
Ireton Gro NG9 51 E1
Ireton St, Beeston NG9 43 F3
Ireton St, Nottingham NG7 4 A1
Irwin Dr NG6 13 H5
Isaacs La NG9 41 H2
Isabella St NG1 4 D5
Isandula Rd NG7 25 E3
Islay Cl, Arnold NG5 16 C2
Islay Cl, Trowell NG9 31 H5
Ivatt Dr NG2 36 B4
Ives Cl NG2 45 H5
Ivy Cl NG16 12 B2
Ivy Gro, Carlton NG4 27 F6
Ivy Gro, Nottingham NG7 25 F5
Ivy La NG16 10 C1
Jacklin Gdns NG5 15 F2
Jackson Av, Ilkeston DE7 20 C4
Jackson Av, Nottingham NG10 41 E3
James St, Arnold NG5 16 B3
James St, Kimberley NG16 12 B5
Japonica Dr NG6 24 A1
Jarrow Gdns NG5 15 E1
Jarvis Av NG3 36 D1
Jasmine Cl, Beeston NG9 33 F6
Jasmine Cl, Clifton NG11 52 B2
Jasmine Cl, Strelley NG8 23 F4
Jasmine Ct DE75 10 A2
Jasmine Rd NG5 24 D2
Jasper Cl NG12 38 D5
Jayne Cl, Gedling NG4 28 A3
Jayne Cl, Nottingham NG8 33 G1
Jebbs La NG13 58 D3
Jedburgh Cl NG3 36 A1
Jenned Rd NG5 16 D1
Jenner St NG5 25 G5
Jenness Av NG5 14 D2
Jennison St NG6 14 B3
Jenny Burton Way NG15 9 G4
Jensen Way NG5 25 F4
Jermyn Dr NG5 15 F1
Jersey Gdns NG3 36 B1
Jervis Ct DE7 20 D2
Jesmond Rd NG6 14 C5
Jessops La NG4 27 H2
John St DE7 20 D4
John Wright Cl NG6 14 C2
Johns Rd NG12 39 G4
Johnson Av NG15 9 E4
Johnson Cl NG16 12 B4
Johnson Rd NG7 34 D3
Joseph Ct DE7 20 C1
Joyce Av, Beeston NG9 42 A6
Joyce Av, Nottingham NG5 15 H6
Joyce Cl NG5 25 H1
Jubilee Rd NG5 16 A5
Jubilee St, Kimberley NG16 11 H4
Jubilee St, Nottingham NG2 36 C3
Judson Av NG9 42 A3
Julian Cl DE7 31 E1
Julian Rd NG2 36 D6
Junction Rd NG10 50 B6
Juniper Cl NG11 52 B2
Juniper Ct*, Forest Rd West NG7 35 E1
Juniper Gdns NG13 58 F3
Kappler Cl NG4 28 A6
Karen Gdns NG9 43 E5
Karen Rise NG5 16 D1
Katherine Dr NG9 42 B6
Kayes Walk NG1 5 F4
Keats Cl, Daybrook NG5 16 A4
Keats Cl, Kimberley NG16 12 C5
Keats Cl, Long Eaton NG10 49 F6
Keats Dr NG15 8 B3
Kedleston Cl, Beeston NG9 42 D4
Kedleston Cl, Long Eaton NG10 57 B1
Kedleston Dr DE7 20 B1
Keeling Cl NG16 11 F2
Kelfield Cl NG6 14 D6
Kelham Grn NG3 36 C1
Kelham Mews NG3 26 D5
Kelham Way NG16 6 C6
Kelling Cl NG5 15 F5
Kelly Walk NG11 45 G2
Kelsey Cl NG9 51 F1
Kelso Gdns NG2 35 G5
Kelstern Cl NG8 24 B2
Kelvedon Gdns NG3 5 G1
Kelvin Cl NG9 41 G4
Kelvin Rd NG3 2
Kemmel Rd NG6 1
Kempsey Cl NG5 1
Kempson St NG11 5
Kempton Cl NG16 1
Kempton Dr NG5 1
Kendal Cl NG15 8
Kendal Ct NG2 4
Kendal Dr NG9 4
Kendale Ct NG3 2
Kenia Cl NG4 2
Kenilworth Ct NG1 4
Kenilworth Dr DE7 30
Kenilworth Rd, Beeston NG9 43
Kenilworth Rd, Nottingham NG7 4
Kennedy Av NG10 57
Kennedy Cl NG5 16
Kennedy Dr NG9 32
Kenneth Rd NG5 16
Kennington Ct*, Peveril St NG7 35
Kennington Rd NG8 34
Kenrick Rd NG3 26
Kenrick St NG4 28
Kensington Cl NG9 50
Kensington Gdns, Ilkeston DE7 21
Kensington Gdns, Nottingham NG4 27
Kensington Park Cl NG2 45
Kensington Rd NG10 41
Kensington St DE7 30
Kenslow Av NG7 24
Kent Av NG9 43
Kent Rd, Giltbrook NG16 11
Kent Rd, Nottingham NG3 26
Kent Rd, Stapleford NG9 41
Kent St NG1 5
Kentmere Cl NG2 47
Kenton Av NG16 23
Kenton Ct*, Bunbury St NG2 36
Kentwood Rd NG2 36
Kenyon Rd NG7 34
Keppel Ct DE7 20
Kersall Ct NG6 14
Kersall Dr NG6 14
Kersall Gardens Cres NG15 9
Kersall Gdns NG15 9
Kestrel Cl, Ilkeston DE7 30 D
Kestrel Cl, Nottingham NG4 26 D
Kestrel Dr NG13 58 E
Keswick Cl, Beeston NG9 43 E
Keswick Cl, Gamston NG2 47 E
Keswick Cl, Ilkeston DE7 30 C
Keswick Ct NG10 49 F
Keswick St NG2 5 H
Keverne Cl NG8 24 B
Kevin Rd NG8 33 E
Kew Cl NG2 45 G
Kew Gdns NG16 23 F
Key St NG3 36 C
Keys Cl NG6 14 A
Keyworth Rd NG4 27 F
Kibworth Cl NG5 15 E
Kiddier Av NG5 16 D
Kielder Dr NG13 58 A
Kilbourn St NG3 35 H
Kilbourne Rd NG5 16 D
Kilburn Cl NG9 32 D
Kilburn Dr DE7 20 B
Kilby Av NG3 36 C1
Kildare Rd NG3 26 C4
Kildonan Cl NG8 23 E3
Killerton Grn NG11 52 D4
Killerton Park Dr NG2 45 G5
Killisick La NG5 16 D1
Killisick Rd NG5 16 D3
Kilnbrook Av NG5 16 D2
Kilnwood Cl NG3 26 D6
Kilsby Rd NG11 53 E1
Kilverston Rd NG10 41 E3
Kilverton Cl NG8 34 B3
Kilvington Rd NG5 16 D3
Kimber Cl NG8 33 E1
Kimberley - Eastwood By-Pass NG16 10 B1
Kimberley Cl NG16 12 B6
Kimberley Rd NG16 12 C6
Kimberley St NG2 36 C3
Kimbolton Av NG7 35 E2

Kindlewood Dr NG9 50 C2
King Edward Ct*, King Edward St NG1 5 F2
King Edward Gdns NG10 41 F3
King Edward St, Hucknall NG15 9 E2
King Edward St, Nottingham NG1 5 F2
King Edward St, Sandiacre NG10 41 F3
King George Av DE7 20 C5
King Johns Arc NG1 5 E4
King St, Beeston NG9 43 H3
King St, Eastwood NG16 6 D6
King St, Ilkeston DE7 20 D4
King St, Long Eaton NG10 49 H3
King St, Nottingham NG1 4 D3
Kingfisher Cl, Beeston NG9 44 A4
Kingfisher Cl, Nottingham NG6 24 C1
Kingfisher Wharf*, The Moorings NG7 35 E5
Kingfishers Ct NG2 47 E5
Kinglake Pl NG2 35 G5
Kingrove Av NG9 43 E3
Kings Av NG4 27 H3
Kings Dr NG16 6 C1
Kings Meadow Rd NG2 35 F5
Kings Pl NG1 5 F4
Kings Rd NG10 41 F3
Kings Walk NG1 4 D2
Kingsbridge Av NG3 17 F5
Kingsbridge Way NG9 43 E3
Kingsbury Dr NG8 23 H5
Kingsdale Cl NG10 49 E6
Kingsdown Mt NG8 33 F5
Kingsford Av NG7 34 D1
Kingsley Cres NG10 57 C2
Kingsley Dr NG4 28 A6
Kingsley Rd NG2 36 C3
Kingsmead Av NG9 31 H5
Kingsmoor Cl NG5 14 D4
Kingsthorpe Cl NG3 26 C4
Kingston Av DE7 31 E3
Kingston Ct NG2 5 H4
Kingston Dr NG12 59 B3
Kingston Rd NG2 46 B3
Kingsway, Ilkeston DE7 31 E2
Kingsway, Nottingham NG12 39 E5
Kingsway Gdns NG15 8 B5
Kingsway Rd NG15 8 C5
Kingswell Rd NG5 16 B4
Kingswood Cl NG2 46 A4
Kingswood Rd, Nottingham NG8 34 A2
Kingswood Rd, West Bridgford NG2 46 A4
Kinlet Rd NG5 15 F5
Kinross Cres NG8 34 A1
Kipling Cl NG11 52 B3
Kipps St NG1 5 F3
Kirby Cl NG16 7 E6
Kirby Rd NG16 7 E6
Kirk Cl NG9 43 E6
Kirk La NG11 53 H5
Kirk Rd NG3 26 C3
Kirkbridge Ct NG9 42 C5
Kirkby Av DE7 30 D1
Kirkby Gdns NG2 35 H5
Kirkdale Cl NG8 32 D3
Kirkdale Gdns NG10 49 F6
Kirkdale Rd, Long Eaton NG10 49 F6
Kirkdale Rd, Nottingham NG3 37 E1
Kirkewhite Walk NG2 35 G5
Kirkfell Cl NG2 47 E4
Kirkfield Dr DE72 48 C3
Kirkham Dr NG9 50 A1
Kirkhill NG13 58 D2
Kirkland Dr NG9 50 D2
Kirkley Gdns NG5 16 C3
Kirkstead Gdns NG7 25 E6
Kirkstead St NG7 25 E6
Kirkstone Av DE75 10 A1
Kirkstone Ct NG10 49 F2
Kirkstone Dr NG2 47 E2
Kirkwhite Av NG10 49 H4
Kirkwhite Ct NG2 36 A5
Kirtle Cl NG8 24 B5
Kirton Av NG10 49 H5
Kittiwake Mews NG7 34 D3
Kiwi Cl NG15 8 B4
Knapp Av NG16 10 D2
Kneesall Gro NG15 9 E1
Kneeton Cl NG4 27 F1
Kneeton Vale NG5 25 G1
Knight St NG4 38 A1
Knighton Av NG7 34 D1
Knighton Rd NG5 16 A6
Knights Cl, Nottingham NG5 15 E3
Knights Cl, Toton NG9 50 B2
Knights Cl, West Bridgford NG2 45 H6
Knightsbridge Dr, Nuthall NG16 23 F2
Knightsbridge Dr, West Bridgford NG2 45 G5
Knightsbridge Gdns NG15 19 E2
Kniveton Pk DE7 20 B6
Knole Rd NG8 33 F2
Knoll Av NG15 8 B4
Knowle Hill NG16 12 C6
Knowle La NG16 12 B6
Knowle Pk NG16 12 C6
Knowles Walk NG5 15 H3
Krebs Cl NG11 52 B3
Kyle Vw NG5 15 F2
Kyme St NG7 35 E2
Kynance Gdns NG11 45 G4

Labernum St NG3 26 A6
Laburnum Av NG12 56 C5
Laburnum Cl NG10 41 F2
Laburnum Gdns NG6 14 D6
Laburnum Gro, Beeston NG9 44 A4
Laburnum Gro, Hucknall NG15 9 E4
Lace St NG7 34 C6
Lace Way NG1 5 G5
Lacey Av NG15 8 D3
Lacey Cl DE7 20 A2
Lacey Fields Rd DE75 10 A2
Ladbrooke Cres NG6 24 B2
Lady Bay Av NG2 36 B6
Lady Bay Bri NG2 36 B5
Lady Bay Rd NG2 36 C6
Ladybank Rise NG5 17 E2
Ladybridge Cl NG9 43 F6
Ladycroft Av NG15 8 D2
Ladylea Rd NG10 57 B1
Ladysmith St NG2 36 C3
Ladysmock Gdns NG2 36 A5
Ladywood Rd DE7 30 A2
Lake St NG7 35 E1
Lakeland Av NG15 9 G3
Lakeside Av NG10 57 D1
Lakeside Cres NG10 57 E1
Lamartine Ct NG3 5 F1
Lamartine St NG3 5 F1
Lamb Close Dr NG16 7 E5
Lambert Gdns NG8 24 B5
Lambert St NG7 24 D6
Lambeth Ct NG9 44 A2
Lambeth Rd NG5 15 F1
Lambie Cl NG8 34 B2
Lambley Av NG3 27 E2
Lambley Bridle Rd NG14 18 D5
Lambley La, Burton Joyce NG14 18 D6
Lambley La, Gedling NG4 27 H2
Lambourne Dr NG8 33 G2
Lambourne Gdns NG5 16 D6
Lambton Cl DE7 20 C2
Lamcote Gdns NG12 38 D4
Lamcote Gro NG2 36 A6
Lamcote Mews NG12 38 D4
Lamcote St NG2 36 A6
Lammas Gdns NG2 35 H5
Lamorna Gro NG11 45 G4
Lamplands NG12 59 A2
Lanark Cl NG8 34 B4
Lancaster Av, Sandiacre NG10 41 E5
Lancaster Av, Stapleford NG9 41 H3
Lancaster Rd, Hucknall NG15 8 B5
Lancaster Rd, Nottingham NG3 26 D6
Lancaster Way NG8 23 E3
Lancelot Dr NG16 12 B2
Lancelyn Gdns NG2 46 A6
Landcroft Cres NG5 15 F5
Landmeer Cl DE7 20 A2
Landmere Gdns NG3 26 C4
Landmere La, Nottingham NG11 45 G6
Landmere La, Nottingham NG11 54 A1
Landseer Cl NG7 34 D1
Laneham Av NG5 16 D4
Laneside Av NG9 50 A2
Laneward Cl DE7 20 B1
Langar Cl NG5 25 H1
Langar Rd NG13 58 C3
Langbank Av NG5 14 D2
Langdale Dr NG10 49 E5
Langdale Gro NG13 58 A3
Langdale Rd NG3 37 E2
Langdon Cl NG10 49 E3
Langdown Cl NG6 13 H3
Langford Rd NG5 16 D3
Langham Av NG3 36 D1
Langham Dr NG14 19 F6
Langley Av, Ilkeston DE7 10 B6
Langley Av, Nottingham NG5 16 B4
Langstrath Dr NG2 47 F5
Langstrath Rd NG11 52 D2
Langton Cl NG4 37 G1
Langtry Gdns NG13 58 D2
Langtry Gro NG7 25 F4
Lansdown Cl NG9 42 D5
Lansdown Gro NG10 50 A2
Lansdowne Dr NG2 46 A5
Lansdowne Rd NG6 24 D1
Lansing Cl NG11 53 E3
Lanthwaite Cl NG11 53 E2
Lanthwaite Rd NG11 53 E2
Lapford Cl NG3 17 F5
Larch Cl, Arnold NG5 15 H2
Larch Cl, Bingham NG13 58 F3
Larch Cl, Hucknall NG15 9 F4
Larch Cres, Beeston NG9 43 F3
Larch Cres, Eastwood NG16 10 C1
Larch Dr NG10 41 F2
Larch Gdns NG6 13 H4
Larch Way NG12 56 C5
Larchdene Av NG8 33 F4
Largs Cl NG5 14 D1
Lark Cl NG9 42 C4
Larkdale St NG7 35 F1
Larkfield Rd NG16 12 D5
Larklands Av DE7 21 E6
Larkspur Av NG5 16 A1
Larwood Gro NG5 15 H6
Lascelles Av NG4 27 F3
Latham St NG6 14 A4
Lathkill Av DE7 10 C6
Lathkill Cl NG6 14 A4
Lathkilldale Cres NG10 49 E6
Latimer Cl NG6 14 B5
Latimer Dr NG9 32 D4
Laughton Av NG2 45 H5
Laughton Cres NG15 8 B4
Launceston Cres NG11 45 F5
Launder St NG2 35 G5
Laurel Av NG12 56 B6
Laurel Cres, Long Eaton NG10 49 G5
Laurel Cres, Nuthall NG16 12 C4
Laurel Rd NG4 27 F5
Laurie Av NG7 25 E6
Laurie Cl NG7 25 F5
Lauriston Dr NG6 24 C1
Lavender Cl NG8 23 F4
Lavender Cres NG4 27 F4
Lavender Gro NG9 44 A5
Laver Cl NG5 17 E4
Laverock Cl NG16 12 B5
Lawdon Rd NG5 16 C2
Lawley Av NG9 33 H6
Lawn Mill Rd NG16 11 H4
Lawrence Av, Awsworth NG16 11 F6
Lawrence Av, Colwick NG4 37 G2
Lawrence Av, Derby DE72 48 B3
Lawrence Av, Eastwood NG16 10 D1
Lawrence Cl NG12 59 B1
Lawrence Dr NG16 6 B1
Lawrence St, Nottingham NG10 49 H3
Lawrence St, Sandiacre NG10 41 F3
Lawrence St, Stapleford NG9 41 H3
Lawrence Way NG7 35 F5
Lawson Av NG10 49 H4
Lawson St NG7 35 F1
Lawton Dr NG6 14 B1
Laxton Av NG6 14 C6
Laxton Dr NG15 8 C3
Leabrook Cl NG11 44 B6
Leabrook Gdns NG15 9 F1
Leacroft Rd NG8 24 C5
Leadale Av NG15 9 F1
Leaf Cl NG15 19 G3
Leafe Cl NG9 50 D1
Leafield Grn NG11 52 D1
Leahurst Gdns NG2 47 E4
Leahurst Rd NG2 46 D4
Leamington Dr NG9 43 E5
Leander Cl NG11 45 G2
Lechlade Rd NG5 15 F5
Ledbury Vale NG8 24 A5
Lee Cres DE7 21 E5
Lee La DE75 10 A2
Lee Rd NG14 19 G6
Leen Dr, Hucknall NG15 19 G3
Leen Dr, Nottingham NG6 14 B2
Leen Gate NG7 34 D5
Leen Mills La NG15 19 G3
Leen Pl NG7 34 D2
Leen Valley Way NG15 9 G4
Lees Barn Rd NG12 38 D5
Lees Hill St NG2 36 B3
Lees Rd NG3 26 C4
Leicester St NG10 50 A5
Leigh Cl NG2 45 G4
Leigh Rd NG9 50 A1
Leighton St NG3 36 B1
Leiston Gdns NG5 15 F3
Leivers Av NG5 16 C3
Lema Cl NG6 14 C3
Lendal Ct NG7 35 F2
Lendrum Ct NG14 29 F1
Lennox St NG1 5 F3
Lenton Av, Nottingham NG7 35 E3
Lenton Av, Tollerton NG12 55 F3
Lenton Blvd NG7 34 D2
Lenton Circus NG12 55 F2
Lenton Hall Dr NG7 34 A6
Lenton La NG7 35 E5
Lenton La Ind Est NG7 35 E6
Lenton Manor NG7 34 D4
Lenton Rd NG7 4 A6
Lenton St NG10 41 F3
Leonard Av NG5 25 G3
Leonard St NG6 14 B6
Leopold St NG10 49 H4
Leroy Wallace Av NG7 35 E2
Lerwick Cl NG11 53 F2
Leslie Av, Beeston NG9 43 H4
Leslie Av, Kimberley NG16 12 B5
Leslie Rd NG7 25 F5
Letchworth Cres NG9 43 E5
Letcombe Rd NG11 52 D1
Levens Cl NG2 47 F4
Leverton Grn NG11 52 D2
Lewindon Ct NG5 26 B1
Lewis Cl NG3 36 A1
Lexington Gdns NG5 25 H1
Ley St NG4 28 A6
Leybourne Dr NG5 14 D5
Leyland Cl NG9 50 A1
Leys Ct NG11 53 H5
Leys Rd NG11 53 H5
Leyton Cres NG9 44 A4
Lichfield Cl, Beeston NG9 50 A1
Lichfield Cl, Long Eaton NG10 50 B4
Lichfield Rd NG2 36 C3
Liddell Gro NG8 33 H2
Liddington St NG7 25 E4
Lilac Av NG4 27 E5
Lilac Cl, Keyworth NG12 56 C6
Lilac Cl, Nottingham NG8 23 G4
Lilac Cres NG9 44 A4
Lilac Gro, Beeston NG9 44 A4
Lilac Gro, Clifton NG11 52 B2
Lilac Mews DE7 20 B2
Lilac Rd NG15 9 E4
Lillecker Rise NG5 16 B2
Lillie Ter NG2 36 B3
Lillington Rd NG6 14 A4
Lily Av NG4 28 A6
Lily Gro NG9 44 A4
Lime Av NG16 10 A1
Lime Cl, Nuthall NG16 12 C5
Lime Cl, Radcliffe NG12 39 E5
Lime Gro, Long Eaton NG10 49 H3
Lime Gro, Sandiacre NG10 41 F3
Lime Gro, Stapleford NG9 41 H4
Lime Grove Av NG9 43 F4
Lime St, Ilkeston DE7 20 D6
Lime St, Nottingham NG6 14 A3
Lime Ter NG10 49 H3
Lime Tree Av NG8 24 B2
Lime Tree Cl NG12 56 C6
Lime Tree Rd NG15 9 E4
Limekiln Ct NG6 13 H3
Limetree Rise DE7 30 A1
Limmen Gdns NG3 36 A1
Limpenny St NG7 35 E1
Linby Av NG15 9 F1
Linby Cl NG4 27 G3
Linby Dr NG8 23 F3
Linby Gro NG15 9 F1
Linby La NG15 19 G1
Linby Rd NG15 9 E1
Linby St NG6 14 B3
Linby Walk NG15 19 F2
Lincoln Av NG10 41 E5
Lincoln Circus NG7 4 A4
Lincoln Cl NG9 31 H6
Lincoln Ct NG8 23 F6
Lincoln Gro NG12 39 F4
Lincoln St, Nottingham NG1 5 E3
Lincoln St, Old Basford NG6 24 D2
Lindale Cl NG2 47 E3
Lindbridge Rd NG8 23 G3
Linden Av NG11 52 B2
Linden Gro, Beeston NG9 43 H4
Linden Gro, Gedling NG4 28 B4
Linden Gro, Sandiacre NG10 41 E2
Linden Gro, Stapleford NG9 41 H3
Linden St NG3 26 A6
Lindfield Cl NG8 23 H3
Lindfield Rd NG8 23 G3
Lindisfarne Gdns NG5 15 F2
Lindley St NG16 7 F5
Lindley Ter NG7 24 D6
Lindrick Cl NG12 47 E5
Lindum Gro NG2 36 B4
Lindum Rd NG6 24 C2
Linette Cl NG5 25 F3
Linford Ct NG9 32 C3
Ling Cres NG11 53 H4
Lingford NG12 59 B2
Lingford St NG15 9 F2
Lingmell Cl NG2 47 E3
Lingwood La NG14 18 B1
Linkmel Cl NG2 35 F6
Linkmel Rd NG16 6 B6
Linksfield Ct NG2 53 H1
Linnell St NG3 36 C1
Linsdale Cl NG8 32 D2
Linsdale Gdns NG4 27 F1
Linton Rise NG3 36 C1
Linwood Cres NG16 11 E2
Lion Cl NG8 24 B3
Lismore Cl NG7 34 D2
Lissett Av DE7 20 C6
Lister Ct NG7 34 D5
Lister Gate NG1 5 E5
Listowel Cres NG11 52 D3
Litchen Cl DE7 20 D2
Litchfield Rise NG5 16 B1
Little Bounds NG2 46 A2
Little Hallam Hill DE7 30 C2
Little Hallam La DE7 30 D1
Little Hayes NG2 45 H5
Little La, Kimberley NG16 12 B6
Little La, Tollerton NG12 47 G6
Little Mdw NG12 59 B2
Little Oakwood Dr NG5 14 C1
Little Ox NG4 37 H3
Little Tennis St NG2 36 C4
Little Tennis St South NG2 36 C5
Littlegreen Rd NG5 16 B6
Littlewell La DE7 30 D6
Litton Cl, Ilkeston DE7 20 C1
Litton Cl, Nottingham NG5 16 B6
Liverpool St NG3 5 H2
Llanberis Gro NG8 24 B3
Lloyd St NG5 25 H

Lobelia Cl NG3 26 A6
Lock Cl DE7 30 B1
Lock La, Long Eaton NG10 57 C2
Lock La, Sandiacre NG10 41 F5
Lockerbie St NG4 37 H1
Locksley La NG11 44 D5
Lockwood Cl, Beeston NG9 44 B5
Lockwood Cl, Nottingham NG5 15 F2
Lodge Cl, Nottingham NG8 24 C5
Lodge Cl, Redhill NG5 16 A1
Lodge Farm La NG5 16 B2
Lodge Rd, Long Eaton NG10 49 G6
Lodge Rd, Newthorpe NG16 11 E3
Lodge Wood Cl NG6 13 H5
Lodore Cl NG2 47 E3
Logan St NG6 14 B5
Lois Av NG7 35 E4
Lombard Cl NG7 35 E3
London Rd NG2 5 G5
Long Acre, Bingham NG13 58 D2
Long Acre, Hucknall NG15 8 B2
Long Acre East NG13 58 E2
Long Hill Rise NG15 8 C2
Long La, Attenborough NG9 43 F6
Long La, Ilkeston DE7 10 B5
Long La, Watnall NG16 12 B2
Long Row NG1 4 D3
Long Row West NG1 4 D3
Longacre NG5 26 C1
Longbeck Av NG3 26 C4
Longclose Ct NG6 14 A5
Longdale Rd NG5 15 H5
Longden Cl NG9 32 B5
Longden St NG3 5 H3
Longfield Cres DE7 30 D2
Longfield La DE7 30 D2
Longford Cres NG6 9 G6
Longlands Cl NG9 44 A5
Longlands Dr NG2 47 F4
Longlands Rd NG9 44 A6
Longleat Cres NG9 42 D5
Longmead Cl NG5 15 H5
Longmead Dr NG5 15 G5
Longmoor Gdns NG10 49 E1
Longmoor La, Breaston DE72 48 C3
Longmoor La, Sandiacre NG10 41 F6
Longmoor Rd NG10 41 F6
Longore Sq NG8 34 C3
Longridge Rd NG5 16 C6
Longwall Av NG2 35 E6
Lonscale Cl NG2 47 E4
Lonsdale Dr NG9 50 A1
Lonsdale Rd NG7 34 D1
Lord Haddon Rd DE7 20 C4
Lord Nelson St NG2 36 C3
Lord St NG2 36 B3
Lorimer Av NG4 27 H2
Lorna Ct NG3 26 A4
Lorne Cl NG3 25 H6
Lorne Gro NG12 39 F4
Lortas Rd NG5 25 E3
Loscoe Mount Rd NG5 25 H3
Loscoe Rd NG5 25 G4
Lothian Rd NG12 55 E2
Lothmore Ct NG2 35 G5
Lotus Cl NG3 26 B6
Loughboro Rd NG2 45 H6
Loughborough Av NG2 36 B3
Loughborough Rd, Ruddington NG11 54 A1
Loughborough Rd, West Bridgford NG2 46 A3
Loughrigg Cl NG2 35 G6
Louis Av NG9 43 F2
Lovelace Walk NG15 19 G3
Lovell Cl NG6 13 G6
Low Pavement NG1 5 E4
Low Wood Rd NG6 13 F6
Lowater St NG4 26 D6
Lowcroft NG5 26 C1
Lowdham Rd NG4 27 F2
Lowdham St NG3 5 H2
Lower Beauvale NG16 7 E6
Lower Bloomsgrove Rd DE7 20 D3
Lower Brook St NG10 49 H4
Lower Canaan NG11 53 H3
Lower Chapel St DE7 20 D4
Lower Ct NG9 44 A2
Lower Eldon St NG2 5 H5
Lower Granby St DE7 20 D3
Lower Middleton St DE7 21 E4
Lower Orchard St NG9 41 H2
Lower Park St NG9 41 G3
Lower Parliament St NG1 5 E3
Lower Rd NG9 44 A2
Lower Regent St NG9 43 H3
Lower Stanton Rd DE7 30 D1
Lower Whitworth Rd DE7 30 D1
Loweswater Ct NG2 47 F2
Lowlands Dr NG12 56 B4
Lows La DE7 30 D4
Lucerne Cl NG11 45 G3
Lucknow Av NG3 25 H5
Lucknow Ct NG3 26 A4
Lucknow Dr NG3 26 A5
Lucknow Rd NG3 25 H5
Ludford Rd NG6 14 B2
Ludgate Cl NG5 15 F1
Ludham Av NG6 14 A2
Ludlam Av NG16 11 E3
Ludlow Av NG2 46 C2
Ludlow Cl NG9 33 F6
Ludlow Hill Rd NG2 46 C4
Lulworth Cl NG2 45 G4
Lulworth Ct NG16 12 B4
Lune Cl NG9 43 F6
Lupin Cl NG3 26 A6
Luther Cl NG3 26 B6
Luton Cl NG8 24 C3
Lutterell Ct NG2 46 A4
Lutterell Way NG2 47 E5
Lybster Mews NG2 35 G5
Lydia Gdns NG16 10 C2
Lydney Pk NG2 45 G4
Lyle Cl NG16 12 A4
Lyme Pk NG2 45 G4
Lymington Gdns NG3 36 C1
Lymn Av NG4 27 H3
Lyncombe Gdns NG12 56 B4
Lyndale Rd NG9 42 B1
Lynden Av NG10 49 H5
Lyndhurst Gdns NG2 46 A5
Lyndhurst Gro NG10 49 H2
Lyndhurst Rd NG2 36 C3
Lynmouth Cres NG7 24 D6
Lynmouth Dr DE7 20 B2
Lynncroft NG16 7 E6
Lynstead Dr NG15 8 A4
Lynton Gdns NG5 16 D3
Lynton Rd NG9 43 E3
Lyons Cl NG11 53 G4
Lytham Dr NG12 47 E6
Lytham Gdns NG5 15 E2
Lythe Cl NG11 45 F4
Lytton Cl NG3 5 H1

Mabel Gro NG2 46 C1
Mabel St NG2 36 A5
Macauley Gro NG16 12 C5
Macdonald Sq DE7 30 B2
Machins La NG12 46 C6
Mackinley Av NG9 42 A1
Maclaren Gdns NG11 53 H6
Maclean Rd NG4 27 F6
Macmillan Cl NG3 26 B2
Madryn Walk NG5 15 F3
Mafeking St NG2 36 C3
Magdala Rd NG3 25 G5
Magdalene Way NG15 9 E1
Magnolia Cl NG8 23 F4
Magnolia Ct NG9 33 F6
Magnolia Gro NG15 9 F5
Magnus Rd NG5 25 H2
Magson Cl NG3 36 B2
Maid Marian Way NG1 4 C3
Maiden La NG1 5 F3
Maidens Dale NG5 16 A3
Maidstone Dr NG8 33 E5
Main Rd, Cotgrave NG12 59 A1
Main Rd, Gedling NG4 27 H5
Main Rd, Humber Rd South NG7 44 B3
Main Rd, Plumtree NG12 55 G4
Main Rd, Radcliffe NG12 39 E4
Main Rd, Shelford NG12 29 H4
Main Rd, Watnall NG16 12 B2
Main Rd, Wilford NG11 45 F2
Main St, Awsworth NG16 11 G6
Main St, Bulwell NG6 14 B5
Main St, Burton Joyce NG14 19 F6
Main St, Derby DE72 48 B4
Main St, Eastwood NG16 10 D2
Main St, Gamston NG2 47 E2
Main St, Ilkeston DE7 40 D1
Main St, Keyworth NG12 56 B6
Main St, Kimberley NG16 12 B5
Main St, Lambley NG4 18 B4
Main St, Linby NG15 19 F1
Main St, Long Eaton NG10 50 A4
Main St, Newthorpe NG16 11 G1
Main St, Strelley NG8 22 C3
Maitland Av NG5 26 C1
Maitland Rd NG5 26 B1
Major St NG1 4 D1
Malbon Cl NG3 26 B5
Malcolm Cl NG3 25 H6
Maldon Cl, Beeston NG9 42 D5
Maldon Cl, Long Eaton NG10 57 F1
Malin Hill NG1 5 F5
Malkin Av NG12 39 F3
Mallard Cl, Bingham NG13 58 E3
Mallard Cl, Nottingham NG6 14 D6
Mallard Ct NG9 44 A4
Mallard Rd NG4 38 B1
Mallow Way NG13 58 B3
Malmesbury Rd NG3 26 C1
Malt Cotts NG7 25 E4
Maltby Cl NG8 24 A3
Maltby Rd NG3 26 D1
Malthouse Rd DE7 30 D2
Malting Cl NG11 53 G5
Maltmill La NG1 5 E5
Malton Rd NG5 25 E3
Malvern Cres NG2 46 B4
Malvern Ct NG3 26 A4
Malvern Gdns NG10 49 E3
Malvern Rd, Nottingham NG3 26 A4
Malvern Rd, West Bridgford NG2 46 B4
Manchester St, Long Eaton NG10 49 H5
Manchester St, Nottingham NG3 5 H2
Mandalay St NG6 24 C1
Manesty Cres NG11 52 D5
Manifold Gdns NG2 35 H5
Manly Cl NG5 14 D3
Mann St NG7 25 E5
Manners Av DE7 20 B4
Manners Ind Est DE7 20 B4
Manners Rd DE7 20 C4
Manners St DE7 31 E1
Manning St NG3 25 H6
Manning Vw DE7 20 D3
Mannion Cres NG10 57 C1
Manns Leys NG12 59 A3
Manor Av, Attenborough NG9 51 F1
Manor Av, Beeston NG9 43 H4
Manor Av, Nottingham NG2 36 B3
Manor Av, Stapleford NG9 41 H1
Manor Cft NG6 24 C2
Manor Cl NG12 46 D6
Manor Cres NG4 27 H5
Manor Ct, Derby DE72 48 C3
Manor Ct, Nottingham NG9 42 D2
Manor Farm La NG11 52 D2
Manor Fields Dr DE7 20 B6
Manor Green Ct NG4 27 H5
Manor Green Walk NG4 27 H5
Manor House Rd NG10 50 A5
Manor Pk NG11 53 G4
Manor Rd, Bingham NG13 58 E2
Manor Rd, Carlton NG4 27 H5
Manor Rd, Eastwood NG16 10 D2
Manor Rd, Ilkeston DE7 20 C4
Manor Rd, Keyworth NG12 56 A5
Manor St NG2 36 B4
Manorleigh DE72 48 C3
Mansell Cl NG16 11 F2
Mansfield Gro NG1 35 G1
Mansfield Rd, Arnold NG5 16 A3
Mansfield Rd, Eastwood NG16 6 D6
Mansfield Rd, Nottingham NG1 4 D1
Mansfield St NG5 25 H3
Manthorpe Cres NG5 26 B2
Manton Cres NG9 43 H1
Manvers Bsns Pk NG12 59 B1
Manvers Ct NG2 5 H4
Manvers Gro NG12 39 F4
Manvers Rd NG2 46 B3
Manvers St, Netherfield NG4 38 A1
Manvers St, Nottingham NG2 5 G3
Manville Cl, Beeston NG9 32 D4
Manville Cl, Nottingham NG8 34 B1
Maori Av NG15 8 A4
Maple Av, Beeston NG9 44 A4
Maple Av, Sandiacre NG10 41 F2
Maple Cl, Bingham NG13 58 F3
Maple Cl, Keyworth NG12 56 C6
Maple Cl, Radcliffe NG12 39 E5
Maple Dr, Gedling NG4 28 B3
Maple Dr, Hucknall NG15 8 C3
Maple Dr, Nuthall NG16 12 D5
Maple Gro DE72 48 D3
Maple Way NG2 46 A5
Maplebeck Rd NG5 16 D4
Mapledene Cres NG8 33 E4
Maples St NG7 25 E6
Maplestead Av NG11 45 F3
Mapletree Cl NG5 15 G3
Mapperley Cres NG3 26 A3
Mapperley Hall Dr NG3 25 H4
Mapperley Hall Gdns NG3 25 H4
Mapperley Orchard NG5 17 E3
Mapperley Plains NG3 17 E6
Mapperley Rd NG3 25 G6
Mapperley Rise NG3 26 A2
Mapperley St NG5 25 H3
March Cl NG5 14 D4
Marchesi Cl NG15 8 C4
Marchwood Cl NG8 34 C2
Mardale Cl NG2 47 E4
Margaret Av, Ilkeston DE7 20 D5
Margaret Av, Long Eaton NG10 50 B2
Margaret Av, Sandiacre NG10 41 F5
Margaret Cres NG4 27 G3
Margaret Pl NG13 58 B2
Margarets Ct NG9 42 B1
Marham Cl NG2 36 B4
Marhill Rd NG4 27 H6
Marie Gdns NG15 9 E4
Marina Av NG9 43 G5
Mariner Ct NG6 13 H5
Marion Av NG15 19 H2
Maris Cl NG11 52 B2
Maris Dr NG14 29 E1
Mark St NG10 41 G4
Market Pl, Arnold NG5 16 B4
Market Pl, Bingham NG13 58 D2
Market Pl, Bulwell NG6 14 B4
Market Pl, Hucknall NG15 9 E1
Market Pl, Ilkeston DE7 20 D5
Market Pl, Long Eaton NG10 49 H3
Market St, Bingham NG13 58 D2
Market St, Ilkeston DE7 20 D5
Market St, Nottingham NG1 4 D3
Marketside NG6 14 B4
Markham Cres NG5 25 H1
Markham Rd NG9 33 E6
Marl Rd NG12 39 G4
Marlborough Ct NG2 46 B2
Marlborough Ct*, Black Swan Cl NG5 26 A1
Marlborough Rd, Beeston NG9 43 G2
Marlborough Rd, Derby DE72 48 B4
Marlborough Rd, Long Eaton NG10 50 B3
Marlborough Rd, Woodthorpe NG5 16 A6
Marlborough St NG7 34 D6
Marldon Cl NG8 32 D2
Marlow Av NG6 24 D3
Marlwood NG12 59 C3
Marmion Rd NG3 26 C6
Marnham Dr NG3 26 A4
Marriott Av NG9 42 C4
Marriott Cl NG9 42 C4
Marshall Dr NG9 42 B1
Marshall Hill Dr NG3 26 D3
Marshall Rd NG3 26 D4
Marshall St NG5 25 H2
Marshall Way DE7 30 B1
Marston Cl NG8 34 B2
Marston Rd NG3 26 D6
Martell Ct NG9 42 D6
Martin Cl NG6 13 H3
Martindale Cl NG2 47 E3
Martinmass Cl NG7 34 C5
Martins Hill NG4 27 G6
Marton Rd, Beeston NG9 42 D6
Marton Rd, Nottingham NG6 14 B1
Marvin Rd NG9 43 H3
Marwood Cres NG4 27 F3
Marwood Rd NG4 27 E4
Mary Ct NG3 26 A4
Mary Rd NG16 11 F2
Maryland Ct NG9 32 A6
Mason Rd DE7 20 B3
Masonic Pl NG1 4 C2
Massey Cl NG14 28 D2
Massey Gdns NG3 36 B1
Matlock Ct NG10 48 D6
Matlock St NG4 27 H6
Matthews Ct NG9 32 A6
Maud St NG7 25 F4
Maun Av NG7 34 C1
Maun Gdns NG7 34 C1
Maurice Dr NG3 26 B2
Maws La NG16 11 H4
Maxtoke Rd NG7 35 F4
Maxwell Cl NG7 35 E4
Maxwell St, Derby DE72 48 D4
Maxwell St, Nottingham NG10 50 A5
May Av NG8 33 F3
May Ct*, Sherbrooke Rd NG5 25 G4
May St DE7 20 C1
Maycroft Gdns NG3 26 C6
Maydene Cl NG11 52 C2
Mayfair Gdns NG5 15 E6
Mayfield Av NG14 19 F6
Mayfield Dr NG9 32 B5
Mayfield Gro NG10 50 A2
Mayfield Rd NG4 27 E6
Mayflower Rd, Newthorpe NG16 11 F3
Mayflower Rd, West Bridgford NG2 46 D2
Mayland Cl NG8 32 D1
Maylands Av DE72 48 C3
Mayo Rd NG5 25 F4
Maypole NG11 44 D6
Maypole Yd NG1 5 E3
Mays Av NG3 37 F1
Mays Cl NG4 37 F1
Maythorn Cl NG2 45 G6
Maythorne Walk NG5 15 H3
McIntosh Rd NG4 27 F2
Meadow Brown Rd NG7 24 D5
Meadow Cl, Derby DE72 48 C4
Meadow Cl, Eastwood NG16 6 D5
Meadow Cl, Hucknall NG15 8 B4
Meadow Cl, Nottingham NG2 36 A6
Meadow Cotts NG4 27 H6

Meadow Ct NG2 36 B5
Meadow Dr NG12 56 C5
Meadow End NG12 39 H4
Meadow Gdns, Heanor DE75 10 A2
Meadow Gdns, Nottingham NG9 43 F5
Meadow Gro NG2 36 B5
Meadow La, Beeston NG9 43 F5
Meadow La, Bulwell NG14 29 F1
Meadow La, Long Eaton NG10 50 B5
Meadow La, Nottingham NG2 36 A6
Meadow Rd, Awsworth NG16 11 F6
Meadow Rd, Beeston NG9 44 A4
Meadow Rd, Netherfield NG4 27 H6
Meadow Rise NG6 13 G5
Meadow St DE7 20 D3
Meadowbank Way NG16 6 B6
Meadows Way NG2 35 F6
Meadowsweet Hill NG13 58 B3
Meadowvale Cres NG11 52 D3
Medawar Cl NG11 52 B3
Medbank Ct NG11 45 F4
Meden Cl NG11 44 D6
Meden Gdns NG7 24 C6
Medina Dr NG12 55 G2
Medway Cl NG9 42 D4
Medway St NG8 34 C2
Meeks Rd NG5 17 E3
Meer Rd NG9 42 C4
Meerbrook Pl DE7 30 B2
Melbourne Ct, Long Eaton NG10 57 A1
Melbourne Ct, Nottingham NG8 24 B4
Melbourne Rd, Nottingham NG8 24 B5
Melbourne Rd, Stapleford NG9 32 A5
Melbourne Rd, West Bridgford NG2 36 C6
Melbury Rd, Nottingham NG8 23 E5
Melbury Rd, Woodthorpe NG5 16 C6
Meldreth Rd NG8 23 F6
Melford Hall Dr NG2 45 G5
Melford Rd NG8 23 E5
Melksham Rd NG5 15 G3
Mellbreak Cl NG2 47 E4
Mellors Rd, Arnold NG5 16 B2
Mellors Rd, West Bridgford NG2 46 C4
Melrose Av, Beeston NG9 43 H4
Melrose Av, Nottingham NG5 25 G2
Melrose Gdns NG2 46 A6
Melrose St NG5 25 H2
Melton Ct NG10 41 E4
Melton Gdns NG12 46 D6
Melton Gro NG2 46 A2
Melton Rd, Edwalton NG12 54 D2
Melton Rd, West Bridgford NG2,NG12 46 A2
Melville Ct NG3 25 H5
Melville Gdns NG3 36 B1
Melville St NG1 4 D5
Melvyn Dr NG13 58 D3
Mendip Cl NG10 49 E3
Mensing Av NG12 59 A2
Merchant St NG6 14 A3
Mercia Cl NG16 11 E3
Mercian Cl DE7 20 C4
Mercury Cl NG6 14 D6
Mere Way NG11 54 A6
Meredith Cl NG2 35 G6
Meredith Ct NG9 32 A5
Meregill Cl NG5 15 E2
Merevale Av NG11 45 E6
Meriac Cl NG5 15 E3
Meriden Av NG9 43 H1
Meridian Cl DE7 20 C1
Merlin Dr NG15 8 B5
Merlin Way DE7 30 D3
Mersey St NG6 14 A4
Merton Cl NG5 16 D2
Merton Ct NG9 32 A6
Metcalf Rd NG16 7 F6
Mettham St NG7 35 E4
Meynell Gro NG7 25 F4
Meynell Rd NG10 49 H6
Miall St NG7 34 D2
Mickleborough Av NG3 26 C5
Mickleborough Way NG2 45 H6
Mickledon Cl, Long Eaton NG10 49 F3
Mickledon Cl, Nottingham NG2 35 G5
Middle Av NG4 27 E5
Middle Furlong Gdns NG2 35 G5
Middle Hill NG1 5 E5
Middle La NG9 43 G4
Middle Nook NG8 33 F2
Middle Orchard St NG9 41 H2
Middle Pavement NG1 5 E4
Middle St NG9 43 G3
Middlebeck Av NG5 17 E3
Middlebeck Dr NG5 17 E3
Middledale Rd NG4 37 F1
Middlefell Way NG11 52 C3
Middleton Blvd NG8 34 B3
Middleton Cl NG16 13 E5
Middleton Cres NG9 33 G6
Middleton Rd DE7 31 E2
Middleton St, Awsworth NG16 21 G1
Middleton St, Beeston NG9 43 G2
Middleton St, Ilkeston DE7 21 E3
Middleton St, Nottingham NG7 34 D2
Midhurst Cl NG9 42 D5
Midhurst Way NG11 52 D1
Midlame Gdns NG6 13 G4
Midland Av, Nottingham NG7 34 D4
Midland Av, Stapleford NG9 41 G4
Midland Av*, Kenrick St NG4 28 A6
Midland Cl NG7 34 C1
Midland Cotts NG2 46 B2
Midland Cres NG4 27 H6
Midland Ct NG7 34 C1
Midland Gro NG4 28 A5
Midland Rd, Carlton NG4 27 H6
Midland Rd, Eastwood NG16 10 D1
Midland St NG10 50 A3
Midshires Way DE74 57 B3
Mikado Rd NG10 57 D1
Milburn Gro NG13 58 A2
Mildenhall Cres NG5 15 H3
Mile End Rd NG4 37 G2
Milford Av NG10 41 F6
Milford Cl NG6 13 H3
Milford Dr, Ilkeston DE7 20 B2
Milford Dr, Nottingham NG3 27 E6
Mill Acre Cl DE7 20 B2
Mill Bank Cl DE7 20 B2
Mill Beck Av NG8 33 E4
Mill Cres NG5 16 A3
Mill Field Cl NG14 29 E2
Mill Hill La DE72 48 C3
Mill La, Arnold NG5 16 A3
Mill La, Cotgrave NG12 59 A1
Mill La, Ilkeston DE7 21 F4
Mill La, Lambley NG4 18 B4
Mill La, Sandiacre NG10 41 F3
Mill Rd, Newthorpe NG16 7 E5
Mill Rd, Stapleford NG9 41 H1
Mill St, Ilkeston DE7 20 D4
Mill St, Nottingham NG6 24 C2
Mill View Cl NG2 36 B3
Millbeck Cl NG2 47 E3
Milldale Cl NG11 52 B1
Milldale Rd NG10 49 E6
Millennium Cl DE7 20 C2
Millennium Way NG8 23 H1
Millennium Way East NG8 24 A1
Millennium Way West NG8 23 H1
Miller Hives Cl NG12 59 A1
Millers Bri NG12 59 A3
Millers Ct NG7 34 D1
Millers Grn NG2 36 C3
Millersdale Av DE7 10 C6
Millfield Cl DE7 20 A1
Millfield Rd, Ilkeston DE7 21 E6
Millfield Rd, Nottingham NG16 12 A3
Millicent Gro NG2 46 B1
Millicent Rd NG2 46 A1
Milner Rd, Long Eaton NG10 49 H4
Milner Rd, Nottingham NG5 25 G3
Milnhay Rd, Heanor DE75 10 A2
Milnhay Rd, Nottingham NG16 10 A1
Milton Av DE7 20 C1
Milton Cres NG9 51 F1
Milton Rd DE7 20 D1
Milton Rise NG15 8 A4
Milton St, Ilkeston DE7 20 C1
Milton St, Long Eaton NG10 49 H4
Milton St, Nottingham NG1 5 E2
Milverton Rd NG5 15 H3
Mimosa Cl NG11 52 B2
Minerva St NG6 14 A3
Minster Cl NG15 19 G3
Minster Gdns NG16 11 F2
Minstrel Av NG5 25 F2
Minstrel Cl NG15 9 E4
Mint Gro NG10 49 E4
Minton Cl NG9 50 D2
Minver Cres NG8 24 A3
Misk Hollows NG15 19 E3
Misk Vw NG16 7 F6
Mission St NG3 26 B3
Mitchell Cl NG6 13 H5
Mitchell St NG10 50 A5
Mitchell Ter DE7 31 E2
Moffat Cl NG3 26 B6
Mollington Sq NG6 24 B1
Mona Rd NG2 36 D6
Mona St NG9 44 A3
Monks Cl DE7 21 E5
Monksway NG11 45 F6
Monkton Cl DE7 20 B2
Monkton Dr NG8 23 F6
Monmouth Cl NG8 32 D3
Monroe Walk NG5 15 F4
Monsaldale Cl NG10 49 F5
Monsall Av DE7 10 C6
Monsall St NG7 25 E4
Monsell Dr NG5 16 A2
Montague Rd NG15 9 E1
Montague St, Beeston NG9 43 G2
Montague St, Nottingham NG6 14 B4
Montfort Cres NG5 25 H1
Montfort St NG7 35 F2
Montgomery Cl NG9 50 D1
Montgomery St NG7 35 F1
Montpelier Rd NG7 34 D6
Montrose Ct NG9 32 A6
Monyash Cl DE7 20 C1
Moor Bri NG6 14 C1
Moor Farm Inn La NG9 32 C5
Moor Gate NG9 43 H3
Moor La, Beeston NG9 32 C5
Moor La, Bingham NG13 58 D2
Moor La, Ruddington NG11 53 H6
Moor Rd, Bestwood Village NG6 9 H6
Moor Rd, Brinsley NG16 6 C1
Moor Rd, Strelley NG8 23 E4
Moor St NG4 28 A6
Moorbridge Ct NG13 58 D1
Moorbridge La NG9 31 G6
Moorbridge Rd NG13 58 D1
Moorbridge Rd East NG13 58 D1
Moore Cl NG2 36 D6
Moore Rd NG3 26 C3
Moores Av NG10 41 G2
Moorfield Cres NG10 41 F4
Moorfield Ct NG9 32 A6
Moorfields Av NG16 6 D6
Moorgate St NG7 4 A2
Moorgreen NG16 7 G4
Moorgreen Dr NG8 23 F3
Moorhouse Rd NG8 33 F1
Moorland Av NG9 41 H3
Moorlands Cl NG10 49 F1
Moorsholm Dr NG8 33 E3
Moray Ct NG16 12 B4
Morden Cl NG8 23 E5
Morden Rd NG16 11 G3
Moreland Pl NG2 36 B4
Moreland St NG2 36 B4
Morello Av NG4 27 H6
Moreton Rd NG11 52 D4
Morgan Mews NG11 52 C1
Morkinshire Cres NG12 59 B1
Morkinshire La NG12 59 A1
Morley Av NG3 26 A3
Morley Dr DE7 20 B2
Morley Rd NG3 26 C5
Morley St NG5 16 A5
Mornington Cres NG16 23 E2
Morrell Bank NG5 15 E5
Morris Av NG9 50 D2
Morris Rd NG8 23 E4
Morris St NG4 28 A6
Morton Gdns NG12 39 H4
Morval Rd NG8 23 F6
Morven Av NG15 9 F3
Mosley St, Hucknall NG15 9 E2
Mosley St, Nottingham NG7 25 E5
Moss Cl NG5 15 H2
Moss Dr NG9 42 D2
Moss Rd, Ilkeston DE7 20 C5
Moss Rd, Nottingham NG15 8 D2
Moss Rise NG3 27 E3
Moss Side NG11 45 F6
Mosscroft Av NG11 52 C2
Mossdale Rd NG5 15 H6
Mosswood Cres NG5 15 G4
Mottram Rd NG9 43 E3
Mount Hooton NG1 35 F1
Mount Hooton Rd NG7 25 F6
Mount Pleasant, Carlton NG4 27 G6
Mount Pleasant, Ilkeston DE7 20 C1
Mount Pleasant, Keyworth NG12 56 C5
Mount Pleasant, Nottingham NG6 24 C3
Mount Pleasant, Radcliffe NG12 39 E4
Mount St, Derby DE72 48 D4
Mount St, Ilkeston DE7 20 D5
Mount St, New Basford NG7 25 E4
Mount St, Nottingham NG1 4 C4
Mount St, Stapleford NG9 42 A2
Mountbatten Ct DE7 20 D2
Mountbatten Gro NG4 27 G3
Mountbatten Way NG9 50 D1
Mountfield Av NG10 41 E5
Mountfield Dr NG5 15 F4
Mowbray Ct NG3 5 G1
Mowbray Gdns NG2 46 C4
Mowbray Rise NG5 16 C2
Moyra Dr NG5 15 H4
Mozart Cl NG7 34 D2
Mt Sorrel Dr NG2 47 E3
Muir Av NG12 55 G3
Muirfield Rd NG5 15 E2
Mulberry Cl NG2 45 G4
Mulberry Gro NG15 9 F4
Mundella Rd NG2 35 H6
Mundy St DE7 20 D3
Munford Circus NG8 24 A2
Munks Av NG15 8 D2
Munsters Ct NG15 9 F3
Murby Cres NG6 14 A3
Murden Way NG9 44 A3
Muriel Rd NG9 43 G2
Muriel St NG6 14 A4
Mushroom Farm Ct NG16 6 B6
Muskham Av DE7 20 D2
Muskham St NG2 36 A6
Musters Cft NG4 37 H4
Musters Cres NG2 46 B4
Musters Rd, Bingham NG13 58 B3
Musters Rd, Ruddington NG11 53 G5
Musters Rd, West Bridgford NG2 46 B1
Musters Walk NG6 14 A4
Muston Cl NG3 26 C4
Myrtle Av, Long Eaton NG10 49 G5
Myrtle Av, Nottingham NG7 25 F5
Myrtle Av, Stapleford NG9 41 H3
Myrtle Gro NG9 44 A
Myrtle Rd NG4 27 F
Myrtus Cl NG11 52 B2
Mytholme Cl NG10 49 F1

Nabbs La NG15 8 B3
Nairn Cl NG5 17 E2
Nansen St NG6 14 B5
Naomi Cres NG6 14 B
Naomi Ct NG6 14 B
Naranjan Mews NG7 35 F1
Narrow La NG16 12 B2
Naseby Cl NG5 25 E1
Naseby Dr NG10 57 F1
Nathaniel Rd NG10 50 A5
Naworth Cl NG6 14 C6
Neale St NG10 50 A5
Near Mdw NG10 50 A6
Nearsby Dr NG2 46 D3
Needham Rd NG5 16 C3
Needham St NG13 58 D
Needwood Av NG9 31 H5
Neighwood Cl NG9 50 A1
Nell Gwyn Cres NG5 15 G2
Nelper Cres DE7 31 E2
Nelson Rd, Beeston NG9 43 H5
Nelson Rd, Daybrook NG5 16 A4
Nelson Rd, Nottingham NG6 14 B4
Nelson St, Ilkeston DE7 20 D1
Nelson St, Long Eaton NG10 49 H5
Nelson St, Nottingham NG1 5 G3
Nene Cl NG15 8 B5
Nesfield Rd DE7 20 C4
Neston Dr NG6 14 A6
Nether Cl, Eastwood NG16 6 D5
Nether Cl, Nottingham NG3 36 D1
Nether Pasture NG4 38 B1
Nether St NG9 43 H3
Netherfield Rd, Long Eaton NG10 57 D1
Netherfield Rd, Sandiacre NG10 41 F5
Nethergate NG11 52 B1
Nettlecliff Walk NG5 14 D3
New Derby Rd NG16 6 B6
New Eaton Rd NG9 41 H4
New Farm La NG16 13 E5
New Lawn Rd DE7 20 C5
New Manleys Rd NG16 10 D3
New Manleys Rd South NG16 10 C4
New Rd, Nottingham NG7 34 C1
New Rd, Radcliffe NG12 39 F4
New Rd, Stapleford NG9 31 H6
New Row NG4 27 G6
New St, Carrington NG5 25 G4
New St, Long Eaton NG10 50 A4
New St, Nottingham NG5 16 B1
New Ter NG10 41 F3
New Tythe St NG10 50 A4
New Vale Rd NG4 37 G2
Newall Dr NG9 50 D1
Newark Av NG2 36 B3
Newark Cres NG2 5 H4
Newark Ct NG5 15 E6
Newark St NG2 5 H4
Newbery Av NG10 50 B6
Newbury Cl NG3 26 D1
Newbury Ct NG5 25 G5
Newbury Dr NG16 23 F2
Newcastle Av NG4 27 G4
Newcastle Circus NG7 4 A5
Newcastle Dr NG7 4 A3
Newcastle Farm Dr NG8 24 C4
Newcastle St, Bulwell NG6 14 B3
Newcastle St, Nottingham NG1 5 E2

Newcastle Ter NG7 4 A3
Newcombe Dr NG5 17 E4
Newdigate Rd NG16 12 C4
Newdigate St, Ilkeston DE7 31 E1
Newdigate St, Kimberley NG16 12 B5
Newdigate St, Nottingham NG7 4 A1
Newfield Rd NG5 25 E2
Newgate Cl NG4 27 G6
Newgate St NG13 58 D2
Newhall Gro NG2 36 C6
Newholm Dr NG11 45 F4
Newland Cl, Beeston NG9 50 C1
Newland Cl, Nottingham NG8 34 C2
Newlands Cl NG12 47 F5
Newlands Dr NG4 27 H4
Newlyn Dr NG8 24 C5
Newlyn Gdns NG8 24 C5
Newmarket Rd NG6 14 A5
Newmarket Way NG9 50 B2
Newport Dr NG8 24 C4
Newquay Av NG7 24 D6
Newstead Av, Nottingham NG3 27 E3
Newstead Av, Radcliffe NG12 39 G3
Newstead Dr NG2 46 D2
Newstead Gro, Bingham NG13 58 B2
Newstead Gro, Nottingham NG1 35 G1
Newstead Rd NG10 41 F6
Newstead Rd North DE7 20 B2
Newstead Rd South DE7 20 B2
Newstead St NG5 25 H2
Newstead Ter NG15 19 F3
Newstead Way NG8 23 F3
Newthorpe Common NG16 11 E2
Newthorpe St NG2 35 H5
Newton Av NG13 58 B2
Newton Cl NG5 17 E5
Newton Dr, Stapleford NG9 42 A3
Newton Dr, West Bridgford NG2 45 H5
Newton Gdns NG13 58 A1
Newton Rd NG4 27 G2
Newton St, Beeston NG9 43 G4
Newton St, Nottingham NG7 44 D1
Newtondale Cl NG8 24 C4
Newtons La NG16 21 F2
Nicholas Rd NG9 33 E6
Nicker Hill NG12 56 C4
Nidderdale NG8 32 D3
Nightingale Cl NG16 13 E5
Nightingale Way NG13 58 E3
Nile St NG1 5 F2
Nine Acre Gdns NG6 13 G3
Nixon Rise NG15 8 B3
No Mans La DE7 40 A1
Nobel Rd NG11 52 B3
Noel St, Kimberley NG16 12 C5
Noel St, Nottingham NG7 25 E5
Norbett Cl NG9 42 D6
Norbett Rd NG5 16 C2
Norbreck Cl NG8 24 A2
Norburn Cres NG6 25 E2
Norbury Way NG10 41 E3
Nordean Rd NG5 16 C6
Norfolk Av NG9 50 C2
Norfolk Cl NG15 8 B4
Norfolk Pk NG5 16 D6
Norfolk Pl NG1 4 D3
Norfolk Rd NG10 50 A3
Norfolk Walk NG10 41 F4
Norland Cl NG3 26 A6
Norman Cl, Beeston NG9 43 E4
Norman Cl, Nottingham NG3 35 H1
Norman Cres DE7 20 C2
Norman Dr, Eastwood NG16 7 E6
Norman Dr, Hucknall NG15 8 C4
Norman Rd NG3 26 C5
Norman St, Ilkeston DE7 20 C1
Norman St, Kimberley NG16 12 A4
Norman St, Netherfield NG4 38 A1
Normanby Rd NG8 33 E4
Normanton La NG12 56 B4
North Av NG10 41 E3
North Church St NG1 4 D2
North Circus St NG1 4 C3
North Dr NG9 43 F3
North Gate NG7 25 E4
North Hill Av NG15 8 D1
North Hill Cres NG15 8 D1
North Rd, Long Eaton NG10 49 G5
North Rd, Nottingham NG7 35 F3
North Rd, Ruddington NG11 53 F4
North Rd, West Bridgford NG2 46 A3
North Sherwood St NG1 4 D1
North St, Beeston NG9 43 F3
North St, Newthorpe NG16 7 G6
North St, Nottingham NG2 5 H3
Northall Av NG6 14 A5
Northampton St NG3 36 B1
Northcliffe Av NG3 26 D3
Northcote St NG10 50 A4
Northcote Way NG6 14 B6
Northdale Rd NG3 27 E6
Northdown Dr NG9 42 D5
Northdown Rd NG8 34 C1
Northern Ct NG6 14 C6
Northern Dr NG9 31 H4
Northfield Av, Ilkeston DE7 20 C3
Northfield Av, Long Eaton NG10 57 C1
Northfield Av, Radcliffe NG12 39 H3
Northfield Cres NG9 42 B5
Northfield Rd NG9 42 B5
Northfields NG10 57 C1
Northgate St DE7 20 D4
Northolme Av NG6 14 B4
Northolt Dr NG16 23 F2
Northside Walk NG5 16 C1
Northumberland Cl NG3 5 F1
Northwold Av NG2 46 A3
Northwood Cres NG5 15 H5
Northwood Rd NG5 15 H5
Northwood St NG9 41 H1
Norton St NG7 35 E1
Norwich Gdns NG6 14 A2
Norwood Rd NG7 34 D2
Notintone St NG2 36 B3
Nottingham Rd, Bingham NG13 58 A3
Nottingham Rd, Burton Joyce NG14 19 G6
Nottingham Rd, Burton Joyce NG14 28 D2
Nottingham Rd, Daybrook NG5 16 A5
Nottingham Rd, Derby DE72 40 A6
Nottingham Rd, Eastwood NG16 6 D6
Nottingham Rd, Gotham NG11 52 A6
Nottingham Rd, Hucknall NG15 9 F4
Nottingham Rd, Ilkeston DE7 20 D6
Nottingham Rd, Keyworth NG12 56 B6
Nottingham Rd, Long Eaton NG10 50 A3
Nottingham Rd, Nottingham NG6 24 D2
Nottingham Rd, Nottingham NG7 25 E3
Nottingham Rd, Nuthall NG16 12 C5
Nottingham Rd, Radcliffe NG12 38 D5
Nottingham Rd, Radcliffe NG12 39 F4
Nottingham Rd, Stapleford NG9 41 H2
Nottingham Rd, Trowell NG9 31 G3
Nottingham Rd, Woodborough NG14 17 F1
Nottingham Rd East NG16 11 F1
Nuart Rd NG9 43 G3
Nugent Gdns NG3 36 A1
Nursery Av, Beeston NG9 42 D4
Nursery Av, Sandiacre NG10 40 D4
Nursery Cl NG15 9 E4
Nursery Dr NG4 27 F5
Nursery Hollow DE7 30 D1
Nursery La NG6 24 D1
Nursery Rd, Arnold NG5 16 C4
Nursery Rd, Bingham NG13 58 F2
Nursery Rd, Radcliffe NG12 39 H4
Nutbrook Cres DE7 30 B3
Nuthall Circle DE7 30 A3
Nuthall Gdns NG8 24 C5
Nuthall Rd NG8 24 A2

Oak Acres NG9 42 C4
Oak Apple Cres DE7 30 C1
Oak Av, Bingham NG13 58 F3
Oak Av, Radcliffe NG12 39 E3
Oak Av, Sandiacre NG10 41 E2
Oak Dr, Eastwood NG16 10 C1
Oak Dr, Kimberley NG16 12 C5
Oak Flat NG9 42 C4
Oak Gro NG15 9 E4
Oak Lodge Dr NG16 12 A4
Oak St NG5 25 G4
Oak Tree Av NG12 39 E3
Oak Tree Cl, Hucknall NG15 8 B5
Oak Tree Cl, West Bridgford NG2 46 D1
Oak Tree Dr NG4 28 A3
Oakdale Dr NG9 42 D5
Oakdale Rd, Arnold NG5 16 D3
Oakdale Rd, Nottingham NG3,NG4 36 D1
Oakenhall Av NG15 9 F2
Oakfield Cl NG8 33 E4
Oakfield Dr NG10 49 F1
Oakfield Rd, Hucknall NG15 9 F3
Oakfield Rd, Nottingham NG8 33 E4
Oakfield Rd, Stapleford NG9 41 H2
Oakfields Rd NG2 36 C6
Oakford Cl NG8 23 H3
Oakham Cl NG5 15 E3
Oakham Rd NG11 53 H1
Oakham Way DE7 20 C1
Oakington Cl NG5 15 G6
Oakland Av NG10 49 G6
Oakland Ct NG9 32 B6
Oakland St NG7 24 D6
Oakland Ter NG10 49 G6
Oakleigh Av NG3 27 E3
Oakleigh St NG6 14 C6
Oakley Mews NG6 13 G5
Oakleys Rd NG10 50 A5
Oakleys Rd West NG10 49 H5
Oakmead Av NG8 23 G5
Oakmere Cl NG12 47 F5
Oakwell Cres DE7 20 C5
Oakwell Dr DE7 20 C5
Oakwood Dr NG8 24 B6
Oban Rd NG9 43 E3
Occupation Rd, Hucknall NG15 9 E4
Occupation Rd, Nottingham NG6 14 A6
Ockbrook Ct DE7 20 D2
Ockerby St NG6 14 B5
Odesa Dr NG6 14 A6
Ogdon Ct NG3 36 B1
Ogle Dr NG7 4 B5
Ogle St NG15 9 E1
Okehampton Cres NG3 17 F5
Old Brickyard NG3 26 D6
Old Church St NG7 34 D5
Old Coach Rd, Nottingham NG8 33 G1
Old Coach Rd, Nottingham NG8 33 H2
Old Dr NG9 43 F1
Old Farm Rd NG5 15 E2
Old Hall Dr NG3 25 H4
Old Kiln La NG16 11 E2
Old Lenton St NG1 5 F3
Old Lodge Dr NG5 25 H1
Old Main Rd NG14 19 G5
Old Melton Rd NG12 55 G5
Old Mill Cl, Beeston NG9 50 B2
Old Mill Cl, Nottingham NG7 35 E2
Old Oak Rd NG11 53 E1
Old Rd NG2 46 A6
Old School Cl NG11 52 D3
Old School La NG16 11 G6
Old St NG1 5 E1
Old Tollerton Rd NG2 47 F2
Oldbury Cl NG11 52 C4
Oldknow St NG7 25 E6
Oldmill Ct NG13 58 D2
Olga Rd NG3 36 C1
Olive Av NG10 49 H2
Olive Gro NG14 19 F6
Oliver Cl NG7 4 A1
Oliver Rd DE7 30 A2
Oliver St NG7 4 A1
Olton Av NG9 33 H6
Olympus Ct NG15 8 B6
Omer Ct NG16 12 C4
Onchan Av NG4 37 G1
Onchan Dr NG4 37 G1
Orange Gdns NG2 36 A5
Orby Cl NG3 36 B1
Orchard Av, Bingham NG13 58 C2
Orchard Av, Carrington NG4 27 G6
Orchard Cl, Burton Joyce NG14 19 F6
Orchard Cl, Derby DE72 48 D4
Orchard Cl, Nottingham NG11 52 B1
Orchard Cl, Radcliffe NG12 39 E4
Orchard Cl, Tollerton NG12 55 G3
Orchard Cres NG9 42 D4
Orchard Ct NG8 24 D5
Orchard Gro NG5 15 G5
Orchard Rise NG4 18 B3
Orchard St, Hucknall NG15 9 E2
Orchard St, Ilkeston DE7 20 D6
Orchard St, Kimberley NG16 12 B5
Orchard St, Long Eaton NG10 50 A4
Orchard St, Newthorpe NG16 11 E2
Orchard Way NG10 41 E6
Ordnance Ct NG9 42 D6
Orford Av, Nottingham NG11 45 E6
Orford Av, Radcliffe NG12 39 E5
Orion Cl NG8 23 F6
Orion Dr NG8 23 F6
Orlando Dr NG4 27 H5
Orlock Walk NG5 15 G6
Ormonde Ter NG5 25 G3
Ornsay Cl NG5 14 D1
Orpean Way NG9 50 A1
Orston Av NG5 16 C4
Orston Dr NG8 34 B3
Orston Grn NG8 34 C4
Orston Rd East NG2 36 B6
Orston Rd West NG2 36 B6
Orton Av NG9 42 D3
Ortzen St NG7 35 E1
Orville Rd NG5 14 D6
Osborne Av NG5 25 G2
Osborne Cl NG10 41 F5
Osborne Gro NG5 25 G2
Osborne St NG7 34 D1
Osgood Rd NG5 17 E5
Osier Rd NG2 35 H6
Osman Cl NG2 35 G6
Osmaston Cl NG10 48 D6
Osmaston St, Nottingham NG7 35 E4
Osmaston St, Sandiacre NG10 41 G4
Osprey NG11 52 B2
Osprey Cl NG13 58 E3
Ossington St NG7 35 E1
Osterley Gro NG16 23 F2
Oulton Cl NG5 16 C5
Oundle Dr NG8 34 B4
Ousebridge Cres NG4 28 A5
Ousebridge Dr NG4 28 A5
Oval Gdns NG8 24 C5
Overdale Cl NG10 49 E6
Overdale Rd NG6 24 B2
Overstrand Cl NG5 16 C5
Owen Av NG10 50 B6
Owlston Cl NG16 6 D6
Owsthorpe Cl NG5 15 F3
Owthorpe Gro NG5 25 G2
Owthorpe Rd NG12 59 A2
Oxborough Rd NG5 15 H4
Oxbow Cl NG2 35 G6
Oxbury Rd NG16 12 B3
Oxclose La NG5 15 G5
Oxendale Cl NG2 47 E4
Oxengate NG5 15 G5
Oxford Rd NG2 46 C2
Oxford St, Carlton NG4 27 G4
Oxford St, Eastwood NG16 10 D1
Oxford St, Ilkeston DE7 20 D6
Oxford St, Long Eaton NG10 49 H3
Oxford St, Nottingham NG1 4 B4
Oxton Av NG5 25 H1
Ozier Holt, Colwick NG4 37 H3
Ozier Holt, Long Eaton NG10 49 G5

Packman Dr NG11 53 H4
Paddington Mews NG3 26 C6
Paddock Cl, Nottingham NG6 14 A6
Paddock Cl, Radcliffe NG12 39 E5
Paddocks Vw NG10 49 E3
Padge Rd NG9 44 A3
Padleys La NG14 19 E6
Padstow Rd NG5 15 E5
Paget Cres NG11 53 H3
Paignton Cl NG8 24 A3
Paisley Gro NG9 50 D2
Palatine St NG7 4 B6
Palin Gdns NG12 39 G4
Palin St NG7 35 E1
Palm St NG7 25 E4
Palmer Av NG15 9 E1
Palmer Cres NG4 27 F6
Palmer Dr NG9 41 G4
Palmerston Gdns NG3 35 H1
Palmwood Ct NG6 14 B6
Papplewick La NG15 9 F1
Park Av, Awsworth NG16 11 F6
Park Av, Burton Joyce NG14 29 E1
Park Av, Carlton NG4 27 H5
Park Av, Eastwood NG16 6 C6
Park Av, Hucknall NG15 8 C2
Park Av, Ilkeston DE7 20 D6
Park Av, Keyworth NG12 56 A5
Park Av, Keyworth NG12 56 B3
Park Av, Kimberley NG16 12 C6
Park Av, Nottingham NG3 25 H5
Park Av, West Bridgford NG2 46 B1
Park Av, Woodthorpe NG5 16 A6
Park Av East NG12 56 A5
Park Av West NG12 56 A5
Park Chase NG6 14 A6
Park Cl, Ilkeston DE7 40 D1
Park Cl, Nottingham NG3 26 B3
Park Cres, Eastwood NG16 6 D5
Park Cres, Ilkeston DE7 21 E5
Park Cres, Nottingham NG8 32 D3
Park Dr, Hucknall NG15 9 E4
Park Dr, Ilkeston DE7 20 D6
Park Dr, Nottingham NG7 4 A5
Park Dr, Sandiacre NG10 41 E6
Park Hill NG16 11 F6
Park House Gates NG3 26 A4
Park La, Lambley NG4 18 C4
Park La, Nottingham NG6 14 D6
Park Ravine NG7 4 B5
Park Rd, Bestwood Village NG6 9 H5
Park Rd, Bramcote NG9 42 B1
Park Rd, Carlton NG4 27 H5
Park Rd, Chilwell NG9 43 F3

Park Rd, Hucknall NG15 8 C2
Park Rd, Ilkeston DE7 20 D6
Park Rd, Nottingham NG7 35 E4
Park Rd, Plumtree NG12 56 B3
Park Rd, Radcliffe NG12 39 F3
Park Rd, Woodthorpe NG5 16 A6
Park Row NG1 4 C4
Park St, Beeston NG9 43 F3
Park St, Derby DE72 48 D3
Park St, Long Eaton NG10 49 G2
Park St, Nottingham NG7 35 E3
Park St, Stapleford NG9 41 G3
Park Ter, Nottingham NG1 4 B3
Park Ter, Plumtree NG12 56 B3
Park Valley NG7 4 B4
Park Vw, Hucknall NG15 9 F3
Park Vw, Nottingham NG3 26 B3
Parkcroft Rd NG2 46 C3
Parkdale Rd NG3 37 E1
Parker Cl NG5 17 E3
Parker Gdns NG9 42 B1
Parker St NG15 9 E2
Parkgate NG15 19 G3
Parkham Rd NG16 12 B4
Parkland Cl NG11 52 C1
Parklands Cl NG5 15 F2
Parkside, Nottingham NG8 33 F4
Parkside, Plumtree NG12 56 B4
Parkside Av NG10 49 F3
Parkside Gdns North NG8 33 F4
Parkside Gdns South NG8 33 F5
Parkside Rise NG8 33 G5
Parkstone Cl NG2 45 G4
Parkview Dr NG5 15 E3
Parkway Ct NG8 33 F2
Parkwood Cres NG5 26 A2
Parkwood Ct NG6 14 D5
Parkyn Rd NG5 16 A5
Parkyns St NG11 53 H5
Parliament St NG1 36 A2
Parliament Ter NG1 4 C3
Parr Ct, Nottingham NG7 4 A1
Parr Ct, Radcliffe NG12 39 E4
Parr Gate NG9 42 C4
Parry Way NG5 16 D2
Parsons Mdw NG4 37 H3
Partridge Cl NG13 58 E3
Pasteur Ct NG7 34 C5
Pasture Cl NG2 37 G3
Pasture La, Long Eaton NG10 50 C5
Pasture La, Ruddington NG11 53 E5
Pasture Rd NG9 31 H6
Pastures Av NG11 52 C4
Pateley Rd NG3 26 C1
Paton Rd NG5 14 D6
Patricia Dr NG5 16 C2
Patrick Rd NG2 46 A1
Patriot Cl NG16 12 C4
Patterdale Cl NG2 47 E3
Patterdale Rd NG5 16 B6
Patterson Rd NG7 25 E6
Pavilion Cl NG2 35 H6
Pavilion Rd, Arnold NG5 15 G2
Pavilion Rd, Ilkeston DE7 10 C5
Pavilion Rd, Nottingham NG2 36 B6
Paxton Gdns NG3 5 H2
Payne Rd NG9 42 C6
Peache Way NG9 42 D2
Peachey St NG1 4 D1
Peacock Cl NG11 53 G5
Peacock Cres NG11 52 D1
Peacock Pl DE7 20 B1
Peakdale Cl NG10 49 E6
Pear Tree Orchard NG11 53 H4
Pearce Dr NG8 34 A1
Pearmain Dr NG3 26 C6
Pearson Av NG9 42 C4
Pearson Cl NG9 42 C4
Pearson Ct NG5 16 A4
Pearson St, Netherfield NG4 38 A1
Pearson St, Nottingham NG7 25 E3
Peary Cl NG5 15 E5
Peas Hill Rd NG3 35 H1
Peatfield Rd NG9 31 H6
Peck La NG1 5 E4
Pedley St DE7 20 D6
Pedmore Valley NG5 15 F4
Peel St, Long Eaton NG10 50 A3
Peel St, Nottingham NG1 4 C1
Pelham Av, Ilkeston DE7 20 C4
Pelham Av, Nottingham NG5 25 G5
Pelham Cres, Beeston NG9 44 A2
Pelham Cres, Nottingham NG7 35 E3
Pelham Rd NG5 25 G5
Pelham St, Ilkeston DE7 20 C4
Pelham St, Nottingham NG1 5 E3
Pemberton St NG1 5 G5
Pembrey Cl NG9 31 H5
Pembridge Cl NG6 24 C3
Pembroke Ct NG3 26 B3
Pembroke Dr NG3 25 H4
Pembury Rd NG8 33 F2
Penarth Gdns NG5 26 B2
Penarth Rise NG5 26 B2
Pendennis Cl NG4 28 B4
Pendine Cl NG5 16 A2
Pendine Way NG5 16 A3
Pendle Cres NG3 26 B4
Penhale Dr NG15 8 A4
Penhurst Cl NG11 45 F5
Penine Cl NG10 49 E2
Penllech Cl NG5 15 E4
Penmoor Cl NG10 49 E5
Penn Av NG7 34 D5
Pennant Rd NG6 24 C3
Pennard Walk NG11 52 C3
Pennhome Av NG5 25 H3
Pennie Cl NG10 57 F1
Pennine Cl NG5 15 F1
Penny Farthing Pl*, Mansfield Rd NG1 25 G6
Pennyfields Blvd NG10 49 E4
Pennyfoot St NG1 5 G4
Penrhyn Cl NG3 35 H1
Penrhyn Cres NG9 42 D5
Penrith Av NG12 39 G3
Penrith Cres NG8 24 B3
Penshore Cl NG11 52 C2
Pentland Dr NG5 15 G1
Pentland Gdns NG10 49 E3
Pentridge Dr DE7 20 A2
Pentwood Av NG5 16 B1
Pepper St NG1 5 E4
Peppercorn Gdns NG8 34 B1
Percival Rd NG5 25 G3
Percy St, Eastwood NG16 7 E6
Percy St, Ilkeston DE7 20 D6
Percy St, Nottingham NG6 24 C2
Peregrine Cl NG7 34 D3
Perivale Cl NG16 23 E2
Perlethorpe Av, Gedling NG4 27 G3
Perlethorpe Av, Nottingham NG2 36 B3
Perlethorpe Cl NG4 27 G3
Perlethorpe Cres NG4 27 G3
Perlethorpe Dr, Gedling NG4 27 G3
Perlethorpe Dr, Hucknall NG15 9 E1
Perry Gro NG13 58 E3
Perry Rd NG5 25 E3
Perth Dr NG9 32 A6
Perth St NG1 5 E2
Peters Cl, Arnold NG5 17 E5
Peters Cl, Newthorpe NG16 11 F1
Petersfield Cl NG5 15 E4
Petersgate NG10 49 E2
Petersgate Cl NG10 49 E2
Petersham Mews NG7 35 E5
Petersham Rd NG10 49 E2
Petworth Av NG9 42 B6
Petworth Dr NG5 25 E1
Peveril Cres NG10 48 D6
Peveril Dr, Ilkeston DE7 20 C3
Peveril Dr, Nottingham NG7 4 B5
Peveril Dr, West Bridgford NG2 46 B6
Peveril Rd NG9 43 H1
Peveril St, Hucknall NG15 8 D1
Peveril St, Nottingham NG7 35 E1
Philip Av, Eastwood NG16 11 E2
Philip Av, Nuthall NG16 12 D5
Philip Gro NG4 27 H3
Phoenix Av NG4 27 G3
Phoenix Centre NG8 23 H1
Phoenix Cl NG2 35 G5
Phoenix Ct, Eastwood NG16 11 E1
Phoenix Ct, Nottingham NG7 45 E1
Phoenix Rd NG16 7 F4
Phyllis Gro NG10 50 B4
Piccadilly NG6 14 C5
Pickering Av NG16 10 D1
Pieris Dr NG11 52 B2
Pierrepont Av NG4 27 G4
Pierrepont Rd NG2 36 D6
Pilcher Gate NG1 5 E4
Pilkington Rd NG3 26 D4
Pilkington St NG6 14 B4
Pimlico DE7 20 C5
Pimlico Av NG9 32 D4
Pine Gro NG15 9 F4
Pine Hill Cl NG5 15 E2
Pinehurst Av NG15 8 A3
Pinetree Walk NG16 10 C1
Pinewood Av NG5 16 D2
Pinewood Gdns NG11 52 C3
Pinfold NG13 58 E3
Pinfold Cl NG12 59 B1
Pinfold La NG9 41 H2
Pinfold Rd NG16 11 F2
Pingle Cres NG5 15 E2
Pintail Cl NG4 38 B2
Piper Cl NG15 19 G3
Pippin Cl NG3 26 C6
Pitcairn Cl NG2 35 H6
Plackett Cl, Derby DE72 48 B3
Plackett Cl, Nottingham NG9 42 A1
Plains Farm Cl NG3 17 E5
Plains Gro NG3 26 C1
Plains Rd NG3 16 D6
Plane Cl NG6 13 H4
Plant La NG10 57 B1
Plantagenet Ct NG3 5 G1
Plantagenet St NG3 5 G1
Plantation Cl NG5 15 F2
Plantation Rd, Keyworth NG12 56 A5
Plantation Rd, Nottingham NG8 32 D3
Plantation Side NG7 24 D6
Platt La NG12 56 C4
Player St NG7 34 D1
Plaza Gdns NG6 24 D1
Pleasant Row NG7 25 E6
Plough La NG1 5 G4
Plowright Ct NG3 25 H6
Plowright St NG3 25 H6
Plumb Rd NG15 8 D2
Plumptre Pl NG1 5 F4
Plumptre Rd NG16 6 A4
Plumptre St NG1 5 F4
Plumptre Way NG16 10 D1
Plumtree Rd NG12 59 A2
Plungar Cl NG8 34 A1
Podder La NG3 17 E5
Polperro Way NG15 8 A4
Pondhills La NG5 16 C3
Pool Mdw NG4 37 H3
Popham Ct NG1 5 F5
Popham St NG1 5 E5
Poplar Av, Nottingham NG5 25 F3
Poplar Av, Sandiacre NG10 41 E2
Poplar Cl, Bingham NG13 58 F3
Poplar Cl, Carlton NG4 37 F1
Poplar Cres NG16 12 C5
Poplar Rd DE72 48 D3
Poplar St NG1 5 G4
Poplar Way DE7 30 B2
Poplars Av NG14 19 G6
Poplars Cl NG12 56 B4
Poplars Rd NG7 35 E5
Porchester Cl NG15 9 F2
Porchester Ct NG3 26 C5
Porchester Rd, Bingham NG13 58 C3
Porchester Rd, Nottingham NG3 26 C4
Porlock Cl NG10 49 E3
Port Arthur Rd NG2 36 C3
Portage Cl NG12 39 E5
Porter Cl NG11 52 B3
Porters Walk NG3 26 C6
Portinscale Cl NG2 47 F4
Portland Cres NG9 42 A3
Portland Ct NG5 15 G6
Portland Grange NG15 8 C2
Portland Park Cl NG15 8 D2
Portland Rd, Beeston NG9 50 B2
Portland Rd, Carlton NG4 27 E3
Portland Rd, Giltbrook NG16 11 F2
Portland Rd, Hucknall NG15 9 F2
Portland Rd, Ilkeston DE7 20 D1
Portland Rd, Long Eaton NG10 57 C1
Portland Rd, Nottingham NG7 4 A2
Portland Rd, West Bridgford NG2 46 B3
Portland Sq NG7 4 A2
Portland St, Beeston NG9 43 H3
Portland St, Daybrook NG5 16 A5
Portlnd Gdns NG15 8 D2
Portree Dr NG5 15 E1
Postern St NG1 4 C4
Potters Cl NG5 15 F3
Potters Ct NG9 33 E6
Potters La DE7 21 E5
Potters Way DE7 21 E5
Pottery La NG6 13 H4
Poulter Cl NG7 24 C6
Poulton Dr NG2 36 B4
Powis St NG6 14 A4
Powtrell Pl DE7 31 F1
Poynton St NG1 4 C3
Premier Rd NG7 25 F5
Prendwick Gdns NG5 15 F3
Prestwick Cl NG8 23 F3
Prestwood Dr NG8 24 A6
Previn Gdns NG3 36 C1
Primrose Bank NG13 58 B3
Primrose Cl NG3 26 A6
Primrose Cres NG4 27 H6
Primrose Rise NG16 11 E2
Primrose St NG4 27 H6
Primula Cl NG11 52 B2
Prince Edward Cres NG12 38 D5
Prince St, Ilkeston DE7 20 C1
Prince St, Nottingham NG10 49 G3
Princes St NG16 6 D6
Princess Av NG9 43 H3
Princess Cl NG4 27 G3
Princess Dr NG10 41 F5
Princess St NG10 49 G3
Prior Rd NG5 15 H5
Prioridge NG12 59 C2
Priors Cl NG13 58 F2
Priory Av NG12 55 E2
Priory Circus NG12 55 E2
Priory Cl DE7 30 A1
Priory Cres NG4 27 H4
Priory Rd, Eastwood NG16 10 D2
Priory Rd, Gedling NG4 27 H4
Priory Rd, Hucknall NG15 8 C2
Priory Rd, West Bridgford NG2 46 C2
Priory St NG7 34 D5
Pritchard Dr NG9 42 A3
Private Rd, Hucknall NG15 8 C2
Private Rd, Nottingham NG5 25 H3
Prize Cl NG11 52 B2
Promenade NG3 5 G2
Prospect Pl NG7 35 E4
Prospect Rd NG4 26 D4
Prospect St NG7 34 D1
Providence Pl DE7 20 C4
Prudhoe Ct*, Bunbury St NG2 36 A6
Pulborough Cl NG5 25 E1
Pullman Rd NG2 36 B3
Purbeck Cl NG10 49 E
Purbeck Dr NG2 45 G
Purdy Mdw NG10 48 D
Pyatt St NG2 36 A
Pym Leys NG10 48 D
Pym St NG3 36 B
Pym Walk NG3 5 H
Quantock Cl NG5 15 F
Quantock Gro NG13 58 B
Quantock Rd NG10 49 E
Quarry Av NG6 14 A
Quarry Hill DE7 31 E
Quarry Hill Ind Est DE7 30 D
Quarry Hill Ind Pk DE7 30 D
Quarry Hill Rd DE7 30 D
Quarry La NG15 19 G
Quarrydale NG15 19 E
Quayside Cl NG2 36 A
Queen Elizabeth Rd NG9 42 B
Queen Elizabeth Way DE7 30 A
Queen St, Hucknall NG15 19 F
Queen St, Ilkeston DE7 20 C
Queen St, Langley Mill NG16 6 A
Queen St, Long Eaton NG10 49 H
Queen St, Nottingham NG1 4 D
Queen Ter DE7 20 C
Queens Av, Ilkeston DE7 31 E
Queens Av, Nottingham NG4 27 G
Queens Berry St NG6 24 D
Queens Bower Rd NG5 15 G
Queens Bridge Rd NG2 35 H
Queens Ct NG13 58 C
Queens Dr, Beeston NG9 44 A
Queens Dr, Brinsley NG16 6 C
Queens Dr, Ilkeston DE7 20 C
Queens Dr, Nottingham NG2 35 F
Queens Dr, Nuthall NG16 12 D
Queens Dr, Sandiacre NG10 41 F
Queens Dr Ind Est NG2 35 F
Queens Rd, Beeston NG9 43 H
Queens Rd, Nottingham NG2 35 H
Queens Rd, Radcliffe NG12 39 F
Queens Rd East NG9 44 A
Queens Rd North NG16 10 D
Queens Rd South NG16 10 D
Queens Rd West NG9 43 F
Queens Sq NG16 10 D
Queens St NG5 16 C
Queens Walk NG2 35 H
Queensbury Av NG2 45 H
Querneby Av NG3 26 B
Querneby Rd NG3 26 A
Quinton Cl NG11 45 F
Quorn Cl NG9 43 F
Quorn Gro NG5 25 F
Quorn Rd NG5 25 F
Quorndon Cres NG10 49 H
Racecourse Rd NG2 36 D
Rad Mdws NG10 49 G
Radbourne Rd NG2 36 C
Radburn Ct NG9 32 A
Radcliffe Gdns NG4 27 F
Radcliffe Mt NG2 36 B
Radcliffe Rd, Gamston NG12 47 F
Radcliffe Rd, Holme Pierrepont NG12 38 B
Radcliffe Rd, West Bridgford NG2 36 B
Radcliffe St NG2 36 A
Radford Blvd NG7 34 D
Radford Bridge Rd NG8 34 B
Radford Cres NG4 27 G

ford Grove La
G7 34 D1
ford Rd NG7 24 D3
ley Sq NG6 14 C6
marsh Rd NG7 34 D4
nor Gro NG13 58 B2
stock Rd NG3 26 C6
way Dr NG11 45 F4
burn Dr NG9 50 A1
dale Rd NG6 14 A3
lan Cl NG3 25 H6
lan Dr NG4 28 B4
lan St NG16 11 E2
bank Gdns NG5 16 B6
nham Gdns NG11 53 G5
hby Cl NG5 15 F4
eigh Cl,
eston DE7 20 D1
eigh Cl,
ottingham NG11 52 B2
eigh Mews NG7 4 A2
eigh Sq NG7 4 A1
eigh St NG7 4 A2
Cl NG2 46 B6
nblers Cl NG4 37 G2
nsdale Cres NG5 26 A2
nsdale Rd NG4 27 G4
nsey Cl NG9 32 A5
nsey Ct NG5 25 G4
nsey Dr NG5 16 D5
nby Walk NG3 36 B1
cliffe Av NG12 56 A4
dal Gdns NG7 25 E6
dal St,
ottingham NG7 24 D6
dal St,
ottingham NG7 25 E6
dolph St NG3 36 B2
nelagh Gro NG8 34 A2
nmere Rd NG8 23 H6
nmoor Rd NG4 27 H4
nmore Cl NG9 32 D5
nnerdale Cl NG2 47 E3
nnoch Rise NG5 16 C2
nnock Gdns NG12 56 B5
nskill Gdns NG5 15 F3
nsom Dr NG3 26 B4
nsom Rd NG3 26 A4
nson Rd NG9 50 D2
cliffe St NG16 10 D1
hgar Cl NG8 33 F3
hmines Cl NG7 34 D4
ven Av NG5 25 G1
venhill Cl NG9 42 D5
vens Ct NG5 15 G6
venscar Ct*,
ackhill Dr NG4 27 H5
vensdale Av NG10 49 F1
vensdale Dr NG8 33 E4
vensmore Rd NG5 25 G3
venswood Rd NG5 16 B3
vensworth Rd NG6 14 A3
wson St NG7 25 E4
ymede Cl NG5 15 E5
ymede Dr NG5 14 D5
ymond Dr NG13 58 E3
yneham Rd DE7 20 A1
ynford Av NG9 43 E5
ad Av NG9 44 A3
adman Rd NG9 42 C6
arsby Cl NG8 33 E2
creation Rd NG10 41 F3
creation St NG10 50 B4
creation Ter NG9 41 H3
ctory Av NG8 33 G3
ctory Dr,
edling NG4 27 H3
ctory Dr,
Vilford NG11 45 G1
ctory Gdns NG8 33 G3
ctory Rd,
olwick NG4 37 G2
ctory Rd,
otgrave NG12 59 A2
ctory Rd,
erby DE72 48 C3
ctory Rd,
West Bridgford NG2 46 B2
dbourne Dr NG8 34 B1
dbridge Dr NG16 23 E2
dcar Cl NG4 27 G3
dcliffe Rd NG3 25 G5
dfield Rd NG7 44 D1
dfield Way NG7 44 D1
dhill Lodge Dr
G5 16 A2
dhill Rd NG5 16 B2
dland Av NG4 27 H5
dland Cl,
keston DE7 20 D2
dland Cl,
ottingham NG9 42 D6
dland Dr NG9 42 D6

Redland Gro NG4 27 G5
Redmays Dr NG14 19 G5
Redmile Rd NG8 24 B3
Redoubt St NG7 34 D2
Redruth Cl NG8 33 E1
Redwood NG2 45 G3
Redwood Av NG8 33 E4
Redwood Cres NG9 43 H4
Reedham Walk NG5 15 F3
Reedman Rd NG10 57 D1
Rees Gdns NG5 15 F2
Regatta Way NG2 37 E6
Regent St,
Beeston NG9 43 H2
Regent St,
Ilkeston DE7 20 D6
Regent St,
Kimberley NG16 12 B5
Regent St,
Long Eaton NG10 49 H3
Regent St,
New Basford NG7 25 F4
Regent St,
Nottingham NG1 4 B3
Regent St,
Sandiacre NG10 41 G4
Regents Park Cl NG2 45 H4
Regents Pl NG11 45 F3
Regina Cl NG12 39 E5
Reid Gdns NG16 12 D4
Reigate Cl NG9 51 F1
Reigate Dr NG9 51 F2
Reigate Rd NG7 25 E3
Rempstone Dr NG6 14 C6
Renfrew Dr NG8 33 F3
Repton Dr DE7 21 F6
Repton Rd,
Long Eaton NG10 57 B1
Repton Rd,
Nottingham NG6 14 C5
Repton Rd,
West Bridgford NG2 46 B4
Reservoir Ter NG3 26 B2
Retford Rd NG5 25 F2
Revelstoke Av NG5 14 C2
Revelstoke Way NG5 14 C2
Revena Cl NG4 37 H1
Revesby Gdns NG8 24 B6
Revesby Rd NG5 16 C6
Revill Cl DE7 20 A3
Revill Cres NG9 42 A1
Reydon Dr NG8 24 C4
Reynolds Dr NG8 33 G2
Rhyl Cres NG4 27 H3
Ribblesdale DE7 30 A2
Ribblesdale Ct NG9 42 B5
Ribblesdale Rd,
Long Eaton NG10 49 E6
Ribblesdale Rd,
Nottingham NG5 15 G6
Riber Cl NG10 49 G6
Riber Cres NG5 15 E6
Richardson Cl NG11 52 C2
Richborough Pl NG8 33 F6
Richey Cl NG5 17 E4
Richmond Av,
Derby DE72 49 E4
Richmond Av,
Ilkeston DE7 20 D1
Richmond Av,
Newthorpe NG16 11 F1
Richmond Av,
Nottingham NG3 26 B6
Richmond Av,
Sandiacre NG10 41 E5
Richmond Dr,
Beeston NG9 43 F4
Richmond Dr,
Nottingham NG3 26 A3
Richmond Dr,
Radcliffe NG12 39 F3
Richmond Gdns NG5 16 A1
Richmond Rd NG2 36 B6
Richmond Ter NG12 39 E4
Rick St NG1 5 E2
Ridge La NG12 39 G2
Ridgemount Walk
NG11 52 C3
Ridgeway NG5 14 D3
Ridgeway Dr DE7 30 A2
Ridgeway Walk NG5 15 E3
Ridgewood Dr NG9 42 D5
Ridgway Cl NG2 47 E4
Ridgway St NG3 36 B1
Ridsdale Rd NG5 15 H6
Rifle St NG7 34 D2
Rigley Av DE7 20 D4
Rigley Dr NG5 14 D4
Ring Leas NG12 59 C1
Ringstead Cl NG2 45 H4
Ringstead Walk NG5 15 G3
Ringwood Cres NG8 34 B2
Ringwood Rd NG13 58 A2

Ripon Rd NG3 37 E2
Rise Park Rd NG5 14 C2
Riseborough Walk
NG6 14 B2
Risegate NG12 59 B2
Risegate Gdns NG12 59 B2
Riseholme Av NG8 32 D4
Risley Dr NG2 35 F6
Risley La DE72 40 B6
Ristes Pl NG1 5 F3
Ritchie Cl NG12 59 C2
Ritson Cl NG3 5 G1
River Rd NG4 37 G3
River Vw NG2 45 H1
Riverdale Rd NG9 51 E1
Rivergreen NG11 44 D6
Rivergreen Cl NG9 33 E5
Rivergreen Cres NG9 32 D5
Rivermead NG12 59 B1
Riverside Rd NG9 44 A6
Riverside Retail Pk
NG2 45 F1
Riverside Way NG2 35 G6
Riverway Gdns NG2 36 A5
Road No Eight NG4 37 H2
Road No Five NG4 38 B2
Road No Four NG4 38 B2
Road No One NG4 37 H1
Road No Seven NG4 38 A1
Road No Three NG4 38 A2
Road No Two NG4 37 H2
Robbinetts La NG16 21 G4
Roberts La NG15 8 C1
Roberts St,
Ilkeston DE7 31 E1
Roberts St,
Nottingham NG2 36 B3
Robey Cl NG15 19 G2
Robey Dr NG16 6 D5
Robin Hood Chase
NG3 26 A6
Robin Hood Dr NG15 8 B4
Robin Hood Ind Est
NG3 5 G2
Robin Hood Rd NG5 15 G2
Robin Hood St NG3 5 G2
Robin Hood Ter NG3 5 G2
Robin Hood Way NG2 35 F6
Robina Dr NG16 11 F3
Robinet Rd NG9 43 G4
Robinia Ct NG2 46 C5
Robins Wood Rd NG8 24 A6
Robinson Gdns NG11 52 B2
Robinson Rd NG3 26 C2
Roche Cl NG5 17 E4
Rochester Av NG4 28 A6
Rochester Cl NG10 49 E4
Rochester Ct NG6 13 G5
Rochester Walk NG11 53 E2
Rochford Ct NG12 47 E6
Rock Ct NG6 24 C2
Rock Dr NG7 4 A6
Rock St NG6 14 A3
Rocket Cl NG16 12 C4
Rockford Ct NG9 32 A6
Rockford Rd NG5 25 E2
Rockingham Gro
NG13 58 B3
Rockley Av,
Newthorpe NG16 11 E2
Rockley Av,
Radcliffe NG12 39 F3
Rockley Cl NG15 8 A3
Rockside Gdns NG15 8 C2
Rockwood Cres NG15 8 B2
Rockwood Walk NG15 8 C3
Roden St NG3 5 G2
Roderick St NG6 24 C1
Rodney Rd NG2 46 D3
Rodney Way DE7 20 D2
Rodwell Cl NG8 34 B1
Roebuck Cl NG5 15 G2
Roecliffe NG2 46 A5
Roehampton Dr
NG9 31 G5
Roker Cl NG8 23 H4
Roland Av,
Nuthall NG16 23 F1
Roland Av,
Wilford NG11 45 G2
Rolleston Cl NG15 8 B3
Rolleston Cres NG16 12 B2
Rolleston Dr,
Arnold NG5 16 C4
Rolleston Dr,
Newthorpe NG16 11 E3
Rolleston Dr,
Nottingham NG7 35 E3
Roman Dr NG6 24 D1
Romans Ct NG6 24 D3
Romilay Cl NG9 43 H1
Romney Av NG8 33 E5
Rona Ct NG6 14 D5

Ronald St NG7 35 E2
Rookery Gdns NG5 16 C3
Rookwood Cl NG9 43 G3
Roosa Cl NG6 13 G5
Roosevelt Av NG10 57 D1
Rope Walk DE7 21 E4
Ropsley Cres NG2 46 C1
Roscoe Av NG5 16 B1
Rose Ash La NG5 15 G3
Rose Av DE7 20 C3
Rose Cl NG3 26 A6
Rose Ct NG10 49 F3
Rose Gro,
Beeston NG9 44 A4
Rose Gro,
Keyworth NG12 56 B4
Rose Hill NG12 56 A5
Roseacre NG9 43 H4
Rosebank Dr NG5 17 E2
Rosebay Av NG7 24 D6
Roseberry Gdns
NG15 9 G3
Roseberry St NG6 24 D1
Rosebery Av NG2 36 B6
Rosecroft Dr NG5 15 H5
Rosedale Cl NG10 49 E5
Rosedale Dr NG8 32 D3
Rosedale Rd NG3 37 E1
Rosegarth Walk NG6 24 C1
Rosegrove Av NG5 16 C2
Roseland Cl NG12 56 A6
Roseleigh Av NG3 26 D3
Rosemary Cl NG8 23 F4
Roseneath Av NG5 14 D1
Rosetta Rd NG7 25 E4
Rosewall Ct NG5 17 E4
Rosewood Gdns
NG2 45 H6
Roslyn Av NG4 27 G4
Ross La NG4 18 C4
Rossell Dr NG9 41 H4
Rossendale DE7 20 C1
Rossett Cl NG2 47 F3
Rossington Rd NG2 36 C2
Rosslyn Dr,
Hucknall NG15 19 H3
Rosslyn Dr,
Nottingham NG8 24 A3
Rosthwaite Cl NG2 47 E5
Rothbury Av NG9 31 H5
Rothbury Gro NG13 58 A2
Rothesay Av NG7 35 E2
Rothley Av NG3 36 B2
Rothwell Cl NG11 45 F5
Roughs Wood La
NG15 8 B5
Roundwood Rd NG5 15 H4
Rowan Av,
Newthorpe NG16 11 F1
Rowan Av,
Stapleford NG9 32 A6
Rowan Cl,
Ilkeston DE7 30 D2
Rowan Cl,
Nottingham NG13 58 E2
Rowan Ct NG16 12 D5
Rowan Dr,
Keyworth NG12 56 C6
Rowan Dr,
Nottingham NG11 45 F5
Rowan Gdns NG6 13 G4
Rowan Walk NG3 26 D5
Rowe Gdns NG6 14 C5
Rowland Av NG3 26 D3
Rowsley Av NG10 49 E6
Roy Av NG9 44 A5
Royal Av NG10 49 H2
Royal Mews NG9 42 D6
Royce Av NG15 8 B5
Royston Cl NG2 35 G6
Ruby Pads NG16 12 B5
Ruddington Flds Bsns Pk
NG11 54 A6
Ruddington La NG11 45 F3
Rudge Cl NG8 33 G2
Ruffles Av NG5 17 E6
Rufford Av,
Beeston NG9 42 B2
Rufford Av,
Gedling NG4 27 F3
Rufford Cl NG15 9 F3
Rufford Gro NG13 58 B2
Rufford Rd,
Long Eaton NG10 57 C1
Rufford Rd,
Nottingham NG5 25 G2
Rufford Rd,
Ruddington NG11 53 H4
Rufford Walk NG6 14 A3
Rufford Way NG2 46 D3
Ruffs Dr NG15 8 B4
Rugby Cl NG5 14 D4
Rugby Rd NG2 45 G5

Rugeley Av NG10 50 B4
Ruislip Cl NG16 12 A4
Runcie Cl NG12 59 B3
Runnymede Ct NG7 4 A1
Runswick Dr,
Arnold NG5 16 C3
Runswick Dr,
Nottingham NG8 34 A2
Runton Dr NG6 25 E1
Rupert Rd NG13 58 C3
Rupert St DE7 21 E4
Rush Leys NG10 57 F1
Rushcliffe Av,
Carlton NG4 27 F5
Rushcliffe Av,
Radcliffe NG12 39 E4
Rushcliffe Ct NG6 14 C4
Rushcliffe Rd NG15 8 B4
Rushcliffe Rise NG5 16 A6
Rushford Dr NG8 33 E3
Rushmere Walk NG5 16 C5
Rushton Gdns NG3 26 B6
Rushworth Av NG2 46 B1
Rushworth Cl NG3 26 B6
Rushy Cl NG8 33 E2
Rushy La NG10 40 D4
Ruskin Av,
Beeston NG9 43 E5
Ruskin Av,
Long Eaton NG10 49 E6
Ruskin Cl NG5 16 A4
Russell Av NG8 33 G2
Russell Cres NG8 33 H2
Russell Ct*,
Russell St NG10 49 H3
Russell Dr NG8 33 F3
Russell Gdns NG9 50 D1
Russell Pl NG1 4 C2
Russell Rd NG7 25 E5
Russell Sq NG7 4 A1
Russell St,
Long Eaton NG10 49 H3
Russell St,
Nottingham NG7 4 A1
Russet Av NG4 27 H6
Russley Rd NG9 42 B2
Ruth Dr NG5 16 C2
Ruthwell Gdns NG5 15 F1
Rutland Av NG9 50 C2
Rutland Gro NG10 41 G4
Rutland Ind Pk DE7 20 D3
Rutland Rd,
Bingham NG13 58 E2
Rutland Rd,
Gedling NG4 27 F1
Rutland Rd,
West Bridgford NG2 36 C6
Rutland St,
Ilkeston DE7 20 D3
Rutland St,
Nottingham NG1 4 C4
Rutland Ter DE7 20 D3
Rydal Av NG10 49 F1
Rydal Dr,
Beeston NG9 43 E1
Rydal Dr,
Hucknall NG15 8 D1
Rydal Gdns NG2 46 C5
Rydal Gro NG6 24 D2
Rydale Rd NG5 15 H6
Ryder St NG6 24 C1
Rye St NG7 25 E4
Ryecroft St NG9 42 A1
Ryehill Cl NG2 36 A5
Ryeland Gdns NG2 35 H5
Ryemere Cl NG16 10 C1
Rylands Cl NG9 44 A5
Ryton Ct*,
Bunbury St NG2 36 A6
Ryton Sq NG8 24 A4

Saddlers Yd NG12 55 G5
Saffron Gdns NG2 35 G5
St Agnes Cl NG8 23 F5
St Albans Cl NG10 57 F1
St Albans Mews NG6 14 C5
St Albans Rd,
Arnold NG5 16 A4
St Albans Rd,
Nottingham NG6 14 B3
St Albans St NG5 25 H2
St Andrews Cl,
Hucknall NG15 8 D1
St Andrews Cl,
Nottingham NG6 14 B4
St Andrews Ct NG6 14 C4
St Andrews Dr DE7 20 C5
St Andrews Rd NG3 25 G6
St Annes Gdns NG3 26 B6
St Anns Hill NG3 25 H6
St Anns Hill Rd NG3 25 H6
St Anns St NG1 5 E1
St Anns Valley NG3 26 A6

St Anns Way NG3 35 H1
St Anns Well Rd NG3 5 F2
St Augustines Cl*, Gawthorne St NG7 25 E4
St Austell Dr NG11 45 F4
St Austins Ct NG4 27 H5
St Austins Dr NG4 27 H5
St Bartholomews Rd NG3 26 B6
St Catherines Cl NG12 39 E5
St Cecelia Gdns NG3 35 H1
St Chads Rd NG3 36 B2
St Christopher St NG2 36 C3
St Cuthberts Ct NG8 23 F4
St Cuthberts Rd NG3 36 B2
St Ervan Rd NG11 45 G3
St Georges Dr, Nottingham NG2 35 G5
St Georges Dr, Toton NG9 50 B1
St Helens Cres, Burton Joyce NG14 29 F1
St Helens Cres, Trowell NG9 31 G3
St Helens Gro NG14 29 E2
St Helens Rd NG2 46 B3
St Helens St NG7 4 A2
St James Av DE7 21 E6
St James Ct NG10 41 F6
St James St, Nottingham NG1 4 C4
St James St, Stapleford NG9 41 G4
St James Ter, Nottingham NG1 4 C4
St James Ter, Stapleford NG9 41 G3
St James's St NG1 35 G3
St James's Ter NG1 35 G3
St Johns Cres NG15 9 F4
St Johns Ct NG4 27 G6
St Johns Rd, Ilkeston DE7 21 E6
St Johns Rd, Nottingham NG11 53 H4
St Johns St NG10 49 H4
St Judes Av NG3 26 A3
St Lawrence Blvd NG12 38 D5
St Leonards Dr NG8 33 G3
St Leven Cl NG8 23 F5
St Lukes Cl NG2 46 D4
St Lukes St NG3 5 H3
St Lukes Way NG14 29 E5
St Margarets Av NG8 24 B5
St Marks St NG3 5 F1
St Martins Cl NG8 23 F5
St Martins Gdns NG8 23 F5
St Martins Rd NG8 23 F4
St Mary St DE7 20 C5
St Marys Av NG4 27 G3
St Marys Cl, Arnold NG5 16 C2
St Marys Cl, Attenborough NG9 51 E2
St Marys Cres NG11 53 H4
St Marys Gate NG1 5 F3
St Marys Pl NG1 5 F4
St Marys Rd NG13 58 E2
St Marys Way NG15 8 D1
St Matthias Rd NG3 36 B1
St Mawes Av NG11 45 G3
St Michaels Av, Gedling NG4 27 G3
St Michaels Av, Nottingham NG8 23 F5
St Michaels Sq NG9 42 D1
St Nicholas Cl NG5 16 A4
St Nicholas St NG1 4 D4
St Norbert Dr DE7 30 A2
St Patricks Rd, Hucknall NG15 8 D2
St Patricks Rd, Nuthall NG16 12 D5
St Pauls Av NG7 25 E6
St Pauls St NG8 34 C2
St Pauls Ter NG7 25 E6
St Peters Centre NG1 5 E4
St Peters Chamber NG1 5 E4
St Peters Church Walk NG1 5 E4
St Peters Cres NG11 53 G5
St Peters Gate NG1 5 E4
St Peters St NG7 34 D2
St Saviours Gdns NG2 36 A5
St Stephens Av NG2 36 B4
St Stephens Rd NG2 36 B3
St Vincent Cl NG10 49 H5
St Wilfrids Church Dr NG11 45 G1
Salamander Cl NG4 27 F3
Salcey Dr NG9 31 H5
Salcombe Circus NG5 16 A2
Salcombe Cl NG16 11 F1
Salcombe Cres NG11 54 A3
Salcombe Dr NG5 16 A2
Salcombe Rd NG5 25 E2
Salford Gdns NG3 5 G1
Salisbury Sq NG7 34 D3
Salisbury St, Beeston NG9 44 A3
Salisbury St, Long Eaton NG10 50 A4
Salisbury St, Nottingham NG7 34 D3
Salmon Cl NG6 13 G4
Salop St NG5 16 A4
Saltburn Rd NG8 33 H1
Saltby Grn NG2 45 G6
Salterford Rd NG15 8 C4
Saltford Cl NG4 27 H3
Salthouse Ct NG9 43 H2
Salthouse La NG9 43 H1
Saltney Way NG11 45 F6
Samson Ct NG11 53 G4
Sandale Cl NG2 47 E3
Sandays Cl NG2 35 G6
Sandby Ct NG9 43 E4
Sanders Cl DE7 20 A3
Sandfield Rd, Arnold NG5 16 B5
Sandfield Rd, Beeston NG9 50 A1
Sandfield Rd, Nottingham NG7 35 E3
Sandford Av NG10 49 H5
Sandford Rd NG3 26 C3
Sandgate NG9 33 E6
Sandham Walk NG11 44 D6
Sandhurst Dr, Beeston NG9 50 D1
Sandhurst Dr, Ruddington NG11 53 G5
Sandhurst Rd NG6 14 A2
Sandiacre Rd NG9 41 G3
Sandon St NG7 25 F4
Sandown Rd NG9 50 B1
Sandpiper Cl NG13 58 E3
Sandpiper Way NG7 34 D3
Sandringham Av NG2 46 A1
Sandringham Cres NG8 33 E2
Sandringham Dr NG9 33 E6
Sandringham Pl, Ilkeston DE7 30 B2
Sandringham Pl, Nottingham NG15 9 F1
Sandringham Rd, Nottingham NG2 36 C3
Sandringham Rd, Sandiacre NG10 41 F5
Sands Cl NG4 37 G2
Sandside NG12 59 B2
Sandwell Cl NG10 49 E5
Sandy La, Beeston NG9 33 E6
Sandy La, Holme Pierrepont NG12 38 B5
Sandy La, Hucknall NG15 8 D2
Sandyford Cl NG6 24 B2
Sanger Cl NG11 52 B3
Sanger Gdns NG11 52 B3
Sankey Dr NG6 13 H4
Sapele Cl NG4 28 A3
Sargent Gdns NG3 36 C1
Saskatoon Cl NG12 39 E5
Saunby Cl NG5 16 D4
Saunton Cl NG12 47 E5
Savages Rd NG11 53 H4
Savages Row NG11 53 H4
Saville Cl NG9 42 A1
Saville Rd NG5 16 B6
Sawley Rd, Breaston DE72 48 C4
Sawley Rd, Draycott DE72 48 A5
Sawmand Cl NG10 49 G5
Saxelby Gdns NG6 14 A3
Saxon Grn NG7 34 D4
Saxon Way NG12 59 B3
Saxondale Dr NG6 14 C6
Saxton Cl NG9 44 A3
Scafell Cl NG2 47 E4
Scafell Way NG11 52 C4
Scalby Cl NG16 10 C1
Scalford Dr NG8 34 B3
Scarborough Av DE7 20 C5
Scarborough St NG3 5 G1
Scarf Walk NG11 45 G2
Scargill Av NG16 11 F2
Scargill Cl NG16 11 F2
Scargill Walk NG16 6 D6
Sceptre St NG5 25 H3
School Av NG15 8 B5
School Cl NG2 35 H6
School La, Ilkeston DE7 40 D2
School La, Nottingham NG9 43 E5
School Walk NG6 9 H5
Science Rd NG7 34 C6
Scotholme Av NG7 25 E5
Scotland Bank NG12 59 B1
Scotland Rd NG5 24 D2
Scott Av NG9 43 H4
Scott Cl NG6 13 G6
Scrimshire La NG12 59 A1
Script Dr NG6 24 D1
Scrivelsby Gdns NG9 43 E5
Seaburn Rd NG9 42 A6
Seaford Av NG8 34 A2
Seaford Way DE7 10 D6
Seagrave Rd NG8 23 E4
Seamer Rd NG16 12 B3
Seatallan Cl NG2 47 E4
Seathwaite Cl NG12 47 F5
Seatoller Cl NG2 47 F5
Seaton Cres NG8 23 H4
Second Av, Beeston NG9 43 F1
Second Av, Bulwell NG6 14 A4
Second Av, Carlton NG4 27 E5
Second Av, Gedling NG4 27 H4
Second Av, Humber Rd South NG7 44 B3
Second Av, Ilkeston DE7 20 D6
Second Av, Nottingham NG7 25 F5
Second Av, Sandiacre NG10 40 D5
Sedgebrook Cl NG6 24 B1
Sedgewood Gro NG11 44 D6
Sedgley Av NG2 36 C2
Sedgley Rd NG12 55 F3
Sedley Av NG16 12 D5
Seely Rd NG7 35 E2
Sefton Av NG9 42 A1
Sefton Dr NG3 25 H4
Selby Cl NG9 42 A6
Selby La NG12 56 B6
Selby Rd NG2 46 B3
Selhurst Ct NG7 25 E6
Selhurst St NG7 25 E6
Selkirk Way NG5 25 G4
Sellars Av NG11 53 H6
Sellers Wood Dr NG6 13 H3
Sellers Wood Dr West NG6 13 G3
Selside Ct NG9 42 C5
Selston Dr NG8 34 B4
Selwyn Cl NG6 14 D6
Serif Cl NG5 25 F3
Serlby Rd NG16 7 E6
Serlby Rise NG3 36 B1
Seven Oaks Cres NG9 32 D6
Seven Oaks Rd DE7 31 E6
Seventh Av NG7 44 B4
Severals NG9 42 B2
Severn St NG6 14 A4
Seymour Ct NG7 4 A1
Seymour Pl NG2 36 D6
Seymour Rd, Eastwood NG16 10 D2
Seymour Rd, Hucknall NG15 8 C4
Seymour Rd, West Bridgford NG2 36 D6
Seymour St NG3 36 B2
Shackleton Cl NG8 23 E3
Shacklock Cl NG5 15 F1
Shadwell Gro NG12 39 E4
Shady La NG9 51 F2
Shaftesbury Av, Bulcote NG14 19 G6
Shaftesbury Av, Long Eaton NG10 57 C1
Shaftesbury Av, Sandiacre NG10 41 E4
Shaftesbury St NG7 25 F4
Shakespeare Cl*, Colwick Manor Fm NG4 37 H2
Shakespeare Rd NG16 11 F6
Shakespeare St, Long Eaton NG10 49 G3
Shakespeare St, Nottingham NG1 4 C1
Shakespeare Villas NG1 4 D1
Shakespeare Vs NG1 35 G2
Shaldon Cl NG5 15 E2
Shandwick Cl NG5 17 E2
Shanklin Dr NG9 41 G2
Shanwell Cl NG8 23 E3
Shardale Gdns NG6 24 C1
Sharnford Way NG9 32 C3
Sharp Cl, Ilkeston DE7 30 A1
Sharp Cl, Nottingham NG10 49 F5
Sharphill Rd NG12 46 D6
Shaw Cres NG15 8 C4
Shaw Gdns NG11 52 B3
Shaw St NG11 53 G5
Shaw St East DE7 31 E1
Shaw St West DE7 31 E1
Shearing Cl NG4 28 A4
Shearing Hill NG4 28 A4
Sheepfold La NG11 53 H6
Sheetstores Ind Est NG10 57 E1
Shelby Cl NG7 34 D3
Sheldon Cl NG10 41 F6
Shelford Cl, Beeston NG9 43 F5
Shelford Cl, Radcliffe NG12 39 G3
Shelford Cres NG14 19 G6
Shelford Dr NG13 58 B2
Shelford Hill NG12 29 H5
Shelford Rd, Gedling NG3 27 E2
Shelford Rd, Radcliffe NG12 39 F4
Shelford Rise NG3 36 C1
Shellburne Cl NG5 14 D3
Shelley Av NG11 44 D6
Shelley Cl, Hucknall NG15 8 B3
Shelley Cl, Nuthall NG16 12 D5
Shelley Rd NG5 16 A4
Shelton Av NG15 9 G5
Shelton Gdns NG11 53 G4
Shelton St NG3 5 F1
Shenfield Gdns NG5 14 C2
Shepard Cl NG6 13 H5
Shepherd Ct NG15 8 B5
Shepherds Cl NG8 23 H6
Shepherds Wood Dr NG8 24 B6
Shepton Cl DE7 20 B2
Shepton Cres NG8 24 A3
Sheraton Dr NG8 33 F5
Sherborne Rd, Nottingham NG8 23 H4
Sherborne Rd, West Bridgford NG2 46 B4
Sherbrook Av NG5 16 A5
Sherbrook Rd NG5 15 H4
Sherbrook Ter NG5 16 A5
Sherbrooke Rd NG5 25 G4
Sheridan Ct NG9 32 A6
Sheridan Way, Hucknall NG15 9 E4
Sheridan Way, Nottingham NG5 25 F2
Sheriffs Lea NG9 50 A1
Sheriffs Way NG2 35 H5
Sheringham Cl NG5 16 C5
Sherington Cl NG11 52 B3
Sherman Dr NG9 50 D1
Sherwin Rd, Lenton NG7 34 D4
Sherwin Rd, Stapleford NG9 32 A6
Sherwin Walk NG3 35 H1
Sherwood Av NG5 26 A2
Sherwood Gro NG13 58 B2
Sherwood Rise, Eastwood NG16 10 D1
Sherwood Rise, Nottingham NG7 25 F4
Sherwood St NG15 9 F3
Sherwood Vale NG5 26 A2
Shilling Way NG10 49 E4
Shilo Way NG16 11 F6
Shipley Common La DE7 20 A1
Shipley Rd NG8 23 G3
Shipstone St NG7 25 E5
Shipstones Yd NG6 14 B3
Shirebrook Cl NG6 24 B2
Shirley Cres DE72 48 C3
Shirley Ct NG9 50 C2
Shirley Dr NG5 16 D4
Shirley Rd NG3 25 G
Shirley Rise NG4 27 C
Shirley St NG10 57 E
Shoreswood Cl NG5 15 G
Short Hill NG1 5 F
Shortcross Av NG3 26 C
Shortwood Av NG15 8 E
Shortwood Cl NG1 5 F
Shorwell Rd NG3 27 E
Shrewsbury Rd NG2 36 C
Shrimpton Ct NG11 53 H
Sibson Walk NG5 16 C
Sidlaw Rise NG5 15 G
Sidmouth Cl NG12 56 A
Sidney Rd NG9 43 F
Sidney St, Kimberley NG16 12 E
Sidney St, Long Eaton NG10 49 H
Silbury Cl NG11 52 C
Silverbirch Cl NG6 24 A
Silverdale NG9 41 H
Silverdale Rd NG7 25 E
Silverhill Cl NG8 23 E
Silverhow Cl NG2 47 E
Silverwood Rd NG9 43 G
Simkin Av NG3 26 D
Simone Gdns NG11 52 D
Simons Ct NG9 33 E
Sir John Robinson Way NG5 16 A
Sisley Av NG9 42 A
Sixth Av NG7 44 B
Skeavingtons La DE7 10 C
Skelwith Cl NG12 47 F
Sketchley Ct NG6 13 H
Sketchley St NG3 36 B
Skiddaw Cl NG2 47 F
Skipton Circus NG3 36 D
Skipton Cl DE7 20 B
Skylark Cl NG13 58 E
Skylark Dr NG6 24 C
Slade Rd NG9 42 D
Slaidburn Av NG11 45 F
Sloan Dr NG9 32 D
Sloane Ct NG2 53 H
Sloethorne Gdns NG5 15 H
Smedley Av DE7 21 E
Smedley Cl NG8 24 B
Smedleys Av NG10 41 F
Smeeton St DE75 10 A
Smite Ct NG7 24 C
Smithfield Av NG9 31 G
Smithurst Rd NG16 11 E
Smithy Cl NG11 52 C
Smithy Cres NG5 16 C
Smithy Row NG1 5 E
Smythson Dr NG8 33 G
Snape Wood Rd NG6 13 G
Sneinton Blvd NG2 36 B
Sneinton Dale NG2 36 B
Sneinton Hermitage NG2 5 H
Sneinton Hollows NG2 36 B
Sneinton Rd NG2 5 H
Snowdon Cl NG5 15 G
Soarbank Cl NG16 12 A
Sobers Gdns NG5 17 E
Softwood Cl NG6 13 G
Soloman Rd NG16 21 F
Solway Cl NG9 43 F
Somerby Ct NG9 32 D
Somerleyton Dr DE7 31 E
Somersby Rd NG5 16 C
Somerset Cl NG10 50 C
Somerton Av NG11 45 F
Songthrush Av NG6 24 C
Sophie Rd NG7 35 E
Sorrel Dr NG13 58 B
Soudan Dr NG2 35 G
South Av NG12 39 H
South Devon Av NG3 27 E
South Flds NG10 50 A
South Par NG1 4 D
South Rd, Beeston NG9 44 A
South Rd, Nottingham NG7 4 A
South Rd, West Bridgford NG2 46 A
South Sherwood St NG1 4 D
South Snape Cl NG6 13 G
South St, Eastwood NG16 10 C
South St, Giltbrook NG16 11 G
South St, Hucknall NG15 9 E
South St, Ilkeston DE7 20 D

outh St,
Long Eaton NG10 50 A4
outhampton St
NG3 36 A1
outhchurch Dr NG11 52 D3
outhcliffe Rd NG4 27 F6
outhdale Dr NG4 27 F6
outhdale Rd NG4 27 F6
outhey St NG7 35 E1
outhfield Rd NG8 34 C1
outhglade Rd NG5 14 D5
outhlea Rd NG4 27 G6
outhside NG5 17 E3
outhview Rd NG4 27 F4
outhwark St NG6 24 D2
outhwell Rd NG1 5 G3
outhwell Rise NG16 11 F3
outhwold Dr NG8 34 B2
overeign Gro NG10 49 F4
owbrook La DE7 30 C3
palding Rd NG3 36 B2
paniel Row NG1 4 D4
parrow Cl DE7 31 E3
pean Ct NG8 33 H2
pean Dr NG8 24 A6
peedwell Cl NG13 58 B3
peedwell La NG16 11 H5
pencer Av,
Mapperley NG3 17 E5
pencer Av,
Sandiacre NG10 41 F3
pencer Cl NG11 53 G5
pencer Cres NG9 42 A1
pencer Dr NG16 12 D5
pey Cl NG15 8 B6
picer Cl NG9 50 D1
pindle Gdns NG6 13 H3
pinney Cl,
Cotgrave NG12 59 A3
pinney Cl,
Gamston NG2 47 E5
pinney Cres NG9 42 B6
pinney Dr NG10 49 G1
pinney Rd,
Bingham NG13 58 C3
pinney Rd,
Ilkeston DE7 30 C1
pinney Rd,
Keyworth NG12 56 A5
pinney Rd,
Long Eaton NG10 49 G1
pinney Rise NG9 42 A6
pinney Way NG11 45 F6
pinningdale NG5 17 E2
pondon St NG5 25 H3
pray Cl NG4 37 G2
pridgeon Cl NG10 49 F1
pring Cl NG16 12 B4
pring Garden Ter
DE7 20 D3
pring Grn NG11 52 D4
pring Head Ct NG6 13 H5
pring Hill NG16 12 B6
pring La,
Bulwell NG6 14 B4
pring La,
Lambley NG4 18 A5
pring La,
Nottingham NG3 17 F4
pring Mdws NG12 59 C2
pring St NG15 8 D1
pring Ter NG16 13 F6
pringdale Gdns
NG9 31 H5
pringfield Av,
Eastwood NG16 11 E1
pringfield Av,
Long Eaton NG10 50 A3
pringfield Av,
Sandiacre NG10 41 F6
pringfield Dr NG6 13 G5
pringfield Gdns DE7 20 D3
pringfield Rd,
Hucknall NG15 8 B3
pringfield Rd,
Redhill NG5 16 A2
pringfield Retail Pk
NG6 14 B3
pringfield St NG7 25 E4
pringfields NG2 46 A3
pringmoor NG2 37 G2
pringwood Gdns
NG5 26 B2
pruce Gdns NG6 13 H4
pruce Gro NG15 9 F4
pydon Walk NG11 52 D4
quires Av NG6 14 A2
quires Way NG2 46 A3
tacey Av NG5 15 E4
tafford Av NG6 14 A5
tafford Ct NG6 13 G6
tafford St NG10 50 B4
tagsden Cres NG8 32 D2
Staindale Dr NG8 24 C4
Stainmore Gro
NG13 58 B2
Stainsborough Rd
NG15 8 A3
Stamford Cl NG10 57 F1
Stamford Rd NG2 46 C4
Stamford St,
Awsworth NG16 21 G1
Stamford St,
Ilkeston DE7 20 D4
Stamford St,
Newthorpe NG16 11 G2
Stancliffe Av NG6 14 B4
Standard Hill NG1 4 C4
Standhill Av NG4 27 E5
Standhill Rd NG4 26 D4
Stanesby Rise NG11 52 D2
Stanford Gdns NG12 39 E3
Stanford St NG1 4 D4
Stanhome Dr NG2 46 A5
Stanhome Sq NG2 45 H6
Stanhope Av NG5 25 G4
Stanhope Cres,
Arnold NG5 16 A3
Stanhope Cres,
Burton Joyce NG14 29 E6
Stanhope Rd,
Arnold NG5 16 B3
Stanhope Rd,
Gedling NG4 27 F1
Stanhope St,
Ilkeston DE7 31 E1
Stanhope St,
Long Eaton NG10 49 H3
Stanhope St,
Nottingham NG1 5 G4
Stanhope St,
Stanton-by-Dale DE7 30 D6
Stanhope Way NG13 58 C3
Stanier Way NG16 12 C3
Stanley Cl DE7 20 C6
Stanley Dr NG9 42 B1
Stanley Pl NG1 4 C2
Stanley Rd,
Forest Fields NG7 25 E5
Stanley Rd,
Mapperley NG3 26 D3
Stanley Rd,
West Bridgford NG2 46 C3
Stanley St,
Ilkeston DE7 20 D6
Stanley St,
Nottingham NG10 50 A4
Stanmore Cl NG16 23 F2
Stanmore Gdns NG5 16 B5
Stansfield St NG7 34 D2
Stanstead Av,
Nottingham NG5 14 C2
Stanstead Av,
Tollerton NG12 55 F3
Stanthorne Cl NG11 45 F5
Stanton Gate DE7 31 G6
Stanton La NG12 56 D6
Stanton Rd NG10 40 D2
Stanway Cl NG3 37 E1
Stanwick Cl NG8 23 F5
Stapleford By-Pass
NG10 41 F5
Stapleford La NG9 42 A5
Stapleford Rd NG9 31 G4
Staplehurst Dr NG5 25 E1
Staples St NG3 26 B3
Stapleton Rd DE7 20 C1
Starch La NG10 41 F2
Starth Wood Rd NG15 8 B5
Stathern Walk NG5 15 G4
Station Av NG4 28 A4
Station Ct DE7 20 C4
Station Rd,
Awsworth NG16 11 F6
Station Rd,
Beeston NG9 43 G3
Station Rd,
Bulwell NG6 14 B4
Station Rd,
Burton Joyce NG14 29 E2
Station Rd,
Carlton NG4 27 G6
Station Rd,
Daybrook NG5 16 A5
Station Rd,
Derby DE72 48 A4
Station Rd,
Hucknall NG15 9 F2
Station Rd,
Ilkeston DE7 20 D4
Station Rd,
Keyworth NG12 56 B3
Station Rd,
Kimberley NG16 12 B5
Station Rd,
Langley Mill NG16 6 A6
Station Rd,
Long Eaton NG10 50 B4
Station Rd,
Plumtree NG12 55 G5
Station Rd,
Sandiacre NG10 41 F4
Station Rd,
Stanley DE7 20 D6
Station St,
Bingham NG13 58 D2
Station St,
Ilkeston DE7 21 E3
Station St,
Long Eaton NG10 50 A4
Station St,
Nottingham NG2 5 E6
Station Ter,
Hucknall NG15 9 F2
Station Ter,
Radcliffe NG12 39 F4
Staunton Dr NG5 25 H1
Staverton Rd NG8 23 F6
Steadfold Cl NG6 14 A5
Steads Cl NG4 27 H6
Steedman Av NG3 26 D1
Steeles Way NG4 18 B3
Steinbeck Rd NG4 27 F6
Stella Av NG12 55 F3
Stella Gro NG12 55 F3
Sterndale Rd NG10 49 F5
Steven Cl NG9 42 B6
Stevenholme Cres
NG5 15 F5
Stevens La DE72 48 B4
Stevens Rd NG10 41 E4
Stevenson Av DE72 48 A4
Stevenson Gdns
NG11 54 A6
Stewarton Cl NG5 17 E2
Stiles Rd NG5 17 E5
Stinsford Cl NG5 15 H3
Stirling Gdns NG9 50 D1
Stirling Gro,
Clifton NG11 53 E3
Stirling Gro,
Kimberley NG16 12 A4
Stock Well NG6 14 A4
Stockdale Cl NG5 15 F1
Stockgill Cl NG2 47 E3
Stockhill Circus NG6 24 B2
Stockhill La NG6 24 B2
Stocks Rd NG16 12 A4
Stockton St NG6 14 A4
Stoke Ferry La NG12 29 F4
Stoke La NG4 28 B4
Stokesay Walk NG2 46 C4
Stolle Cl NG5 17 E4
Stone Mdws NG10 50 A6
Stoneacre NG5 15 F3
Stonebridge Rd
NG3 5 H2
Stonehaven Cl NG5 17 E2
Stoneleigh Cl NG9 43 E5
Stoneleigh St NG7 4 A1
Stonepit Cl NG3 26 B4
Stonesby Vale NG2 45 G6
Stoney Houghton Gdns
NG6 13 H3
Stoney La,
Brinsley NG16 6 A4
Stoney La,
Trowell NG9 31 F2
Stoney St,
Beeston NG9 43 H2
Stoney St,
Nottingham NG1 5 F3
Stoneycroft Rd NG6 14 D6
Stoppard Cl DE7 20 B3
Storey Av NG4 27 G3
Stornoway Ct NG9 44 A4
Storth Av NG15 9 E3
Story Gdns NG15 9 G4
Stotfield Rd NG8 32 D2
Stourdale Cl NG10 49 E5
Stowe Av NG2 46 A4
Stratford Cl NG4 37 H2
Stratford Rd NG2 46 B2
Stratford St DE7 20 D1
Strathglen Cl NG16 12 A4
Strathmore Cl NG15 8 C4
Strathmore Rd NG5 17 E2
Strelley La NG8 22 D6
Strelley Rd NG8 23 E5
Strelley St NG6 14 A4
Striding Edge Cl
NG10 49 F1
Strome Cl NG2 35 G5
Strome Ct*,
Strome Cl NG2 35 G5
Stuart Cl NG5 17 E3
Studland Way NG2 45 H4
Sturgeon Av NG11 45 E5
Sturton St NG7 25 F5
Styring St NG9 43 G3
Sudbury Av,
Ilkeston DE7 21 E6
Sudbury Av,
Nottingham NG10 41 E3
Sudbury Ct NG10 57 A1
Suez St NG7 25 E4
Suffolk Av NG9 44 B5
Sullivan Cl NG3 26 C6
Sumburgh Rd NG11 53 E2
Summer Way NG12 39 E3
Summerfields Way
DE7 20 B1
Summerfields Way South
DE7 20 B3
Summerleys Rd NG2 36 A4
Summerwood La
NG11 52 C4
Sunbury Gdns NG5 16 C2
Sunderland Gro NG8 23 E3
Sundridge Park Cl
NG2 45 H4
Sunlea Cres NG9 42 A4
Sunnindale Dr NG12 55 G2
Sunningdale Dr DE7 30 A2
Sunningdale Rd NG6 14 C5
Sunninghill Dr NG11 44 D6
Sunninghill Rise NG5 16 C2
Sunny Row NG8 33 F2
Sunnydale Rd NG3 37 E1
Sunnyside Rd NG9 42 D3
Sunrise Av NG5 15 E6
Surbiton Sq NG8 24 A2
Surfleet Cl NG8 32 D4
Surgeys La NG5 16 C2
Susan Cl NG15 19 G3
Susan Dr NG6 24 C1
Sussex Cl NG16 11 E3
Sussex Walk NG10 41 F4
Sutherland Dr NG2 46 C5
Sutherland Rd NG3 26 D6
Sutton Gdns NG11 53 H5
Sutton Passeys Cres
NG8 34 B3
Sutton Rd NG5 16 C1
Swains Av NG3 36 D1
Swaledale Cl NG8 24 C4
Swallow Cl NG6 24 C2
Swallow Dr NG13 58 E3
Swallow Gdns NG4 26 D4
Swan Mdw NG4 37 H4
Swansdowne Dr
NG11 53 E2
Sweet Leys Rd NG2 35 G6
Swenson Av NG7 34 D4
Swigert Cl NG6 13 G6
Swinburne St NG3 36 B1
Swinburne Way NG5 15 H4
Swindon Cl NG16 11 F4
Swiney Way NG9 50 B1
Swinstead Cl NG8 33 H1
Swithland Dr NG2 46 A5
Sycamore Cl,
Bingham NG13 58 F3
Sycamore Cl,
Hucknall NG15 8 C4
Sycamore Cl,
Radcliffe NG12 39 F5
Sycamore Cres NG10 41 E2
Sycamore Rd,
Awsworth NG16 11 F6
Sycamore Rd,
Long Eaton NG10 49 G6
Sycamore Rise NG6 24 B1
Sydenham Ct NG7 34 C5
Syderstone Walk NG5 16 C5
Sydney Gro NG12 39 E4
Sydney Rd NG8 34 A2
Syke Rd NG5 15 E3
Synge Cl NG11 52 B3
Syon Park Cl NG2 45 H4

Taft Av NG10 41 F3
Talbot Ct NG12 39 E4
Talbot Dr NG9 31 H5
Talbot St NG1 4 B2
Tamarix Cl NG4 28 A3
Tambling Cl NG5 17 E5
Tame Cl NG11 44 D5
Tamworth Gro NG11 53 E1
Tamworth Rd,
Long Eaton NG10 57 C2
Tamworth Rd,
Nottingham NG10 49 G6
Tamworth Rd,
Shardlow DE74 57 A4
Tangmere Cres NG8 23 F4
Tansy Way NG13 58 B3
Tanwood Rd NG9 50 C2
Tarbert Cl NG2 35 G5
Tathams La DE7 20 C3
Tattershall Dr,
Beeston NG9 44 A2
Tattershall Dr,
Nottingham NG7 4 A3
Taunton Rd NG2 46 B3
Taupo Dr NG15 8 A4
Tavern Av NG8 24 B3
Tavistock Av NG3 25 H4
Tavistock Cl NG15 8 B4
Tavistock Dr NG3 25 G4
Tavistock Rd NG2 46 C3
Taylor Cl NG2 36 C3
Taylor Cres NG9 42 A1
Taylor St DE7 20 D4
Teak Cl NG3 26 A6
Teal Cl NG4 38 B1
Teal Wharf*,
The Moorings NG7 35 E5
Tealby Cl NG6 13 G4
Teesbrook Dr NG8 32 D3
Teesdale Ct NG9 42 C5
Teesdale Rd,
Long Eaton NG10 49 E6
Teesdale Rd,
Nottingham NG5 25 F3
Telford Dr NG16 7 F6
Teme Ct NG2 46 C4
Templar Rd NG9 44 A3
Temple Cres NG16 23 F1
Temple Dr NG16 23 F1
Templeman Cl NG11 53 G4
Templeoak Dr NG8 33 E4
Tenbury Cres NG8 24 A4
Tene Cl NG5 16 B1
Tennis Ct Ind Est
NG2 36 C4
Tennis Dr NG7 4 A3
Tennis Mews NG7 4 A3
Tennyson Av NG4 27 H4
Tennyson Ct NG15 8 B3
Tennyson Dr NG9 51 F1
Tennyson Rd NG5 26 B1
Tennyson Sq NG16 11 F6
Tennyson St,
Ilkeston DE7 20 C2
Tennyson St,
Nottingham NG7 4 A1
Tenter Cl,
Long Eaton NG10 57 F1
Tenter Cl,
Nottingham NG5 15 E3
Terrace St NG7 25 E6
Terrian Cres NG2 46 C3
Terton Rd NG5 15 E2
Tetney Walk NG8 33 H1
Tettenbury Rd NG5 25 E2
Teversal Av NG7 35 E3
Tevery Cl NG9 42 A1
Teviot Rd NG5 15 E6
Tewkesbury Cl NG2 46 D3
Tewkesbury Dr,
Kimberley NG16 12 A4
Tewkesbury Dr,
Nottingham NG6 24 D1
Tewkesbury Rd NG10 57 F1
Thackeray St NG7 35 E2
Thackerays La NG5 16 A6
Thames St NG6 14 A4
Thane Rd NG7 44 C3
Thaxted Cl NG8 33 E1
The Avenue NG12 39 E3
The Banks NG13 58 D3
The Beeches NG3 26 D5
The Booths Ind Est
DE7 20 D3
The Breach NG16 7 E6
The Brickyard NG15 9 G3
The Cedars NG5 26 A1
The Chancery NG9 42 D2
The Chestnuts,
Long Eaton NG10 49 E4
The Chestnuts,
Nottingham NG3 26 C4
The Chestnuts,
Radcliffe NG12 39 E4
The City, Derby DE72 40 C5
The City,
Nottingham NG9 43 H2
The Cliff NG6 24 A1
The Cloisters NG9 43 H1
The Close NG9 43 E5
The Common NG15 8 A3
The Connery NG15 9 E1
The Copse,
Ilkeston DE7 10 B6
The Copse,
Nottingham NG15 9 F3
The Court NG9 50 B2
The Covers NG2 36 B6
The Crescent,
Chilwell NG9 43 E6
The Crescent,
Derby DE72 48 A4
The Crescent,
Eastwood NG16 7 E6

The Crescent, Nottingham NG3 26 A5
The Crescent, Radcliffe NG12 39 G4
The Crescent, Stapleford NG9 31 H6
The Crescent, Toton NG9 50 C1
The Crescent, Woodthorpe NG5 26 B1
The Crofts NG13 58 D3
The Dial NG12 59 A3
The Dovecotes NG9 43 H4
The Downs NG11 45 F6
The Drift, Hucknall NG15 19 G3
The Drift, Nottingham NG11 44 D6
The Dumbles NG4 18 B3
The Elms, Colwick NG4 27 H6
The Elms, Watnall NG16 12 B3
The Flatts NG9 42 C4
The Forge NG9 31 F2
The Foxgloves NG13 58 C3
The Friary NG7 34 D5
The Glade NG11 52 D4
The Glebe NG16 21 F1
The Glen NG11 52 D2
The Great Northern Cl NG2 5 G6
The Green, Beeston NG9 43 F5
The Green, Radcliffe NG12 39 E4
The Green, Ruddington NG11 53 H5
The Greenway NG10 41 F3
The Grove, Derby DE72 48 D3
The Grove, Nottingham NG7 35 E1
The Heath NG16 11 E3
The Hollies NG10 41 E4
The Hollows, Long Eaton NG10 50 B3
The Hollows, Nottingham NG11 45 F5
The Home Cft NG9 42 D2
The Island NG2 36 A3
The Lane NG16 21 G1
The Leas NG14 19 G6
The Leys, Nottingham NG11 52 C2
The Leys, Plumtree NG12 55 H4
The Midway NG7 44 D1
The Mill Cl NG6 24 D2
The Moor, Hucknall NG16 6 B1
The Moor, Trowell NG9 32 C1
The Moorings NG7 35 E5
The Mount, Broxtowe NG8 23 F4
The Mount, Nottingham NG3 27 E3
The Mount, Redhill NG5 16 A2
The Mount, Stapleford NG9 41 H3
The Nook, Beeston NG9 43 H2
The Nook, Chilwell NG9 43 F5
The Nook, Nottingham NG8 33 F3
The Old Pk NG12 59 B1
The Orchard DE7 40 D1
The Orchards NG4 28 A4
The Paddock, Attenborough NG9 51 F2
The Paddock, Bingham NG13 58 D2
The Paddocks, Edwalton NG12 54 D1
The Paddocks, Nuthall NG16 12 C6
The Paddocks, Sandiacre NG10 41 E4
The Park NG12 59 B1
The Parrs NG9 44 B4
The Pastures NG16 11 F3
The Pingle NG10 49 H3
The Pinnacle NG1 4 B3
The Plantations NG10 49 E3
The Point NG3 25 H5
The Poplars, Beeston NG9 43 G2
The Poplars, West Bridgford NG2 46 B2
The Poultry NG1 5 E3
The Precinct NG12 59 B1
The Ridings, Bulcote NG14 19 G6
The Ridings, Keyworth NG12 56 C5
The Rise NG5 26 A2
The Ropewalk NG1 4 A2
The Sidings NG16 12 B5
The Spinney, Bestwood Village NG6 9 H4
The Spinney, Bulcote NG14 19 G5
The Spinney, Ilkeston DE7 30 C1
The Spinney, Nuthall NG16 23 H2
The Spinney, Stanton-by-Dale DE7 40 D1
The Spinney, Woodthorpe NG5 26 B1
The Spring NG10 49 H6
The Square, Beeston NG9 43 G3
The Square, Keyworth NG12 56 B6
The Square, Wollaton NG8 33 G3
The Strand NG9 51 F2
The Teasels NG13 58 B3
The Triangle DE7 31 E1
The Twitchell NG9 43 F5
The Vale DE7 20 C2
The Vista NG9 41 H4
The Warren NG12 59 B3
The Watermeadows NG10 49 F4
The Waterway NG10 41 G5
The Wells Rd NG3 26 B3
The Woodlands*, Water La NG12 39 E5
The Wyndings NG5 26 C1
Thelda Av NG12 56 A4
Thetford Cl NG5 16 C5
Third Av, Bulcote NG6 14 A4
Third Av, Carlton NG4 27 E5
Third Av, Gedling NG4 27 H4
Third Av, Humber Rd South NG7 44 B3
Third Av, Ilkeston DE7 20 D6
Third Av, Nottingham NG7 25 F5
Thirlmere Cl, Long Eaton NG10 49 F1
Thirlmere Cl, Nottingham NG3 26 C6
Thirlmere Rd, Gamston NG2 47 F4
Thirlmere Rd, Long Eaton NG10 49 F1
Thirston Cl NG6 13 G3
Thistle Cl NG16 11 F3
Thistle Rd DE7 31 E3
Thistledown Rd NG11 52 D4
Thomas Av NG12 39 H3
Thomas Cl NG3 36 A1
Thompson Cl NG9 43 E6
Thompson Gdns NG5 15 F2
Thor Gdns NG5 15 E2
Thoresby Av NG4 27 G3
Thoresby Cl NG12 39 G3
Thoresby Ct NG3 26 A5
Thoresby Dale NG15 9 F1
Thoresby Rd, Beeston NG9 32 D6
Thoresby Rd, Bingham NG13 58 B2
Thoresby Rd, Long Eaton NG10 49 F5
Thoresby St NG2 5 H4
Thorn Dr NG16 11 F2
Thorn Gro NG15 9 F4
Thorn Tree Gdns NG16 6 D5
Thornbury Way NG5 15 E4
Thorncliffe Rd NG3 25 G5
Thorncliffe Rise NG3 25 G5
Thorndale Rd NG6 24 B2
Thorndyke Cl NG9 44 A6
Thorner Cl NG6 14 D6
Thorney Hill NG3 26 C6
Thorneybank Av NG3 26 D6
Thorneywood Mt NG3 26 C6
Thorneywood Rd NG10 50 B4
Thorneywood Rise NG3 26 C6
Thornhill Cl NG9 32 D5
Thornley St NG7 24 D6
Thornthwaite Cl NG2 47 F4
Thornton Av NG5 16 A2
Thornton Cl NG8 33 G3
Thornton Rd NG2 36 B6
Thornton St NG7 35 F2
Thorntons Cl NG12 59 C2
Thorntree Cl DE72 48 D3
Thorold Cl NG11 52 D2
Thorpe Cl, Nottingham NG5 15 E3
Thorpe Cl, Stapleford NG9 41 G2
Thorpe Cres NG3 26 D3
Thorpe Leys NG10 49 H6
Thorpe Rd NG16 6 D5
Thorpe St DE7 20 C2
Thrapston Av NG5 16 C1
Three Tuns Rd NG16 11 E1
Threlkeld Cl NG2 47 E3
Thrumpton Av NG10 50 B5
Thrumpton Dr NG2 35 G6
Thurgarton St NG2 36 B3
Thurland St NG1 5 E3
Thurlstone Dr NG3 17 F5
Thurman Dr NG12 59 B1
Thurman St, Ilkeston DE7 31 E2
Thurman St, Nottingham NG7 35 E1
Thursby Rd NG11 44 D6
Thymus Walk NG11 52 B2
Thyra Ct NG3 26 A4
Thyra Gro, Beeston NG9 43 H3
Thyra Gro, Nottingham NG3 26 A4
Tidworth Cl NG8 34 A1
Tighes Way NG4 27 E3
Tilberthwaite Cl NG2 47 F3
Tilbury Rise NG8 23 H2
Tilford Gdns NG9 42 A3
Tilstock Ct NG16 12 B3
Tilton Gro DE7 30 A2
Tim La NG14 29 F1
Tinker Cft DE7 20 C6
Tinkers Way NG7 35 F4
Tinsley Rd NG16 10 B2
Tintagel Grn NG11 52 D3
Tintern Dr NG8 24 C3
Tippett Ct NG3 36 C1
Tiptree Cl NG16 12 B4
Tiree Cl NG9 31 G5
Tishbite St NG6 14 A4
Tissington Cl NG7 25 F5
Tissington Rd NG7 25 F5
Titchfield St NG15 9 E2
Titchfield Ter NG15 9 E2
Tithby Dr NG5 25 H1
Tithby Rd NG13 58 C4
Tithe Gdns NG5 15 E1
Tiverton Cl, Hucknall NG15 8 B3
Tiverton Cl, Nottingham NG8 24 A3
Tobias Cl NG5 15 E2
Todd Cl NG11 52 B3
Todd Ct NG11 52 B3
Toft Cl NG12 59 A3
Toft Rd NG9 42 C6
Tollerton Grn NG6 14 C6
Tollerton La NG12 55 G3
Tollerton Rd NG2 47 F3
Tollhouse Hill NG1 4 C3
Tonbridge Mt NG8 33 E5
Tonnelier Rd NG7 34 D6
Top Rd NG11 53 H5
Top Valley Dr NG5 14 D3
Top Valley Way NG5 14 D3
Topliff Rd NG9 51 E1
Torbay Cres NG5 15 G5
Torkard Dr NG5 15 E3
Torvill Dr NG8 33 F2
Toston Dr NG8 34 B3
Totland Dr NG8 24 C3
Totland Rd NG9 33 E5
Totley Cl NG6 14 B1
Totnes Cl NG15 8 B3
Totnes Rd NG3 36 D2
Toton Cl NG6 14 C6
Toton La NG9 41 H2
Tottle Gdns NG7 34 C1
Tottle Rd NG2 45 F1
Towes Mt NG4 27 G6
Towle St NG10 57 B1
Towlsons Cft NG6 24 C2
Town St, Beeston NG9 42 C1
Town St, Sandiacre NG10 41 F4
Town Vw NG16 12 B4
Townsend Ct NG5 15 F2
Townside Cl NG10 57 C1
Towson Av NG16 10 A1
Tracy Cl NG9 33 F6
Trafalgar Rd, Beeston NG9 44 A5
Trafalgar Rd, Long Eaton NG10 49 H5
Trafalgar Sq NG10 50 A4
Trafalgar Ter*, Trafalgar Sq NG10 50 A4
Trafalger Cl NG7 34 D1
Traffic St NG2 35 G4
Trafford Gdns NG8 24 C6
Tranby Gdns NG8 33 G3
Travers Rd NG10 41 E3
Tree View Cl NG5 15 H2
Treegarth Sq NG5 15 G2
Trefan Gdns NG5 15 F4
Trefoil Cl NG13 58 B3
Trelawn Cl NG5 25 H3
Tremayne Rd NG8 33 E1
Trent Av NG11 53 G3
Trent Blvd NG2 36 C6
Trent Bri NG2 36 A6
Trent Cres NG9 43 G6
Trent Dr NG15 8 B6
Trent Gdns NG14 29 F1
Trent La, Burton Joyce NG14 29 F1
Trent La, Long Eaton NG10 50 A6
Trent La, Nottingham NG2 36 C4
Trent Rd, Beeston NG9 44 A5
Trent Rd, Ilkeston DE7 30 C3
Trent Rd, Nottingham NG2 36 C3
Trent South Ind Est NG2 36 C4
Trent St, Long Eaton NG10 50 A3
Trent St, Nottingham NG2 5 E5
Trent Vale Rd NG9 43 H6
Trent View Gdns NG12 39 F2
Trentdale Rd NG4 37 F1
Trentham Dr NG8 24 B6
Trentham Gdns, Burton Joyce NG14 28 D2
Trentham Gdns, Nottingham NG8 24 B6
Trenton Cl NG9 32 B6
Trenton Dr NG10 50 B3
Trentview Ct*, Moreland St NG2 36 B4
Tressall Cl DE7 21 E5
Trevelyan Rd NG2 46 C1
Trevino Gdns NG5 15 E2
Trevone Av NG9 42 A3
Trevor Rd, Beeston NG9 43 G4
Trevor Rd, West Bridgford NG2 46 C3
Trevose Gdns NG5 26 A2
Treyford Cl NG11 45 F5
Tricornia Dr NG6 24 A1
Tring Vale NG5 25 F1
Trinity Av NG7 34 D4
Trinity Cl DE7 20 C2
Trinity Cres NG4 18 B4
Trinity Ct NG7 4 A1
Trinity Row NG1 4 D2
Trinity Sq NG1 4 D2
Trinity Vw NG10 50 A4
Trinity Walk NG1 5 E2
Trinstead Way NG5 15 H4
Triumph Rd NG7 34 C2
Trivett Sq NG1 5 F4
Troon Cl NG16 12 A4
Trough La NG16 12 B3
Trough Rd NG16 12 B3
Troutbeck NG12 59 C1
Troutbeck Cres NG9 43 E1
Trowell Av, Ilkeston DE7 31 E2
Trowell Av, Nottingham NG8 32 D2
Trowell Gro, Long Eaton NG10 49 F2
Trowell Gro, Trowell NG9 31 H5
Trowell Park Dr NG9 31 H5
Trowell Rd, Nottingham NG8 32 D3
Trowell Rd, Stapleford NG9 31 H5
Trueman Gdns NG5 17 E5
Trueman St DE7 20 D1
Truman Cl NG3 5 F1
Truman Dr NG15 9 E3
Truman St, Ilkeston DE7 21 E4
Truman St, Nottingham NG16 11 H4
Trumans Rd NG2 36 A6
Truro Cres NG7 24 D
Tudor Cl, Colwick NG4 37 G
Tudor Cl, Long Eaton NG10 49 H
Tudor Ct NG7 4 A
Tudor Gro NG1 35 G
Tudor Pl DE7 30 A
Tudor Rd NG2 46 C
Tudor Sq NG2 46 C
Tudwal Cl NG5 15 E
Tulip Av NG3 26 A
Tulip Rd NG16 11 F
Tunnel Rd NG7 4 A
Tunstall Cres NG8 23 H
Tunstall Dr NG5 25 E
Tunstall Rd NG5 16 C
Turnberry Cl, Ilkeston DE7 20 A
Turnberry Cl, Nottingham NG9 43 E
Turnberry Ct NG12 47 E
Turnberry Rd NG6 14 C
Turner Cl NG9 42 A
Turner Dr NG16 11 F
Turner Rd NG10 57 D
Turner St NG15 9 E
Turney St NG2 36 A
Turneys Ct NG2 36 A
Turnpike La NG9 43 H
Turnstone Wharf*, The Moorings NG7 35 E
Turpin Av NG4 27 F
Tuxford Walk NG3 36 B
Twells Cl NG3 36 B
Twycross Rd NG5 15 G
Twyford Gdns NG11 44 D
Twyford Rd NG10 57 A
Tyburn Cl NG5 15 F
Tyne Gdns NG15 8 B
Tynedale Cl, Long Eaton NG10 49 E
Tynedale Cl, Nottingham NG8 24 C

Ulldale Ct NG9 42 C
Ullscarf Cl NG2 47 F
Ullswater Cl, Gamston NG2 47 F
Ullswater Cl, Gedling NG4 27 H
Ullswater Cres NG9 43 E
Ullswater Dr NG15 8 D
Union Cl NG15 19 F
Union Rd, Ilkeston DE7 20 D
Union Rd, Nottingham NG1 5 E
Union St, Beeston NG9 43 H
Union St, Bingham NG13 58 D
Union St, Long Eaton NG10 50 A
Unity Cres NG3 27 E
University Blvd NG9 44 A
Uplands Ct NG8 33 G
Upminster Dr, Arnold NG5 16 C
Upminster Dr, Nuthall NG16 23 F
Upper Canaan NG11 53 H
Upper College St NG1 4 B
Upper Eldon St NG2 5 H
Upper Orchard Walk NG9 41 H
Upper Parliament St NG1 4 C
Upper Wellington St NG10 49 G
Uppingham Cres NG2 46 A
Uppingham Gdns NG2 36 A
Upton Dr NG5 15 H
Utile Gdns NG6 13 H

Vale Cl NG16 7 F
Vale Cres North NG8 34 C
Vale Cres South NG8 34 C
Vale Gdns NG4 37 G
Vale Rd NG4 37 G
Valerian Way NG13 58 B
Valeside Gdns NG4 37 G
Valetta Rd NG5 16 D
Valley Dr NG16 11 F
Valley Farm Ct NG5 15 E
Valley Gdns NG2 47 E
Valley Rd, Beeston NG9 42 C
Valley Rd, Carlton NG4 26 D

Valley Rd, Ilkeston DE7 30 C2
Valley Rd, Kimberley NG16 11 H4
Valley Rd, Nottingham NG5 15 H6
Valley Rd, Radcliffe NG12 39 G2
Valley Rd, West Bridgford NG2 46 C5
Valley Vw DE7 30 C2
Valmont Rd, Beeston NG9 42 B1
Valmont Rd, Nottingham NG5 25 F1
Vancouver Av NG12 39 E5
Vanguard Rd NG10 49 H6
Varden Av NG9 33 H6
Varney Rd NG11 53 E1
Vaughan Av NG15 19 H3
Vaughan Rd NG9 42 B6
Vedonis Pk NG15 8 D3
Ventnor Rise NG5 25 E1
Ventura Dr NG6 14 B2
Venus Cl NG6 14 D6
Verbena Cl NG3 25 H6
Verder Gro NG5 14 D3
Verne Cl NG4 27 F6
Vernon Av, Beeston NG9 43 G3
Vernon Av, Carlton NG4 28 A4
Vernon Av, Old Basford NG6 24 D2
Vernon Av, Wilford NG11 45 G1
Vernon Ct NG16 23 G1
Vernon Dr NG16 23 G1
Vernon Park Dr NG6 24 D2
Vernon Pl NG6 24 C1
Vernon Rd NG6 24 C1
Vernon St, Ilkeston DE7 20 D1
Vernon St, Nottingham NG1 4 B3
Verona Av NG4 37 H1
Veronica Dr, Carlton NG4 27 F4
Veronica Dr, Giltbrook NG16 11 G3
Veronica Walk NG11 52 B2
Versailles Gdns NG15 9 E4
Vicarage Av DE7 20 B1
Vicarage Cl NG5 25 E2
Vicarage Dr NG14 29 E1
Vicarage Grn NG12 47 E6
Vicarage La, Radcliffe NG12 39 E4
Vicarage La, Ruddington NG11 53 G5
Vicarage St, Ilkeston DE7 20 C1
Vicarage St, Nottingham NG9 43 G3
Vickers St NG3 25 H5
Victor Cres NG10 41 F5
Victor Ter NG5 25 G3
Victoria Centre NG1 5 E2
Victoria Cl NG5 16 C1
Victoria Cres NG5 26 A3
Victoria Embankment NG2 35 G6
Victoria Gdns NG16 12 B2
Victoria Park Flats NG1 5 G2
Victoria Park Way NG4 38 B1
Victoria Pk NG4 38 B1
Victoria Rd, Bingham NG13 58 F2
Victoria Rd, Netherfield NG4 28 A6
Victoria Rd, Nottingham NG5 25 G2
Victoria Rd, Sandiacre NG10 41 F4
Victoria Rd, Sneinton NG2 36 B3
Victoria Rd, West Bridgford NG2 46 A2
Victoria Retail Pk NG4 38 B1
Victoria St, Eastwood NG16 6 D6
Victoria St, Gedling NG4 27 H4
Victoria St, Ilkeston DE7 20 D2
Victoria St, Kimberley NG16 12 B5
Victoria St, Long Eaton NG10 57 C1
Victoria St, Nottingham NG1 5 E3
Victoria St, Radcliffe NG12 39 F4
Victoria St, Stapleford NG9 41 H3
Victoria Ter NG2 36 B3
Victory Cl NG10 49 H6
Victory Rd NG9 44 A5
Villa Rd, Keyworth NG12 56 B4
Villa Rd, Nottingham NG3 25 G6
Villa St NG9 43 G2
Village Cl NG12 54 D1
Village Rd NG11 52 B1
Village St NG12 46 D6
Villiers Ct*, Black Swan Cl NG5 26 A1
Villiers Rd, West Bridgford NG2 46 C3
Villiers Rd, Woodthorpe NG5 26 A1
Vincent Av, Ilkeston DE7 20 D5
Vincent Av, Nottingham NG9 43 G4
Vincent Gdns NG7 24 D6
Vine Cres NG10 41 F3
Vine Farm Cl, Ilkeston DE7 30 B1
Vine Farm Cl, Nottingham NG12 59 A1
Vine Ter NG15 9 E2
Vines Cross NG8 33 F5
Violet Av NG16 11 F2
Violet Cl NG6 24 C2
Violet Rd, Carlton NG4 27 F3
Violet Rd, West Bridgford NG2 46 C1
Vivian Av NG5 25 G5
Viyella Gdns NG15 9 E3
Viyella Mews NG15 9 E3
Vulcan Cl NG6 14 D6
Vyse Dr NG10 49 F5

Waddington Dr NG2 46 A5
Wade Av DE7 21 E6
Wades Av NG7 24 D6
Wades Way NG13 58 E3
Wadham Rd NG5 16 B6
Wadhurst Gdns NG3 36 A1
Wadhurst Gro NG8 33 E5
Wadsworth Rd NG9 42 A1
Wainfleet Cl DE7 20 A2
Waingrove NG11 45 F6
Wakefield Av NG12 39 F3
Wakefield Cft DE7 20 A2
Walbrook Cl NG8 24 A1
Walcot Grn NG11 52 C2
Walcote Dr NG2 45 H5
Waldeck Rd NG5 25 G4
Waldemar Gro NG9 43 H3
Waldron Cl NG2 36 A5
Walesby Cres NG8 34 B1
Walgrave Walk NG5 15 F4
Walk Mill Dr NG15 19 G3
Walker Cl DE7 31 E3
Walker Gro NG9 42 A3
Walker St, Eastwood NG16 7 E6
Walker St, Nottingham NG2 5 H3
Walkers Cl NG13 58 D2
Walkers Yd NG12 39 F4
Wallace Av NG4 27 H6
Wallace Gdns NG9 50 B2
Wallan St NG7 34 D1
Wallet St NG4 28 A6
Wallett Av NG9 43 G1
Wallett St NG2 36 A5
Wallis St NG6 24 D1
Walnut Cl DE7 21 E6
Walnut Gro, Cotgrave NG12 59 A1
Walnut Gro, Radcliffe NG12 39 E4
Walnut Tree Gdns NG6 13 G4
Walsham Cl NG9 50 D1
Walsingham Rd NG5 16 C6
Walter St NG7 4 A1
Waltham Cl NG2 46 D3
Walton Av NG3 36 B2
Walton Cres NG4 27 G6
Walton Dr NG12 56 B5
Walton Rd NG5 16 C2
Walton St NG10 49 H3
Wansbeck Cl*, Highurst St NG7 35 E2
Wansford Av NG5 16 C1
Wanstead Way NG5 14 D1
Ward Av, Hucknall NG15 19 F2
Ward Av, Nottingham NG3 26 D2
Ward St NG7 24 D5
Warden Ter NG7 25 E6
Wardle Gro NG5 16 C3
Wardlow Rd DE7 20 C2
Wards La DE72 48 B3
Wareham Cl, Nottingham NG8 23 H2
Wareham Cl, West Bridgford NG2 45 H4
Warkton Cl NG9 42 D4
Warner St NG7 34 D2
Warren Av, Nottingham NG5 25 F3
Warren Av, Stapleford NG9 41 G2
Warren La NG10 57 B3
Warren Rd NG15 8 B4
Warrender Cl NG9 33 E6
Warrener Gro NG5 14 D3
Warrenhill Cl NG5 15 H3
Warrington Rd NG6 14 B4
Warser Gate NG1 5 E3
Warsop Cl NG8 23 F3
Warton Av NG3 26 C5
Warwick Av, Beeston NG9 43 H2
Warwick Av, Woodthorpe NG5 16 A6
Warwick Dr DE7 20 A2
Warwick Gdns NG12 59 B3
Warwick Rd, Long Eaton NG10 50 B4
Warwick Rd, Nottingham NG3 26 A3
Warwick St NG7 34 D5
Wasdale Cl NG2 47 E4
Washdyke La NG15 8 C1
Washington Dr NG9 32 A6
Wasnidge Cl NG3 5 G1
Watcombe Circus NG5 25 G3
Watcombe Rd NG5 25 G4
Watendlath Cl NG2 47 E4
Water La NG12 39 E5
Water Orton Cl NG9 42 A6
Waterdown Rd NG11 52 C2
Waterford St NG6 24 D1
Waterhouse La NG4 28 A3
Waterloo Cres NG7 35 F1
Waterloo Prom NG7 35 E1
Waterloo Rd, Beeston NG9 44 A4
Waterloo Rd, Linby NG15 19 F1
Waterloo Rd, Nottingham NG7 35 F1
Waterside Cl NG2 47 E3
Waterway St, Nottingham NG2 35 H5
Waterway St, Nottingham NG2 36 A5
Waterway St West NG2 35 G5
Watford Rd NG8 24 A3
Watkin St NG3 5 E1
Watnall Rd, Hucknall NG15 8 B6
Watnall Rd, Nuthall NG16 12 D4
Watson Av NG3 26 D6
Watson Rd DE7 20 A3
Waveney Cl NG5 16 C4
Waverley Av, Beeston NG9 43 H3
Waverley Av, Gedling NG4 28 A4
Waverley St, Long Eaton NG10 50 A3
Waverley St, Nottingham NG7 4 B1
Waverley Ter NG1 4 C1
Wayne Cl NG11 52 D2
Weardale Rd NG5 25 F3
Wearmouth Gdns NG5 15 E2
Weaver Row DE7 20 D5
Weaverthorpe Rd NG5 16 C6
Webb Rd NG8 24 A6
Webster Av NG16 10 D2
Weedon Cl NG3 36 C1
Weekday Cross NG1 5 E4
Weetman Gdns NG5 15 F3
Weightman Dr NG16 11 F4
Welbeck Av, Ilkeston DE7 30 B2
Welbeck Av, Nottingham NG4 27 F3
Welbeck Gdns, Beeston NG9 42 B6
Welbeck Gdns, Woodthorpe NG5 16 D6
Welbeck Gro NG13 58 B2
Welbeck Rd, Long Eaton NG10 41 F6
Welbeck Rd, Radcliffe NG12 39 G3
Welbeck Rd, West Bridgford NG2 46 A1
Welby Av NG7 35 E3
Welch Av NG9 42 A1
Weldbank Cl NG9 42 D5
Welham Cres NG5 16 D4
Welland Ct NG3 36 B1
Wellesley Cres NG8 23 E3
Wellin Cl NG12 46 D6
Wellin Ct NG12 46 D6
Wellin La NG12 46 D6
Wellington Circus NG1 4 B3
Wellington Cres NG2 46 B2
Wellington Rd NG14 19 G6
Wellington Sq NG7 35 F2
Wellington St, Eastwood NG16 6 D6
Wellington St, Long Eaton NG10 41 G6
Wellington St, Nottingham NG3 5 E1
Wellington St, Stapleford NG9 41 G3
Wellington Villas NG7 35 F2
Wellspring Dale NG9 41 H4
Welstead Av NG8 24 A3
Welton Gdns NG6 14 A3
Welwyn Rd NG8 33 F2
Wembley Gdns NG9 32 D5
Wembley Rd NG5 17 E5
Wemyss Gdns NG8 34 C5
Wendling Gdns NG5 15 G3
Wendover Dr NG8 24 A3
Wenlock Cl NG16 11 G3
Wenlock Dr NG2 46 C4
Wensley Rd NG5 16 B6
Wensleydale Cl NG8 24 C4
Wensleydale Rd NG10 49 F5
Wensor Av NG9 43 G1
Wentworth Rd, Beeston NG9 42 D3
Wentworth Rd, Nottingham NG5 25 G3
Wentworth Ter NG7 35 E1
Wentworth Way NG12 47 E6
Wesley Gro NG5 25 G4
Wesley Pl NG9 42 A1
Wesley St, Ilkeston DE7 20 C1
Wesley St, Langley Mill NG16 6 A6
Wesley St, Nottingham NG5 25 G4
Wesley Way NG11 53 H5
Wesleyan Church Walk NG9 41 H2
Wessex Cl NG16 11 E3
West Av, Sandiacre NG10 41 E3
West Av, Stapleford NG9 42 A1
West Av, West Bridgford NG2 46 B2
West Cl NG12 56 A5
West Cres NG9 44 A5
West Dr NG7 44 A1
West End NG9 43 G4
West End Arc NG1 4 C3
West End Cres DE7 20 B5
West End Dr DE7 20 B5
West End St NG9 41 G4
West End Villas NG12 39 E4
West Furlong NG12 59 C3
West Gate NG10 50 A4
West Moor NG2 37 F2
West St, Arnold NG5 16 B4
West St, Hucknall NG15 9 E2
West St, Ilkeston DE7 20 D6
West St, Nottingham NG2 5 H3
West St, Shelford NG12 29 H4
West Ter NG15 9 E2
West View Rd NG4 27 H5
West Vw NG2 46 A4
West Walk NG2 5 H3
Westbury Cl NG9 42 D5
Westbury Rd NG5 25 E3
Westby La NG16 21 G1
Westcliffe Av, Gedling NG4 27 G2
Westcliffe Av, Radcliffe NG12 39 G3
Westcross Av NG9 42
Westdale Cl NG10 49
Westdale Cres NG4 27
Westdale La East NG4 27
Westdale La West NG3 26
Westerfield Way NG11 45
Westerham Cl NG8 23
Westerham Rd NG11 53
Westerhope Cl NG12 47
Westerlands NG9 42
Western Av NG13 58
Western Blvd NG8 24
Western Flds NG11 53
Western Gdns NG8 24
Western St NG1 5
Western Ter NG7 35
Westfield Cl DE7 30
Westfield Dr DE7 20
Westfield Rd NG13 58
Westgate St NG3 26
Westhay Ct NG8 34
Westholme Gdns NG8 34
Westhorpe Av NG3 36
Westhorpe Dr NG10 49
Westland Av NG15 8
Westleigh Rd NG8 23
Westminster Av NG10 41
Westminster Cl NG3 26
Westmoore Cl NG3 26
Weston Cres NG10 57
Westray Cl NG9 32
Westville Gdns NG3 25
Westward Av NG9 43
Westway NG12 59
Westwick Rd NG8 32
Westwick St DE7 31
Westwood Rd NG2 36
Wetherby Cl, Kimberley NG16 12 A
Wetherby Cl, Nottingham NG8 24 A
Wetherlam Cl NG2 35 G
Wharf La NG12 39 E
Wharf Rd NG7 4 C
Wharf St NG7 35 G
Wharfedale NG8 32 D
Wharfedale Rd NG10 49 E
Wharncliffe Rd DE7 20 C
Whatton Dr NG2 45 G
Whatton Rise NG5 25 G
Wheatacre Rd NG11 53 E
Wheatcroft Vw NG2 45 H
Wheatfields Rd NG3 26 C
Wheatgrass Rd NG9 42 C
Wheatley Cl NG11 53 H
Wheatley Dr NG4 27 F
Wheatley Gro NG9 43 G
Wheatsheaf Ct NG14 29 F
Wheeldale Cl NG8 32 D
Wheeler Av NG16 11 F
Wheeler Gate NG1 4 D
Whernside Rd NG5 16 B
Whetstone Cl NG16 23 F
Whickham Ct*, Bunbury St NG2 36 A
Whimsey Lodge NG4 37 G
Whinfell Cl NG11 53 E
Whinlatter Dr NG2 47 E
Whiston Cl NG5 15 F
Whitbread St NG7 25 E
Whitburn Rd NG9 42 A
Whitby Cl NG8 32 D
Whitby Cres NG5 16 C
Whitby Rd NG16 7 E
Whitchurch Cl NG5 15 E
Whitcliffe Gdns NG2 46 C
Whitcombe Gdns NG5 15 F
White Furrows NG12 59 A
White Lion Sq DE7 20 D
White Lodge Gdns NG8 23 E
White Rd NG5 24 D
Whitechapel St NG8 24 C
Whitegate Vale NG11 52 C
Whitehead Cl DE7 20 B
Whitelands NG12 59 B
Whitely Cl NG9 42 A
Whitemoor Av NG8 24 C5
Whitemoor Ct NG8 24 C5
Whitemoor Rd NG6 24 C3
Whitemoss Cl NG8 33 F4
Whites Av NG3 36 D1
Whitfield Cl NG11 45 G3
Whiting Av NG9 50 B1
Whittaker Rd NG9 42 B6
Whittier Rd NG2 36 C4
Whittingham Rd NG3 26 C2
Whitton Cl, Beeston NG9 51 E1

Whitton Cl, Nottingham NG5 15 F2
Whitwell Cl NG8 23 G3
Whitwell Rd NG8 23 G3
Whitworth Dr, Burton Joyce NG14 28 B3
Whitworth Dr, Radcliffe NG12 39 E5
Whitworth Rd DE7 30 D1
Whitworth Rise NG5 15 E3
Whyburn La NG15 8 A1
Whyburn St NG15 9 F3
Wichnor Cl NG11 44 D5
Wicket Gro NG7 34 D3
Wickstead Cl NG5 26 B2
Widdowson Cl NG6 13 G3
Widecombe La NG11 52 C3
Wighay Rd NG15 19 E2
Wigley Cl NG3 36 B1
Wigman Rd NG8 23 F5
Wigwam Gro NG15 9 F2
Wigwam La NG15 9 F2
Wigwam La Ind Est NG15 9 G3
Wilden Cres NG11 52 D1
Wildman St NG7 35 F1
Wilford Br NG2 35 G6
Wilford Cres NG11 53 H3
Wilford Cres East NG2 35 H6
Wilford Cres West NG2 35 H6
Wilford Gro NG2 35 H5
Wilford Ind Est NG11 45 G5
Wilford La NG11 45 F3
Wilford Rd, Nottingham NG2 4 D6
Wilford Rd, Ruddington NG11 53 G1
Wilford St NG2 4 D6
Wilfrid Gro NG2 46 B6
Wilkins Gdns NG11 52 B2
Wilkinson Av NG9 43 G3
Wilkinson St NG8 24 C4
Willaston Cl NG6 24 B1
Willbert Rd NG5 16 C3
Willerby Rd NG5 16 D6
Willersley Dr NG2 35 H5
Willesden Grn NG16 23 E2
Willey La NG16 7 E1
William Av NG16 10 D1
William Booth Rd NG2 36 D3
William Cl NG4 28 B5
William Rd, Stapleford NG9 41 G2
William Rd, West Bridgford NG2 46 B1
William St, Hucknall NG15 9 E2
William St, Long Eaton NG10 49 G1
Williams Rd NG9 42 C6
Willougby St DE7 21 E4
Willoughby Av, Long Eaton NG10 49 G1
Willoughby Av, Nottingham NG7 35 E3
Willoughby Cl, Derby DE72 48 D3
Willoughby Cl, Nottingham NG7 44 A1
Willoughby Rd NG2 46 B3
Willoughby St, Beeston NG9 43 H3
Willoughby St, Nottingham NG7 35 E4
Willow Av, Carlton NG4 28 A5
Willow Av, Hucknall NG15 8 B4
Willow Av, Long Eaton NG10 49 H2
Willow Av, Stapleford NG9 41 H3
Willow Brook NG12 56 D6
Willow Cl, Burton Joyce NG14 19 F6
Willow Cl, Radcliffe NG12 39 F5
Willow Cres, Gedling NG4 28 A3
Willow Cres, Lambley NG4 18 B4
Willow Ct NG2 46 A4
Willow Hill Cl NG6 13 H5
Willow La NG4 28 A3
Willow Rd, Bingham NG13 58 F3
Willow Rd, Carlton NG4 28 A5
Willow Rd, Nottingham NG7 34 D6
Willow Rd, West Bridgford NG2 46 B6
Willow Rise NG10 41 F5
Willow Wong NG14 19 E6
Willowbrook Ct NG2 35 G6
Willowdene NG12 59 C2
Willwell Dr NG2 45 H6
Wilmot La NG9 43 G4
Wilmot St, Ilkeston DE7 20 C4
Wilmot St, Nottingham NG10 49 E6
Wilne Av NG10 57 B2
Wilne Cl NG10 57 B1
Wilne Rd, Draycott DE72 57 A1
Wilne Rd, Long Eaton NG10 57 B1
Wilson Cl NG5 17 E5
Wilson Rd NG16 10 D2
Wilsthorpe Rd, Breaston DE72 49 E3
Wilsthorpe Rd, Derby DE72 48 C4
Wilsthorpe Rd, Long Eaton NG10 49 F3
Wilton Pl DE7 20 D4
Wilton Rd NG7 34 D1
Wilton St, Ilkeston DE7 20 D4
Wilton St, Nottingham NG6 24 D1
Wilton Ter NG6 24 D1
Wimbledon Dr NG16 23 F1
Wimbledon Rd NG5 25 E2
Wimborne Cl NG2 45 G4
Wimbourne Rd NG7 35 E1
Wimpole Rd NG9 33 E6
Winchester Av NG9 43 F1
Winchester Cres DE7 21 E5
Winchester Ct NG5 26 A2
Winchester St NG5 25 H2
Winchester Ter NG5 25 H2
Windermere Av DE7 30 B2
Windermere Cl, Gamston NG2 47 F3
Windermere Cl, Gedling NG4 27 H3
Windermere Gdns NG10 49 F1
Windermere Rd, Beeston NG9 43 E1
Windermere Rd, Hucknall NG15 8 D1
Windermere Rd, Long Eaton NG10 49 E1
Windermere Rd, Nottingham NG7 25 E5
Windley Dr DE7 20 B2
Windmill Av NG15 9 E2
Windmill Cl NG3 36 B2
Windmill Ct NG12 56 B6
Windmill Gro NG15 8 D2
Windmill La NG2 36 B3
Windmill Vw NG2 36 D3
Windrush Cl NG9 33 E6
Windsmoor Dr NG16 6 C1
Windsor Cl, Hucknall NG15 9 F1
Windsor Cl, Trowell NG9 31 F2
Windsor Cres, Ilkeston DE7 30 C2
Windsor Cres, Stapleford NG9 41 H2
Windsor Cres, Woodthorpe NG5 16 D5
Windsor Ct, Bingham NG13 58 B2
Windsor Ct, Long Eaton NG10 41 F5
Windsor St, Beeston NG9 44 A3
Windsor St, Stapleford NG9 41 H2
Wing Alley NG1 5 F3
Wingate Cl NG8 33 G1
Wingbourne Walk NG6 14 B2
Wingfield Dr DE7 20 B2
Wings Dr NG15 8 B5
Winifred Cres NG14 29 F1
Winifred St NG15 9 F3
Winrow Gdns NG6 24 B2
Winscale Av NG5 15 F3
Winscombe Mt NG11 52 C4
Winsford Cl NG8 24 A3
Winster Av NG4 27 G4
Winster Cl NG9 33 H6
Winster Way NG10 57 B1
Winston Cl, Mapperley NG3 17 E5
Winston Cl, Stapleford NG9 42 A1
Winterbourne Dr NG9 32 A6
Winterton Cl NG5 16 B5
Winterton Rise NG5 15 F4
Winthorpe Rd NG5 16 D4
Wintringham Cres NG5 16 C6
Wirksworth Rd DE7 30 A2
Wisa Ter NG5 25 H2
Wishford Av NG7 34 D4
Wisley Cl NG2 45 H6
Wistow Cl NG8 24 D5
Withern Rd NG8 23 G4
Witney Cl NG5 14 D3
Wiverton Rd, Bingham NG13 58 C3
Wiverton Rd, Nottingham NG7 25 F5
Woburn Cft NG10 41 E6
Woburn Cl NG12 47 E5
Woburn Rise NG5 16 D6
Wolds Dr NG12 56 B6
Wolds La NG12 56 D1
Wolds Rise NG12 56 B5
Wollacombe Cl NG3 17 F5
Wollaton Av NG4 27 F2
Wollaton Cres NG9 43 G2
Wollaton Ct NG6 14 D5
Wollaton Hall Dr NG8 34 C4
Wollaton Pads NG8 33 E3
Wollaton Rd, Beeston NG9 43 F1
Wollaton Rd, Nottingham NG8 33 F3
Wollaton Rise NG8 33 F5
Wollaton St, Hucknall NG15 9 E2
Wollaton St, Nottingham NG1 4 B2
Wollaton Vale NG8 32 D3
Wolsey Av NG7 35 E2
Wood Av NG10 41 E3
Wood La, Gedling NG4 28 A4
Wood La, Hucknall NG15 8 C2
Wood Link NG6 13 G4
Wood St, Arnold NG5 16 B3
Wood St, Eastwood NG16 6 D6
Wood St, Ilkeston DE7 20 D4
Wood St, Nottingham NG7 4 A2
Woodbank Dr NG8 33 E5
Woodborough La NG5 17 F1
Woodborough Rd NG3 26 A5
Woodbridge Av NG11 44 D6
Woodchurch Rd NG5 15 G2
Woodfield Rd NG8 23 G4
Woodford Rd, Hucknall NG15 9 E3
Woodford Rd, Woodthorpe NG5 16 D6
Woodgate Cl NG12 59 A2
Woodgate La NG12 59 A2
Woodhall Rd NG8 34 A2
Woodhedge Dr NG3 26 C5
Woodhouse St NG3 36 B2
Woodhouse Way NG8 23 E3
Woodkirk Rd NG11 53 E1
Woodland Av, Derby DE72 48 D4
Woodland Av, Ilkeston DE7 10 B6
Woodland Av, Nottingham NG6 14 B6
Woodland Cl, Cotgrave NG12 59 B2
Woodland Cl, Radcliffe NG12 39 H4
Woodland Dr, Nottingham NG3 26 A4
Woodland Dr, Nuthall NG16 23 G1
Woodland Gro, Beeston NG9 43 E4
Woodland Gro, Colwick NG4 37 H1
Woodland Gro, Woodthorpe NG5 26 A1
Woodland Rd NG2 36 C6
Woodland Way NG16 10 C1
Woodlands Farm Cl NG15 8 B5
Woodlands Gro NG15 8 B5
Woodlane Gdns NG3 26 B
Woodleigh NG12 56 A6
Woodleigh Gdns NG3 26 D3
Woodley Sq NG6 14 B1
Woodley St NG11 53 H4
Woodpecker Cl NG13 58 E3
Woodrow Av NG8 23 H5
Woodsend Cl NG14 29 E1
Woodsford Gro NG11 52 D1
Woodside NG16 6 C6
Woodside Av, Nuthall NG16 12 C5
Woodside Av, Radcliffe NG12 39 H4
Woodside Cres, Ilkeston DE7 10 B6
Woodside Cres, Nottingham NG10 49 F3
Woodside Dr NG5 16 A3
Woodside Rd, Beeston NG9 33 G6
Woodside Rd, Burton Joyce NG14 28 D2
Woodside Rd, Chilwell NG9 42 C6
Woodside Rd, Radcliffe NG12 39 H4
Woodside Rd, Sandiacre NG10 41 E4
Woodstock Av NG7 34 D1
Woodstock Rd NG9 42 A6
Woodstock St NG15 9 F2
Woodstock St West NG15 9 F2
Woodthorpe Av NG5 26 A1
Woodthorpe Ct NG5 26 A2
Woodthorpe Dr NG5 26 A1
Woodthorpe Gdns NG5 26 B2
Woodthorpe Rd NG3 26 B2
Woodview, Cotgrave NG12 59 B2
Woodview, Edwalton NG12 47 E6
Woodview Ct NG3 37 E2
Woodville Cl NG9 43 E3
Woodville Dr NG5 25 H2
Woodville Rd NG5 25 H2
Woodward St NG2 36 A6
Woodyard La NG8 33 H2
Wooford Cl NG5 14 D2
Wooliscroft Cl DE7 20 A3
Woolmer Rd NG2 35 H6
Woolpack La NG1 5 F3
Woolsington Cl NG8 23 E3
Woolsthorpe Cl NG8 33 H1
Woolsthorpe Cres DE7 30 B3
Wootton Cl NG8 23 F6
Worcester Gdns NG5 16 B5
Worcester Rd NG5 16 B6
Wordsworth Av NG15 8 B3
Wordsworth Rd, Awsworth NG16 11 G6
Wordsworth Rd, Daybrook NG5 15 H4
Wordsworth Rd, Nottingham NG7 34 D1
Wordsworth Rd, West Bridgford NG2 46 B3
Worksop Rd NG3 36 B
Worrall Av, Arnold NG5 16 B
Worrall Av, Long Eaton NG10 49 H
Worth St NG4 27 G
Wortley Av NG9 31 H
Wortley Cl DE7 21 E
Wortley Hall Cl NG7 34 B
Worwood Dr NG2 45 H
Woulds Fld NG12 59 B
Wray Cl NG3 36 B
Wren Ct NG10 57 B
Wrenthorpe Vale NG11 52 D
Wright St NG4 28 A
Wrights Orchard NG12 56 A
Wroughton Ct NG16 11 E
Wroxham Dr NG8 33 F
Wychwood Dr NG9 31 H
Wychwood Rd NG13 58 A
Wycliffe Gro NG3 26 A
Wycliffe St NG7 25 E
Wycombe Cl NG11 52 C
Wye Gdns NG7 34 C
Wykeham Rd NG5 16 D
Wykes Av NG4 27 H
Wymondham Cl NG5 16 C
Wynbreck Dr NG12 56 B
Wyndale Dr, Ilkeston DE7 30 A
Wyndale Dr, Nottingham NG5 25 E
Wyndham Mews NG3 25 G
Wynhill Ct NG13 58 B
Wynwood Cl NG9 50 C
Wynwood Rd NG9 50 C
Wynyard Cl DE7 20 B
Wyrale Dr NG8 23 F
Wyton Cl NG5 15 F
Wyvern Av NG10 49 H
Wyvern Cl NG16 11 E
Wyville Cl NG7 35 E

Yalding Dr NG8 33 E
Yalding Gdns NG8 33 E
Yarwell Cl NG3 27 E
Yates Gdns NG5 15 E
Yatesbury Cres NG8 23 F
Yew Cl NG5 25 H
Yew Tree Av NG5 25 G
Yew Tree Cl NG12 38 D
Yew Tree La, Gedling NG4 28 A
Yew Tree La, Nottingham NG11 52 B
Yew Tree Rd NG15 9 F
Yewbarrow Cl NG2 47 E
Yewdale Cl, Clifton NG11 52 C
Yewdale Cl, Gamston NG2 47 F
York Av, Beeston NG9 43 G
York Av, Sandiacre NG10 41 E
York Cl NG4 27 H
York Dr NG8 23 E
York Rd NG10 49 G
York St, Netherfield NG4 28 A
York St, Nottingham NG1 4 D
Yorke St NG15 9 E
Young Cl NG6 13 G
Yvonne Cres NG4 27 H

Zulla Rd NG3 25 G
Zulu Rd, Mapperley Park NG3 25 G
Zulu Rd, New Basford NG7 25 E

Edition 178-10 09.03